O FIO QUE NOS UNE

DIREÇÃO EDITORIAL Marco Garcia
EDIÇÃO Thaíse Costa Macêdo
PREPARAÇÃO Juliana Bormio de Sousa
REVISÃO Bia Nunes de Sousa
DIAGRAMAÇÃO Victor Malta e Pamella Destefi
DESIGN DE CAPA Cyla Costa

Dados Internacionais de Catalogação na Publicação (CIP)
(Câmara Brasileira do Livro, SP, Brasil)

Strougo, Deborah

O fio que nos une / Deborah Strougo.

— Cotia, SP : VR Editora, 2022.

ISBN 978-65-86070-88-0

1. Romance brasileiro I. Título.

21-96522 CDD-B869.3

Índices para catálogo sistemático:

1. Romances : Literatura brasileira B869.3
Cibele Maria Dias - Bibliotecária - CRB-8/9427

VR EDITORA S.A.
Via das Magnólias, 327 – Sala 01 | Jardim Colibri
CEP 06713-270 | Cotia | SP
Tel.| Fax: (+55 11) 4702-9148
vreditoras.com.br | editoras@vreditoras.com.br

DEBORAH
STROUGO

CAPÍTULO 1

Minha cabeça latejava e o cheiro do vinho preenchia todo o cômodo. Meus olhos ardiam e eu desejava apenas ficar ali, encolhida em minha cama, sem precisar lidar com nada, nem ninguém. Porém, as batidas na porta do apartamento não cessavam e a campainha soava ininterruptamente, junto com os gritos de Marina, que implorava para que eu a deixasse entrar.

— Letícia, por favor! Estou preocupada, de verdade. — Sua voz soou aflita, fazendo meu peito se apertar ainda mais. — Só me responde, diz alguma coisa!

Ao me lembrar do motivo pelo qual me sentia péssima, engoli o choro. O mesmo que me invadira toda a noite e adentrara a madrugada, sem dó. Meu choro de desespero, saudade, solidão.

— Letícia! — Marina insistiu. — Abre a porcaria da porta!

Quis gritar e dizer que já estava indo, mas minha voz falhou assim que abri a boca. A garganta estava seca e áspera, com o gosto da bebida no fundo da língua. Era uma sensação ruim, amargurada, mas um pouco reconfortante também. Pois aquilo, o meu estado deplorável, apenas provava o quão profundamente aquele homem ainda vivia em mim.

E se Alexandre ainda vivia em mim, então isso queria dizer que ele ainda estava vivo de alguma forma.

Meu coração doeu com o pensamento e algo no meu âmago se quebrou.

— Vou chamar os bombeiros, é sério! — minha amiga de infância bradou, numa mistura de impaciência e nervosismo. — Por favor, Lê!

Me levantei, ainda que tudo doesse e a cabeça zumbisse. Se eu não fosse até Marina, ela com certeza cumpriria a promessa e arrombaria meu apartamento com todo o Corpo de Bombeiros.

Suspirei fundo, xingando mentalmente aquela dor maldita que irradiava do cérebro até os dedos dos pés. Foram só duas garrafas de vinho, poxa! Não era para ficar tão destruída assim no dia seguinte. Ainda que eu não acreditasse nem por um segundo que a culpa fosse apenas da bebida.

Cheguei à sala aos tropeços, ainda sonolenta e provavelmente embriagada, girando a chave e dando de cara com a expressão quase maternal no rosto de minha amiga. Seus cachos ruivos estavam bagunçados e os olhos azuis aterrorizados quando se focaram em mim.

— Foi mal, eu tava dormin...

— Ai, amiga! Não me assusta mais assim — ela interrompeu, rodeando os braços finos em meu pescoço e me puxando para perto de seu corpo quente. — Eu sinto muito.

Não precisava dizer mais nada, pois ambas sabíamos ao que ela se referia. Marina sentia porque sabia *o quê* aquele dia representava.

E eu também.

Naquela manhã de sábado, completava um ano da morte do meu noivo e, mesmo com o passar dos meses, aquela perda ainda reverberava em mim. Por mais que eu tentasse não externar a dor, naquele dia, em especial, tive uma dificuldade maior em lidar com sua ausência.

A saudade me invadiu com força e me deixei levar por todas aquelas emoções que estavam trancafiadas nas minhas profundezas. Um buraco surgiu em meu peito no instante em que Alexandre me deixou por conta daquele acidente de ônibus, poucas semanas depois de eu aceitar o pedido de casamento. Um buraco que nunca será preenchido novamente.

Começamos a namorar no terceiro ano do Ensino Médio. E lá estávamos nós, aos 24 anos, noivos e felizes como nunca. A vida era bela, colorida e cheia de expectativas. Um futuro brilhante nos aguardava. A construção de um lar, de uma família, de um laço inquebrável.

Até que o laço se rompeu.

Assim, de repente, ele se foi. Para onde eu não podia alcançá-lo, para um lugar onde meus sentimentos não chegavam e tudo o que me sobrou foi a dor e a angústia da saudade, de estar só.

Desde aquele fatídico 30 de maio, nada mais foi o mesmo.

Eu não fui mais a mesma.

E agora, 365 dias depois do acidente, percebi que o tempo passou voando sob meus olhos e eu ainda continuava no mesmo lugar, apenas tentando seguir em frente e sobreviver dia após dia sem a companhia dele. Era como se o relógio do meu destino estivesse parado, estagnado, e eu ali, presa no passado.

Eu me agarrava, inutilmente, a uma realidade que já não me pertencia mais.

Marina compreendia isso, porque ela sabia tudo sobre mim. Nos conhecemos desde que colocamos nossos olhos no mundo, graças à amizade que nossas mães nutriam desde jovens.

— Eu estou aqui — minha amiga murmurou, afagando minhas ondas castanho-escuras. — Não vou sair do seu lado, nem hoje nem nunca.

Foi por isso que, quando ela me apertou com um pouco mais de força, eu me permiti chorar no aconchego de seu abraço, torcendo para que a dor da saudade abrandasse, ao menos um pouco. Mas ela não diminuiu durante a tarde, nem mesmo na manhã seguinte.

Infelizmente, o tempo não para e precisamos seguir em frente, mesmo que os dias pareçam não fazer sentido e as noites sejam longas demais. Eu costumava pensar em como seria chegar em casa após o trabalho e encontrá-lo no balcão da cozinha, me convidando para fazermos juntos o jantar e assistirmos algum filme na televisão antes de ir para a cama. Era um pensamento bom, mas que se tornou distante e impossível.

Em vez disso, eu chegava em casa e o silêncio reinava. Não havia um som, uma presença, nenhuma vida. Estava tudo morto. Assim como ele.

Por isso, no início, odiava ficar no apartamento que meus pais me deixaram antes de se mudar. A ideia era que, em alguns meses, Alexandre viesse morar comigo. Mas, claro, isso nunca aconteceu.

Então, mesmo com a Up Marketing me oferecendo um mês de afastamento do trabalho para lidar com o luto, recusei quase que imediatamente. Descobri que precisava me distrair, fazer qualquer coisa que me ajudasse a não pensar no que encontraria em casa.

Ou em *quem* eu *não* encontraria, no caso.

Marina dormiu por semanas comigo, mesmo eu insistindo que não era necessário. Porém, ambas sabíamos que era, sim. Meus pais, que moravam em uma cidade afastada, me visitavam com frequência, também preocupados e igualmente tristes. Eles amavam Alexandre como a um filho e também sofreram com a perda repentina.

Mas o que podíamos fazer, afinal? Que controle tínhamos sobre a vida para mudar o passo e reinventar o futuro? Simples: nenhum. Nossas mãos estavam atadas na mesma proporção que nossos corações choravam.

No início, meus pais relutaram em me deixar só e retornar para a casa deles no interior, porém, me forcei a mostrar que estava bem. Ou, ao menos, que ficaria bem, eventualmente. A única coisa que eu não desejava naquele momento era deixá-los preocupados comigo.

Depois de um tempo, eles acabaram acreditando que eu estava voltando a viver. Mergulhando no trabalho, entrando em projeto atrás de projeto e construindo, com afinco, um nome no mercado da publicidade. Afinal, não era como se eu tivesse muito mais o que fazer. O amor estava fora do meu alcance, assim como os sorrisos sinceros e as gargalhadas espontâneas que um dia fizeram parte da minha rotina. Minha essência estava adormecida, de certa forma.

Não que eu fosse infeliz. Só não era... mais a mesma coisa.

Minha amiga, no entanto, era mais perspicaz e sabia muito bem que eu usava o trabalho para me esconder da realidade. Mas eu não me importava com isso. Apenas passava, dia após dia, como uma máquina: planejando, criando e transformando projetos em ações reais. Era, provavelmente, a única coisa que me trazia algum prazer, algum conforto. Acredito que, por conta disso, ela sempre me estimulou a dar o meu melhor, a continuar e a crescer na empresa.

E eu, de certa forma, estava continuando. Tanto que, quando vi, já havia se passado um ano desde o acidente. Desde o dia em que minha vida mudou por completo.

Acabei me embriagando, porque não sabia como lidar sóbria com aquilo. Chorei por todo o sábado e durante a madrugada de domingo no colo de Marina, sem sentir o tempo passar nem mesmo lembrar o quanto eu poderia a estar prejudicando.

Foi apenas na hora do almoço, depois de finalmente perceber que não havia mais lágrimas em meus olhos, que levantei a cabeça do colo dela e me dei conta:

— Marina — chamei, sentindo a voz embargada e os pulmões reclamando. — Hoje... hoje não era...?

— Não se preocupe com isso — ela disse, cheia de carinho.

— Não. Não! — balancei a cabeça em negativa. — O Túlio não ia viajar hoje de manhã pro intercâmbio?

Ela assentiu e eu comprimi os lábios.

— Tá tudo bem, Lê. Eu já liguei pra ele mais cedo.

— Não tá tudo bem, não, amiga! — bradei, bagunçando os cabelos embaraçados, me sentindo tão culpada que as lágrimas ressurgiram como mágica.

— São só três meses, não é grande coisa. E você sabe que ele também se preocupa com você — lembrou, passando a mão pelo meu braço. — O Túlio entendeu que era melhor eu ficar aqui do que ir com ele até o aeroporto.

Três meses vão passar bem rápido. Nem vai dar tempo de sentir saudade. — Marina sorriu, mas, assim como ela consegue ver através de mim, eu também sou capaz de ver através dela.

E ela estava triste. Claro que ela sentiria falta do namorado. Afinal, eles eram completamente apaixonados um pelo outro e já haviam começado a falar sobre casamento em um futuro próximo. Estavam juntos havia três anos, mas seria a primeira vez que ficariam mais do que uma semana separados. E eu impedi que eles se despedissem adequadamente.

Tudo porque não conseguia parar de chorar e pensar em mim mesma, como a egoísta que eu era. Como a péssima amiga que me tornara dos últimos doze meses para cá.

— Me desculpa — murmurei, esfregando o rosto. — Se eu fosse um pouco mais forte, não estaríamos aqui e...

— Não é questão de força, Lê — Marina me interrompeu, apertando meu ombro. — Cada um encara a perda de uma maneira. Você passou esse ano inteiro fechada pro mundo, focada no trabalho e em nada mais. Não te vi chorar nenhuma vez e isso me deixava louca! Já estava mais do que na hora de colocar isso pra fora, não acha? — questionou, elevando um pouco o tom, o suficiente para me fazer perceber que ela estava certa. Eu realmente só chorara de verdade uma vez, no dia em que ele faleceu, nos braços de minha amiga e...

E depois, nada.

Era como se eu tivesse me tornado um recipiente vazio.

Todos diziam que cada pessoa lida com as perdas da sua maneira e eu lidei desta forma: focando na agência e em pilhas de papéis.

Fui capaz de guardar todo o sofrimento lacrado a sete chaves desde então, até que... até que não consegui mais. Bastou chegar aquele sábado para me fazer perceber o quanto caminhei sem Alexandre ao meu lado, e aquilo, de repente, me fez perder o chão sob meus pés. Tudo escureceu e a dor me atingiu no peito como um raio, estraçalhando tudo dentro de mim.

Então, enfim coloquei para fora o que estava preso, tudo o que enterrei tão fundo a ponto de nem mesmo lembrar que aqueles sentimentos existiam.

Pensei que, com as lágrimas caindo, eu pudesse recomeçar também, quem sabe. Dessa vez, de uma forma mais sincera, e não mais o teatro que andara interpretando nos últimos meses.

Aquilo ainda estava tão enraizado em mim que não me permiti, nem uma única vez, apreciar os meus dias, a alegria de estar viva e o consolo de ter ao meu lado pessoas que se preocupam comigo. Nesse instante, me considerei uma idiota completa, uma mal-agradecida.

O que Alexandre pensaria se me visse assim? Ele não gostaria disso. Nem eu mesma gostava da minha nova versão.

Senti vontade de rir. Um riso ridículo, patético e debochado. Bastou uma pequena olhada no dia que o calendário marcava para tudo zunir e se desfazer, para me embebedar com duas garrafas de vinho, enquanto me lamentava pelos momentos que perdemos, pelas viagens que não fizemos e pelas promessas que não cumprimos.

Um ano.

Um ano para me libertar de alguma forma.

Ou, pelo menos, para sentir um pouco menos. Um pouco menos de agonia.

— Sabe, você tem razão — comentei, baixinho, enchendo os pulmões de ar. — Desperdicei todo esse tempo, não foi?

— Claro que tenho razão! Mas você não desperdiçou completamente, não pense assim. Focou em sua carreira, que sempre foi importante pra você. O que quero que veja é que a vida é muito mais do que só trabalho, e espero que se permita um pouco mais de agora em diante. Além disso, tenho certeza de que o Alê, onde quer que esteja, está torcendo pra você se reerguer. Pra ser feliz!

Meus lábios se esticaram minimamente, pois Marina disse exatamente o que eu tentava não pensar, mas que era a mais pura realidade. Meu noivo tinha um coração enorme, com um grande espaço dedicado a mim. Ele gostaria de me ver feliz e não assim, deixando tudo passar sem me agarrar a nada.

Minha amiga estava certa. Estava na hora de me permitir mais, de deixar a vida fluir por minhas veias mais uma vez. Aproveitar as companhias, as conquistas, as oportunidades. Ainda que fosse difícil, ainda que demorasse, mas é o que eu precisava fazer. Caso contrário, de que adiantaria ter um coração batendo?

— Entendo que você não queria parecer fraca, especialmente pros seus pais que também estavam tristes, mas não precisava esconder de mim — Marina continuou, dessa vez com um pouco mais de dureza. — Se fazendo de mulher de ferro por todo esse tempo. Você não é de ferro, sabia? Você é humana, caramba! E só porque conseguiu enganar sua família e seus amigos do trabalho, não quer dizer que tenha me enganado. Eu estava só esperando você se abrir, já que, quando eu tocava no assunto, você se esquivava como uma gazela.

— Uma gazela? — arqueei uma sobrancelha, tentando imaginar o animal ziguezagueando pelo campo.

— Tanto faz — ela suspirou, parecendo cansada. — O que importa é que você finalmente teve um escape decente, mesmo que tenha demorado esse tempo todo. Acho que, de repente, só precisava de algum tipo de gatilho pra colocar o choro pra fora até não aguentar mais.

Refleti e concluí que Marina provavelmente tinha razão. Os últimos meses foram tristes, mas eu tentava lidar com isso tudo da melhor forma. Porém, quando a data do aniversário da morte dele chegou, algo em mim explodiu e não consegui manter a pose e a personagem que criara no último ano. Voltei a ser a garota assustada e magoada, que levara uma rasteira do destino e agora não sabia como lidar com a nova realidade.

— Obrigada por estar aqui. De verdade — falei, sincera, juntando suas mãos às minhas.

Me sentia extremamente culpada por tê-la privado de se despedir do namorado, mas não sabia o que seria de mim caso Marina não estivesse ali. Provavelmente, seria muito mais difícil do que já era.

— É claro que eu ficaria do seu lado nesse momento. Quando vi que dia era ontem, não pensei em mais nada além de estar com você. No fim, meus instintos estavam certos. Sabia que você não aguentaria essa pose de Mulher-Maravilha nessa data.

De repente, soltei algo que parecia uma risada pelo nariz. Foi um som esquisito e engraçado, que fez Marina me encarar com curiosidade.

— Acho que você tá gostando demais dos filmes de super-heróis, só isso — expliquei, dando de ombros.

Ela sorriu. Um sorriso pequeno, tímido, mas cheio de amor.

— Você me deixou viciada mesmo nessas porcarias, fazer o quê? — fingiu me repreender, mas seus lábios trêmulos a denunciavam.

Acabei soltando uma risada abafada, sentindo o clima ficar mais leve.

— O Alexandre me viciou e eu passei pra você — confessei, um sorriso nostálgico surgindo em meu rosto.

— Se quiser, podemos maratonar alguns pra passar o tempo — sugeriu.

— Acho melhor outro dia — mordi uma bochecha. — Não tô muito a fim de fazer nada, na verdade. A ideia de... sei lá, me divertir agora parece errada.

E era verdade. Porque, em algum lugar, no fundo do meu cérebro, não sentia que era certo ter alguma diversão quando... quando ele não...

Meus olhos embaçaram e Marina segurou minhas mãos, oferecendo consolo.

— Tudo vai ficar bem, amiga. Nem posso imaginar tudo o que você sente, é claro, mas em algum momento você vai precisar viver em vez de apenas passar pela vida. Sei que sua carreira é importante, mas um pouco de leveza e alegria são essenciais também. Entende o que eu estou dizendo?

Concordei com a cabeça, pois ela tinha toda razão. Mais uma vez.

Eu teria que fazer algumas mudanças, precisava me reerguer de alguma maneira.

Só não imaginava que teria de mudar minha rotina tão rapidamente, fosse por bem ou por mal. Muito menos que isso aconteceria pouco tempo depois de Marina me abraçar forte e dizer:

— Olha, sei que você prefere ficar enfurnada aqui, mas acho que seria bom dar uma espairecida e tomar um ar puro. Tá rolando um evento legal naquele bairro japonês aqui perto. Tem comida, música e dança típica. Nunca fomos lá, então o que acha de irmos conhecer e sair um pouco?

Mordi uma bochecha quando minha amiga me olhou com tanta expectativa que não consegui negar seu pedido e pensei que talvez pudesse mesmo me dar uma chance de fazer algo diferente naquele dia.

De tentar, pelo menos.

Todos temos que começar por algum lugar, não é?

Engraçado que, no momento em que suspirei fundo e assenti, não imaginei que uma simples decisão como aquela poderia virar minha vida de cabeça para baixo.

Mais uma vez.

CAPÍTULO 2

Assim como Marina dissera, o bairro japonês era pura festa. As ruas estavam enfeitadas com lanternas, leques, figuras gigantescas de dragões e diversos pôsteres sobre as atividades locais. Quiosques, lojas, restaurantes e barraquinhas chamavam as pessoas para conhecer seus produtos ou assistir algum entretenimento.

O clima era agradável e o sol pairava sobre nossa cabeça. Como não almoçamos antes de sair de casa, minha amiga logo me arrastou para a parte onde eram preparados na hora *obentôs* e quitutes da culinária japonesa. Nos enchemos com alguns *sushis* e *onigiris* antes de provar o tal doce de feijão. De início, o gosto era massudo e esquisito na minha boca, mas, depois, preciso confessar que o sabor se tornou bastante satisfatório. Principalmente por estar quentinho e parecer um tipo de pasta.

Sair de casa estava me fazendo bem, o ar fresco tocava meu rosto com delicadeza. Inspirei fundo e deixei que o oxigênio renovasse meu corpo e energias. Era exatamente disso que estava precisando depois de me trancafiar por tantas horas no apartamento, sem parar de chorar e me lamentar, imersa na escuridão que eu mesma criara. Por mais que não me sentisse assim tão à vontade na multidão, o fato de ter Marina ao meu lado me trazia boas recordações de nossa infância, quando passeávamos em busca de atividades ao ar livre.

Agora, sentindo os raios solares me aquecendo e vendo os olhos azuis dela brilharem de orgulho e felicidade com minha companhia, era como se me sentisse... bem, um pouco mais viva. Um pouco mais *eu*.

Uma angústia pairou no meu estômago assim que cheguei à essa conclusão, mas a culpa não teve tempo de se instalar, pois minha amiga se animou no instante em que chegamos próximo do que parecia um templo.

— Olha, Lê! Eles estão distribuindo amuletos. Temos que pegar alguns! — falou, com um sorriso de orelha a orelha.

Sem esperar resposta, Marina me puxou pela mão e me levou até o grande santuário. Passamos por duas vigas grandes e grossas na cor vermelha. Todo o santuário era uma mistura de madeira com vermelho, cor que remetia ao país de origem. Diversos varais com lanternas da mesma cor complementavam a decoração típica e encantadora. Era uma visão e tanto, precisava admitir.

Imigrantes japoneses e seus descendentes usavam quimonos coloridos e florais. Identifiquei muitas estampas com as famosas flores de cerejeiras, o que me fez pensar que era como se eu realmente estivesse do outro lado do mundo. Tudo parecia tão perfeito, tão real, que me perdi em mim mesma por um segundo.

— Aqui é lindo, não é? — Marina perguntou após um suspiro de encantamento.

— Muito — concordei, observando o local com atenção. — Parece... sagrado.

— E é. No exato momento em que passei pelo portal, pude sentir isso, como se tivesse saído do mundo humano e entrado em um ambiente divino. Ah, se liga! Tem umas pessoas se juntando ali — ela apontou com o queixo. — Acho que é o lugar para a reza.

— É mesmo? — perguntei, realmente curiosa.

— Mesmo — respondeu, e se virou para me encarar com travessura. — E *temos* que fazer nossos pedidos. Também não podemos nos esquecer de bater palmas quando estivermos de frente para o altar com os símbolos xintoístas. Faz parte da tradição, lembra?

Me ouvi rir baixinho, um som que há algum tempo não escutava sair de mim.

— E o que você pretende pedir?

Marina sorriu, parecendo um pouco sem graça.

— Queria muito sair da casa dos meus pais e morar com o Túlio logo. Espero que essa viagem o ajude a crescer profissionalmente.

— Você gosta muito dele, né?

— Demais, amiga. Quero construir meu futuro com ele. Tenho certeza de que ele é o cara certo pra mim — admitiu, fazendo meu peito se apertar um pouco.

— Sinto muito mesmo por ter privado vocês de se despedirem — falei, desejando que as coisas tivessem sido diferentes. — Se ao menos tivesse me lembrado do seu compromisso, Marina...

— Chega dessa bobeira, Lê! — pediu ela, com as mãos apoiadas no quadril. — Opa, rapidinho.

Ela pegou o celular da bolsa e seu rosto esplandeceu. Marina sussurrou o nome do namorado e fez um gesto com a mão para que eu aguardasse um minuto.

— Amor, que saudade! — bradou ela, contente. — Sim, tá tudo bem por aqui. E aí? Como foi o voo?

Percebi, então, que não podia mesmo deixar aquilo pra lá. Realmente me sentia mal por ter roubado Marina em um dia que o namorado precisava dela. Desejei encontrar uma maneira de recompensá-los de alguma forma, mas nada vinha à minha mente. Nada, ao menos, de efeito imediato, considerando que ele estava nos Estados Unidos e ela no Brasil.

Me afastei um pouco a fim de dar-lhes alguma privacidade. Aproveitei para me aproximar de um tipo de placa de madeira, onde diversos amuletos com símbolos japoneses, que eu não entendia, ficavam expostos para quem quisesse pegar. Toquei-os com as pontas dos dedos, como se pudesse, em um passe de mágica, entender o que cada um significava.

— Amor — um homem baixo de uns 70 anos, em um tipo de quimono branco com detalhes marrons, disse ao se aproximar. Eu o encarei confusa e ele riu. — Esse que está tocando é o amuleto do amor. Para aqueles que buscam sua alma gêmea.

De repente, como se o amuleto me queimasse, recolhi minha mão para perto do peito. Não queria amor. Eu já o tivera e ele se fora. E não retornaria, sabia bem disso. Aquele amuleto não era para mim, jamais seria.

— Você não o deseja? — a voz masculina soou, parecendo um pouco mais grave. Os misteriosos olhos pretos e estreitos sobre os meus.

Neguei com a cabeça e comprimi os lábios. Ele, por outro lado, me encarou de uma maneira quase infantil:

— Mas ele um dia chegará — avisou, de uma maneira de quem sabe tudo e que me deixou incomodada. — E você não poderá evitá-lo para sempre, pois está no seu destino.

— Humm, beleza — falei, franzindo a testa. — Mas, não, obrigada. Estou bem sozinha. E não há possibilidade de aparecer alguém pra mim.

— Tudo é uma possibilidade — retrucou, erguendo um canto de boca. — E uma pessoa chegará, sim, para você. Uma pessoa da qual você não poderá se afastar e que trará cor à sua vida.

— Tá certo... — murmurei, achando aquele papo bem esquisito. Talvez ele quisesse me vender alguma coisa depois daquele papo torto. Pensei que seria melhor cortar logo aquele desconhecido. — Bom, ele apenas vai perder tempo, porque tudo o que vai ganhar é uma porta fechada na cara.

O homem riu mais uma vez, balançando a cabeça careca brevemente.

— Tudo bem, menina. O livre-arbítrio é o poder supremo que temos. As escolhas são nossas e apenas elas determinam o caminho que iremos traçar. De qualquer forma, vamos, pegue um para você. — Ele retirou um dos amuletos do painel de madeira e me entregou em mãos.

Relutei em segurá-lo, pois realmente não o queria. Ele me trazia uma sensação estranha e, na verdade, nada boa. Como se um presságio começasse ali, como se aquele simples pedaço de madeira pudesse mudar algo que eu preferia que permanecesse como estava.

— Olha, eu realmente não preciso...

— Então use-o para desejar amor para a sua amiga. Na oração, peça para que ela seja feliz, ainda que águas turbulentas a façam acreditar que isso não será possível.

Pensei em dizer que ela não precisava daquilo também, pois já tinha todo o amor do mundo e que nem mesmo um tsunami seria capaz de separá-la de Túlio, mas, no segundo seguinte, o senhor fez um tipo de reverência e me deu as costas, sumindo de minha vista no instante em que Marina assumiu o lugar dele em minha frente.

— Foi mal a demora. O Túlio tava bem animado me contando sobre a república em que está morando. Pelo visto tem muita gente da nossa idade e é um clima bem bacana. Ele conheceu umas pessoas que vão começar o curso de inglês amanhã também. Só espero que ele não conheça nenhuma americana gostosona e platinada — brincou, mas pude notar o tom de preocupação em sua voz, o que logo me deixou em alerta.

— Isso é impossível, Mari. O Túlio só tem olhos pra você — falei com convicção, para que o pensamento que rodeava a mente dela se esvaísse de uma só vez.

— Acho que sim. Mas sei lá, né? — fez uma careta, nervosa.

— Ei, quem é que tá de bobeira agora? Ele te ama, amiga. Não tem nenhum motivo pra ficar insegura só porque ele vai passar um tempo fora.

Mari assentiu, parecendo um pouco mais confiante, porém não totalmente convencida. Abri a boca para dizer mais alguma coisa, mas, de repente, ela virou os olhos para baixo e perguntou:

— Ei, o que é isso na sua mão?

— Não é nada — dei de ombros. — Só um amuleto que um senhor pegou pra mim.

— Opa, também quero! — avisou, animada. — O seu é para quê? Você sabe?

— Hã... o homem disse que tava escrito "amor".

— É esse aí que vou pegar também, então. — E pegou um igualzinho ao meu antes de piscar um olho e falar: — Amor nunca é demais, né?

— Se você diz — ergui um ombro. — E aí, vamos lá fazer a tal reza que você falou? Bem que poderia pedir um aumento de salário — comentei.

— Ah, essa é uma boa pedida, com certeza. — Marina sorriu e me forcei a acompanhá-la.

Me sentia um pouco mais leve em sua companhia ao ar livre, mas ainda estava pensando nas palavras do senhor de vestes tradicionais. Deveria ser uma daquelas pessoas que gostam de se meter na vida dos outros sem nenhum motivo, ou talvez para conseguir algum tipo de informação para repassar para aquelas leitoras de mãos fajutas que encontramos pelas ruas, dizendo que conseguem ler seu destino nas linhas de sua palma.

Estalei a língua, balançando a cabeça. Eu não devia dar ouvidos a um desconhecido. Ainda mais sobre algo tão pessoal. Era pura besteira.

Exceto pelo fato de que... bem, talvez eu pudesse mesmo rezar por Marina e sua felicidade, já que ela se sacrificou pelo meu bem-estar naquele final de semana e tantas outras incontáveis vezes.

Olhei para o amuleto em minha mão direita e torci a boca enquanto pensava sobre o assunto. Um aumento de salário poderia esperar. Mas desejar amor e alegria eterna para minha melhor amiga no momento em que ela está passando por uma situação delicada, não.

Por isso, entramos na fila de pessoas e imitamos os outros visitantes. Lavamos as mãos e a boca em um tanque, como se fosse algum tipo de ritual de purificação. Quando nossa vez chegou, encarei Marina, que se curvava ligeiramente e jogava uma moeda na caixa à sua frente. Logo a imitei, mas um pouco mais perdida e desengonçada. Ela tocou em um sino e fiz o mesmo.

— Estamos avisando os deuses de nossa chegada — sussurrou ela, de olhos fechados. — Agora, faça duas reverências e depois bata duas palmas, com a mão esquerda um pouquinho pra frente. Depois, faça seu pedido.

Meneei a cabeça, mesmo sabendo que ela não me olhava, e fechei minhas pálpebras, seguindo perfeitamente suas instruções.

Fiz as reverências.

Bati uma palma.

Bati a segunda vez.

E rezei com todas as forças do meu pensamento:

Por favor, me permita retribuir a ajuda e o carinho que recebi de Marina nos meus tempos difíceis. Que ela tenha o amor e a felicidade que tanto merece.

Suspirei fundo e repeti a frase mentalmente mais duas vezes, como se isso pudesse de alguma forma ressaltar o meu desejo.

Apertei entre os dedos o amuleto que ainda segurava e pedi, baixinho:

— Por favor.

E uma leve brisa que mais parecia um sussurro tocou meu rosto, deixando uma sensação estranha de formigamento em minha pele.

Mari me levou de um lado para o outro por todo o resto do dia e, preciso confessar, na parte da noite foi uma visão e tanto ver o bairro inteiro iluminado pelas lanternas japonesas. Dava um ar de acolhimento e expectativa, quase como se algo mágico pudesse acontecer a qualquer momento.

Essa sensação permaneceu comigo até entrar no apartamento, colocar uma roupa confortável e apagar na cama.

Porém, de repente, eu estava de volta ao santuário. E aquele homem desconhecido também.

Ele fazia sua reza e olhei ao redor, constatando que, diferente daquela tarde, dessa vez estávamos sozinhos naquele lugar.

— Você não o deseja? — uma voz sussurrou em meus ouvidos, me fazendo arfar. Não era o senhor, pois ele continuava de costas para mim, concentrado em suas preces.

— O que é isso? O que tá acontecendo? — perguntei, aflita.

— Sua alma está partida, mas você ainda é jovem. Precisa se preparar para a jornada.

— Que jornada? Eu não entendo! — exclamei.

— Não há vida em você, Letícia. Não há espaço para o amor — o sussurro continuou, dessa vez reverberando por todo o meu corpo.

Senti medo, um frio na espinha inexplicável, mas também uma ponta de curiosidade. Por isso, questionei:

— E qual o problema? Não preciso dar espaço pra um sentimento que não existe mais pra mim.

Uma risada fraca ecoou em meu cérebro.

— Você nos fez um pedido e iremos lhe dar a oportunidade de mudar vidas. Não só a da sua amiga, mas a de muitas outras pessoas. Incluindo a sua própria.

— Como assim, oportunidade? Quem são *vocês*?

Ignorando minha segunda pergunta, a voz continuou:

— O fio vermelho do destino mostrará as almas gêmeas conectadas que precisam de seu auxílio. Você verá a conexão entre eles em seus dedos mindinhos. Junte-os, ajude-os a se encontrarem.

— Fio... vermelho do destino? Isso parece maluquice! — bradei, irritada.

— Os relacionamentos são naturais, mas a conexão é única e intransferível. Vive-se a experiência do amor verdadeiro apenas com aquele que está destinado a você. Isso não quer dizer que outros níveis e formas de amor não os alcancem e se mostrem satisfatórios.

— Você tá me dizendo que a história da metade da laranja é real? — Senti um vinco se formar em minha testa.

— Há muitas coisas que vocês ainda não sabem — continuou, o tom sério e profundo. — Algumas decisões fazem com que as pessoas se afastem de sua estrada e se percam de seus verdadeiros companheiros. Em certo momento, elas vão se encontrar, pois está cravado em seus destinos, mas pode acontecer de ser em um momento desfavorável. Essa será a sua missão, Letícia: ajudar os destinados a se unirem no tempo certo ou antes que seja tarde. Porém, não se esqueça: a Lei do Livre-Arbítrio sempre predominará.

— Lei do Livre-Arbítrio? — repeti, confusa, ainda tentando assimilar aquela quantidade enorme de informação em meu cérebro. Uma parte de mim procurava as câmeras da pegadinha, pois nada daquilo fazia sentido e me sentia muito sã para ter enlouquecido de vez.

— As pessoas são livres para fazerem suas escolhas. Não as force, apenas as ajude como puder a encontrarem a companhia certa. A decisão de viver ou não aquele amor deve ser delas. O Fio pode se esticar e embolar, mas nunca se partir. Ele respeita o tempo e as decisões mundanas, ainda que continue preso, à espera do reencontro das almas e da felicidade plena.

— Olha, isso é muita loucura, tá legal? — falei, sentindo a respiração pesar. — Eu tô sonhando, certo? Só pode ser!

Toquei meus braços e depois as pernas. A sensação era real, mas aquilo não podia ser verdadeiro.

De repente, o homem de quimono se virou, me encarando nos olhos:

— Sim, menina, você está sonhando. Mas isso não significa que não seja real. Seus olhos, agora, têm o poder de enxergar o inimaginável. Use-o com sabedoria e encontrará o que procura.

Ele me ofereceu um sorriso pequeno, mas gentil, e, assim, de repente, seu corpo se desfez em pequenas luzes amarelas, subindo pelos céus até que se juntasse às estrelas.

Tudo se apagou e me vi imersa na escuridão.

— Mas não procuro nada! — avisei, porque não sabia mais o que fazer ou dizer.

A voz não me respondeu e o silêncio era angustiante, tanto quanto a escuridão que me rondava.

Repeti a última frase com ainda mais força, mas quando vi...

— Ai, cacete! — Levei a mão até o quadril, que doía horrores.

Abri os olhos e vi que estava no meu apartamento, mais precisamente no chão do quarto: havia caído da cama.

— Pesadelo idiota — murmurei, enquanto me levantava para checar as horas. Encarei o amuleto que ganhara do senhor em cima da mesinha de cabeceira e torci a boca em uma careta. — O velho deve ter conseguido me deixar impressionada de alguma forma. Que doideira.

Suspirei fundo e soltei devagar o ar pela boca. Observei meu reflexo no espelho do armário e semicerrei os olhos, esbugalhando-os em seguida. Pareciam iguais, os mesmos olhos castanho-claros de sempre, vendo o mundo da mesma forma que eu conhecia.

Me espreguicei e fiz uma careta, encarando o relógio digital ao lado da cama. Já estava mesmo na hora de acordar e me preparar para o trabalho, por isso fui para o chuveiro e tomei um banho quente e demorado.

— Fio vermelho... Isso parece uma daquelas lendas reverenciadas por fanáticos.

Mas, como por instinto, olhei para as minhas mãos, não encontrando absolutamente nada. Virei e desvirei a palma três vezes e, em seguida, ri de mim mesma.

— Como se fosse mesmo possível duas pessoas estarem conectadas por um barbante colorido.

Enrolada na toalha, retornei para o quarto e coloquei uma calça *jeans* escura e uma blusa florida, estilo cigana. Eu não teria reunião com nenhum cliente naquele dia, então poderia ir mais à vontade para o trabalho, o que era um ponto bastante positivo em se trabalhar na minha área e em uma agência de publicidade.

Eu gostava de fazer parte da Up Marketing. Em todos aqueles meses, o escritório se tornara meu refúgio e meu time, uma espécie de família. Foi inevitável não pensar no que Marina falara, sobre não ter desperdiçado exatamente todo esse tempo; concluí que ela tinha razão. Amava meu trabalho e me esforçara muito para chegar até onde estava e me tornar analista sênior da equipe de planejamento. Ao mesmo tempo, também sabia que me transformar em uma *workaholic* para sempre não seria o melhor caminho a seguir.

Estava na hora de me permitir respirar novos ares, tentar coisas novas.

Sorri, inconscientemente, pois quase conseguia ouvir a risada grave de Alexandre dizendo algo como "É isso aí! Essa é a minha garota!".

Eu ainda era jovem, não podia me esquecer disso. Tinha toda uma vida pela frente, mesmo que às vezes sentisse remorso por estar ali e ele não, e já estava na hora de pensar diferente. Eu estava *viva*. E mais: deveria ser grata por isso. Portanto, teria de aproveitar os dias por nós dois, e não apenas viver trancafiada em uma sala ou em um quarto, deixando o tempo passar por meus dedos.

A vida era frágil e eu sabia bem. Ela poderia acabar assim, num piscar de olhos, em um simples e inesperado...

— Puta merda, tô atrasada! — gritei, assim que encarei o relógio do celular, esquecendo meu momento de divagações.

Peguei minha bolsa preta e corri pelo prédio afora, entrando no primeiro táxi no ponto quase em frente à minha casa.

— Bom dia — o homem de bigode e cavanhaque preto me saudou. — Para onde vamos?

— Ah, bom dia. Nós vamos para... ei, o que é... — Franzi o cenho, confusa. Esfreguei os olhos, mas não era uma miragem. — Tem um... — Engoli seco, nervosa, pensando se eu estaria alucinando, enquanto toda a minha concentração estava na mão masculina. — Tem um fio amarrado no seu dedo mindinho?

— Fio? — ele repetiu, encarando a própria mão com um vinco na testa, claramente me achando uma louca. — Não. Por que teria um fio amarrado no meu dedo? Ih, garota, não me diga que está bêbada a essa hora da manhã! Olha só, se você passar mal no meu carro...

E o homem continuou a falar, mas eu já não o ouvia. Minha cabeça girava e uma pontada aguda atingiu meu crânio.

"Faça o que precisa ser feito. Cumpra a sua missão", uma voz masculina sussurrou no fundo do meu cérebro. Uma voz que parecia muito aquela do sonho...

Levei as mãos à testa, como se isso pudesse amenizar a dor de alguma forma. Porém, não tive sucesso. Ainda doía e eu, de alguma forma insana, conseguia visualizar perfeitamente a mulher morena cheia de cachos que estava no ponto de ônibus dois quarteirões à nossa frente, atrasada para algum compromisso, pois não parava de checar o relógio.

"Cumpra a sua missão", a voz repetiu e a imagem sumiu como uma brisa, desaparecendo completamente e apenas me deixando com a cena gravada na memória e a cabeça latejando.

— Ei, tá me ouvindo? — o taxista perguntou, parecendo inquieto.

— Eu... eu vou sair — avisei, dando ouvidos aos meus instintos. Uma sensação forte no meu peito dizia que eu deveria deixar aquele táxi livre.

— Sabia que você ia passar mal no meu carro. Oh, Deus, limpei ele ontem! Garota, conselho de amigo: fique em casa hoje e descanse. Você claramente não tá bem. Tá pálida e tudo!

— É, eu... eu não tô me sentindo muito bem. Eu vou... — apontei com o queixo para a porta e, meio cambaleante, me coloquei para fora do carro.

O homem abriu a janela do passageiro e gritou:

— Não quer que eu chame uma ambulância? Ou alguém?

Balancei a cabeça em negativa, mal sendo capaz de proferir qualquer palavra. Meus olhos continuavam cravados naquele maldito fio no dedo do taxista, pois eu o enxergava com clareza. Havia um laço perfeito e a ponta do fio caía, como se levasse até algum lugar. Porém, após o que parecia uns dez centímetros, começava a afinar e ia se tornando invisível aos olhos. Ainda assim, a imagem da mulher de cabelos cacheados continuava nítida em minha mente e meu instinto simplesmente sabia que ela fora feita para ele e vice-versa.

Eles *deveriam* se encontrar. Estava escrito de alguma forma no destino dos dois.

Como eu sabia disso, não tinha a menor ideia.

— Tá tudo bem — me ouvi dizer com a voz falha e totalmente incrédula. — Mas siga em frente, em direção do ponto de ônibus que tem a duas quadras daqui. Não vire em nenhuma rua.

— Ué, e por que isso? — ele tornou a feição em uma careta desconfiada.

— Hã, é porque... tá tendo obra por aqui e tal — menti. — Sabe como é. Então siga em frente que é o melhor caminho, ok?

O homem concordou com a cabeça e deu de ombros antes de falar algo que parecia com um "se cuida" e sair com o carro.

Se ele encontraria a mulher do outro lado do fio, eu não sabia. Mas uma sensação de alívio atingiu meu peito e minha mente desanuviou quase que instantaneamente.

Nesse momento, meu celular tocou e não tive tempo de surtar com o que havia acabado de acontecer, porque minha diretora estava do outro lado da linha me perguntando por que eu estava atrasada.

Chamei o táxi que passou em seguida e fitei o chão por todo o caminho. Simplesmente não tinha coragem ou forças para olhar para nenhuma mão, a não ser a minha.

A minha que... não tinha fio nenhum amarrado nela.

CAPÍTULO 3

Fios. Fios vermelhos por todo lado.

Era só o que eu conseguia ver até chegar à agência e correr à sala do departamento de planejamento que, por sorte, estava vazia.

Lembrei imediatamente que o time tinha uma reunião naquela manhã com a equipe de *design* e, provavelmente, por isso não havia mais ninguém no cômodo além de mim, enlouquecida. Minha respiração estava descompassada e meu coração pulsava tão rápido que temi ter um treco.

Todas as pessoas tinham o maldito fio em seus mindinhos! E eu os via com clareza, como se fossem reais. Mas não eram, certo? Não *podiam* ser.

— Cacete, Letícia! O que ainda tá fazendo aí? — Flávia, minha diretora, surgiu em minha frente e sua expressão era um *mix* de preocupação e tensão. — É raro você se atrasar, e é a primeira vez que você falta a uma reunião. Tá passando mal? Você tá bem pálida!

Sua mão se aproximou e tocou minha testa. Arfei ao elevar os olhos e identificar que ela também tinha aquele laço perfeito amarrado em seu dedo, tão próximo agora de meus olhos que praticamente podia sentir sua textura.

A mesma pontada aguda atingiu meu cérebro novamente. Como uma flecha enterrada em meu crânio que quase fez meus olhos lacrimejarem.

— Meu Deus — murmurei incrédula, pois eu via claramente o homem do outro lado. Aquele que estava destinado à minha chefe. Ele tinha olhos claros e uma barba escura emoldurando o rosto, trabalhava em um canal de esportes e estava, naquele mesmo momento, prestes a pegar o telefone e ligar para a Up Marketing a fim de marcar uma reunião.

— Meu Deus o quê, garota? Você não tá com febre. Por acaso viu uma alma penada ou algo assim? — Ela afastou sua mão e ajeitou os óculos de armação branca que cobriam seus olhos cor de mel e contrastavam perfeitamente com sua pele negra.

— Tipo isso — falei, encarando-a com perplexidade.

Ela torceu a boca em uma careta e suspirou, coçando rapidamente os fios escuros e encaracolados.

— Eu, hein? Você tá muito estranha, Lê. Será que não é melhor... — O telefone tocou e Flávia encarou uma estagiária que estava passando por perto no momento. — Ei, você pode atender, por favor? — pediu com um sorriso.

A menina acenou com a cabeça e tirou o aparelho do gancho. Flávia voltou-se a mim e continuou:

— Não quer ir pra casa por hoje?

— É o senhor Bittencourt, do Canal Radical — a estagiária comentou, baixinho, atraindo nossa atenção. Avistei em seu dedo o fio vermelho, mas desviei o olhar antes que eu visualizasse a pessoa do outro lado. Aquilo estava me deixando aterrorizada de verdade! — Ele quer saber se podem marcar uma reunião presencial amanhã.

— Putz, amanhã não posso, tenho que ir na gráfica levar o material pra clínica da terceira idade. De repente, tenta ver se outra pessoa pode fazer. O Mauro deve estar disponív...

— Eu vou — falei, pulando da cadeira. — Faz a reunião, é importante.

Flávia me olhou com desconfiança e encarou a menina, que parecia um pouco nervosa por estar fazendo o cliente esperar na linha.

— Tá, tudo bem. Pode marcar — minha diretora falou, ajeitando os óculos novamente como um tique nervoso, e me encarou mais uma vez.

— Eu tô bem — me obriguei a dizer. — Sério! Acho que foi só a pressão. Não tive tempo de tomar café e tal.

— Huum... então vá comer alguma coisa. Tem frutas e café fresco na copa, dá uma passada lá.

— Beleza! Valeu, Flávia. — Dei um sorriso amarelo, me sentindo completamente desnorteada.

Eu não tinha ideia do que estava fazendo, me metendo assim na vida dos outros. Mas era como se eu tivesse criado um novo instinto, um tipo de superpoder e senso de obrigação que me faziam ajudar as pessoas a se encontrarem, sem nem mesmo pensar antes sobre o assunto.

— Tem certeza de que tá bem? — a diretora perguntou, gentil.

— Absoluta — falei, fingindo um sorriso e me retirando o mais rápido possível.

Cacete, o que eu podia falar? Não podia contar a verdade. Óbvio que seria mandada na mesma hora para um manicômio. E com toda razão!

Talvez pudesse falar com Marina. Ela acreditaria em mim, certo? Mari era minha melhor amiga e me conhecia melhor do que ninguém. Eu poderia convencê-la de que não estava louca ou possuída.

Só esperava que ela não viesse com aquele papo de super-herói para o meu problema, porque, naquele instante, me sentia mais um Hulk, fazendo as coisas sem pensar, do que um Homem de Ferro.

O dia foi infernal. Tentei me esquivar de todo mundo para não ver os fios em seus dedos e isso, por sorte, apenas fez com que todos pensassem que eu estava naquele mau humor de segunda-feira ou algo do tipo e acabaram, eventualmente, me deixando no meu canto.

Sozinha, de frente para o computador, sem ter cabeça para produzir coisa alguma, comecei a realmente acreditar que deveria procurar um pronto-socorro e contar que meu cérebro estava com um *bug*. Mas a verdade é que eu ainda achava que nada daquilo era um problema... era algo bem...

natural. Acabei indo até nosso Pai Todo-Poderoso, o senhor Google, e pesquisei sobre algumas lendas que mencionavam o fio vermelho do destino. Encontrei milhares de páginas sobre algo chamado Akai Ito, uma lenda japonesa que acredita na linha invisível do destino que une as almas gêmeas.

Ora, isso eu já tinha entendido!

E realmente não aprendi muito mais do que a entidade desconhecida me dissera no sonho, que aqueles que estão destinados e se encontram sentem uma conexão única e especial com a outra pessoa. Como se sua vida, seus sonhos e desejos estivessem interligados, podendo causar muitas vezes a sensação de *déjà-vu*.

Fiquei me lembrando das palavras da voz misteriosa e tentando entender a mensagem por trás de todo aquele papo doido. Ela disse que essa era a minha missão: juntar as pessoas no tempo certo ou antes que fosse tarde.

Mas, diabos, quem era eu na fila do pão para poder mexer assim com o destino das pessoas? Me tornara um tipo de cupido do sobrenatural, era isso mesmo?

E o pior: por que eu não conseguia evitar?

Tanto com o taxista quanto com minha diretora, assim que foquei minha atenção no fio vermelho e vi a tal outra metade da laranja deles, não consegui evitar de ajudar. É algo que vinha de dentro para fora. Quando percebia, as palavras já tinham saído e me via torcendo secretamente para que desse certo e eles se encontrassem.

De fato, não podia ignorar também a sensação estranha que vinha depois de “cumprir aquela tarefa”. Por todos aqueles meses me sentira um recipiente vazio para emoções, mas agora...

Eu me sentia... um pouco menos... vazia.

Se é que isso faz alguma porcaria de sentido!

Praguejei enquanto pegava minhas coisas para finalmente ir embora do escritório. Com os olhos baixos e fugindo do resto dos funcionários, fui em direção à casa de Mari, que ficava a apenas quinze minutos de caminhada da Up Marketing. Se não falasse com alguém sobre aquilo, iria explodir, bem no estilo junção de Coca-Cola com Mentos. O que, obviamente, não seria nada bom.

Cheguei ao prédio de grades verdes e toquei o interfone.

— Quem é? — Marina perguntou.

— Sou eu. Abre aí — respondi, ansiosa. Meu estômago estava revirado e a mente, uma confusão completa.

Eu via fios vermelhos nos dedos das pessoas e enxergava quem estava do outro lado! Puta merda, que bizarrice era aquela?

Encarei por um segundo minhas mãos, constatando pela vigésima vez naquele dia que eu não estava ligada a ninguém. No fim, não era uma surpresa tão grande assim, não é mesmo? Eu já havia perdido minha outra metade da laranja fazia um ano.

— Se vai aparecer assim do nada, espero que ao menos tenha trazido alguma coisa pra gente comer. Abriu?

— Não trouxe nada, mas tô subindo — avisei, passando pelo portão destrancado e praticamente correndo até sua porta.

Mari já me esperava, recostada no batente com uma feição curiosa.

— Nem mesmo um sorvetinho? — ela perguntou, decepcionada ao encarar minhas mãos vazias.

E foi então que cometi o erro de repetir seu gesto e encarar as mãos *dela*.

A tontura e a dor no fundo do cérebro veio instantaneamente, no momento em que coloquei os olhos no fio de seu dedo mindinho.

— Eita, Lê! Tá tudo bem? — Mari tocou meu ombro e me avaliou por alguns segundos, mas eu não a via realmente, pois em minha cabeça eu enxergava apenas o rosto de um cara.

Um cara que não era o Túlio.

Meu estômago embrulhou mais uma vez.

— Porra, Letícia, o que houve? — minha amiga questionou, preocupada, me levando para dentro do apartamento e me oferecendo, de prontidão, um copo com água gelada. — Você tá pior que o Ryan Reynolds como Deadpool no filme do Wolverine!

Arqueei uma sobrancelha, me sentindo realmente ofendida por ser considerada desastrosa como aquele personagem.

— Sério que você vai me comparar com aquela... *coisa*? — perguntei.

Ela deu de ombros e continuou me encarando, esperando uma resposta à sua pergunta.

— Acho que foi a pressão. Vim meio que correndo e não comi nada desde o almoço — menti, mas era mais ou menos isso mesmo.

Era como se minha pressão realmente tivesse despencado o Monte Everest inteiro. Mas o motivo não era a falta de comida. Tinha a ver com o fato de que minha melhor amiga estava apaixonada pelo homem errado. Eu não estava pronta para aquilo. Na verdade, na minha cabeça, nem sequer passou a possibilidade de eles não serem um casal predestinado. Os dois eram perfeitos juntos!

Ela pretendia construir sua vida com Túlio e parecia tão feliz que eu não podia arruinar aquilo.

Como poderia, então, falar a verdade para ela? Óbvio que Marina iria querer saber seu destino. E eu não poderia mentir, certo?

Contar a verdade para Mari, o que isso causaria?

Uma decepção? O fim de um relacionamento de anos?

— Como tá o Túlio? — me ouvi perguntar, assim que terminei a bebida em um só gole.

— Tá ótimo! Superfeliz com o curso — Mari bradou, parecendo orgulhosa. — Tô aproveitando esse tempo que ele tá fora pra ver alguns apartamentos. Queremos morar juntos assim que ele voltar. Nessas horas queria ser o Doutor Estranho e controlar o tempo pra fazer essas próximas semanas correrem.

Minha amiga sorriu daquela maneira aberta e tão radiante que apenas me comprovou o que eu deveria fazer: manter minha boca fechada, porque claramente aquela coisa de fio vermelho do destino estava tão *bugada* quanto o meu cérebro.

Acabei tendo que inventar uma desculpa boba sobre minha visita e ficamos algumas horas maratonando uma série qualquer, enquanto devorávamos a comida chinesa que pedimos pelo *delivery*.

O último ano me ensinou a camuflar minhas emoções verdadeiras e, provavelmente, só por isso Mari não tenha percebido que eu era nada mais do que um turbilhão de nervosismo e ansiedade. Meu instinto era dizer que ela deveria provar o bolo de chocolate da cafeteria nova que abriu lá perto de casa no dia seguinte, onde sua verdadeira alma gêmea estaria. Mas não fui capaz e aquilo me corroeu de alguma maneira, como se meu recipiente chacoalhasse dentro de mim, pedindo para ser preenchido, para que eu fizesse o meu trabalho de sustentá-lo.

Porém, não disse nada. Simplesmente não fui capaz. Aquilo já era demais para mim.

Tudo o que conseguia pensar era que, se não podia contar para ela e mais ninguém sobre aquele segredo absurdo, então o que demônios eu deveria fazer?

Se me lembrava bem, meu maldito pedido naquele santuário foi de ter a chance de ajudar Marina a ter todo o amor e a felicidade que ela merecia. Mas não era exatamente o que ela tinha com Túlio? Então, por que eu deveria estragar as coisas assim, do nada, e...

— O santuário! — gritei, pulando do sofá e atraindo os olhos azuis esbugalhados de Mari para mim.

— Tá doida, amiga?

Eu quis dizer que sim, que, seguramente, estava mais do que doida, mas acabei apenas sorrindo amarelo.

— Perdi um brinco outro dia e acho que foi lá no santuário — inventei. — Sabe se eles tão abertos agora? Posso dar uma passada lá e ver se encontraram.

Prendi a respiração conforme Mari semicerrava os olhos em minha direção.

— Você quer mesmo ir até lá, em plena segunda à noite, pra procurar um brinco? Ele é o quê, um tipo de gema mágica?

— Foi minha mãe que me deu e gosto muito dele. Como se fosse minha própria Joia do Infinito, sabe? — falei, tentando convencê-la de que era a verdade.

— Ai! — ela pulou do sofá e apertou minhas bochechas. — Você parece até um Thanos numa versão bonitinha. — Sorri sem graça e me sentindo um peixe conforme seu aperto aumentava.

— Mas e aí — tentei falar com aquele bico emoldurando meu rosto. — Será que rola de ir lá hoje?

— Ah, amiga, acho que não. Eles só ficam abertos até às cinco da tarde. De repente, dá uma passada lá amanhã de manhã antes do trabalho.

— É, vou fazer isso mesmo — respondi, pensativa.

Aquele velho suspeito, cheio das mensagens subliminares da outra vez, com certeza teria as explicações que eu procurava. Que seriam muitas, sem dúvida alguma! Enquanto isso, só me restava esperar e não deixar aquela loucura toda me afetar ainda mais.

CAPÍTULO 4

Se existia qualquer outro significado para madrugar, além do fato de estar no santuário japonês às sete da manhã, então naturalmente tinha algo de muito mais errado no mundo do que eu imaginava.

Mal conseguira pregar os olhos na noite anterior, ainda pensando nas últimas vinte e quatro horas, as mais insanas de toda a minha vida. Eu precisava de respostas e quando, enfim, consegui entrar pelos portões vermelhos, a primeira coisa que fiz foi buscar uma careca lisa pelo local. Porém, não achei nada.

Nadica de ninguém.

Todos tinham cabelo!

— Droga! — praguejei, antes de ver algumas mulheres que pareciam ser funcionárias do local.

Perguntei sobre o tal homem para o trio, mas nenhuma delas reconhecia a pessoa que eu descrevia. Diziam que deveria ser apenas mais um dos visitantes do dia do festival, o que fez morrer minha esperança de encontrá-lo.

Tentei ignorar o fio que cada uma tinha em seu dedo, me obrigando a olhar somente para seus olhos estreitos, e percebi que nenhuma visão me acertou em cheio. Pelo contrário: entendi que, se eu não encarasse suas mãos, então era como se meu poder não sofresse o gatilho que me fazia enxergar quem estava do outro lado.

Era tudo uma questão de tomar cuidado a partir de agora. Ao menos enquanto eu não soubesse o que aquilo significava e os estragos que poderia causar na vida das pessoas.

Ora, eu não era nenhum guru do amor para ficar juntando os predestinados por aí, certo?

Quem sabe poderia até mesmo ser algo passageiro e que, caso eu ignorasse aquela porcaria de fio e seu significado, talvez deixasse de vê-lo?

Ainda assim, aquele pensamento parecia aumentar o buraco no meu estômago, que se estendia para o peito. Não podia negar que me senti de certa forma recompensada quando ajudei o taxista e Flávia a encontrarem sua cara-metade. Um sentimento quente e acolhedor me preencheu e gostei daquilo. Nem me lembrava da última vez que me sentira tão... contente.

Porém, e se eu tivesse feito o mesmo com Marina? O que seria do relacionamento da minha amiga depois que eu a incentivasse a ir conhecer outro homem? E será que esse cara da minha visão realmente a faria feliz? Mais do que o Túlio?

Ah, eu achava difícil de acreditar.

Aquele poder aleatório que, sabe-se lá como ou por quê, caíra em minhas mãos era perigoso. Eu estava mexendo com a vida de outras pessoas. E não tinha esse direito. Não era como se eu fosse uma super-heroína como nos filmes que Mari tanto assistia, pronta para salvar o dia e os relacionamentos alheios.

Eu era só uma garota normal, que tinha o coração partido e se sentia perdida sobre o que fazer consigo mesma. Ainda estava buscando uma forma de me reerguer e me sentir completa mais uma vez, mesmo que uma parte de mim tenha partido para sempre, junto com meu noivo.

Balancei a cabeça, afastando os pensamentos.

As três mulheres já haviam se afastado e me peguei pensando no que poderia fazer. Cogitei a ideia de ir até o espaço de reza outra vez e implorar para que as tais entidades me livrassem daquela roubada, mas a verdade é que senti medo de acordar no dia seguinte vendo muito mais do que fios.

Vai que eles ficam irritados com a minha recusa e decidem que está na hora de eu vivenciar o filme *O sexto sentido*, né?

Eu que não iria arriscar!

Como todo ser humano sensato sabe: nunca devemos criar treta com os deuses. Fica o exemplo do querido e vingativo Loki.

Se Thor não aprendeu sua lição, sinto muito, querido, mas eu que não iria seguir seu exemplo. Pelo simples fato de que eu não tinha nenhum Martelo do Trovão para sair daquela enrascada.

Suspirei fundo, me sentindo completamente derrotada.

Havia chegado mais uma vez ao fundo do poço, sem saber o que fazer. Não tinha absolutamente ninguém com quem pudesse conversar sem que terminasse em uma camisa de força, participando de algum culto maligno ou arruinando alguma relação.

E, vamos combinar, nenhuma das três opções parecia favorável para mim.

A única coisa de que eu tinha certeza naquele momento era que precisava estar na gráfica do outro lado da cidade em duas horas ou não apenas minha sanidade estaria em risco, mas também o meu emprego.

Passei todo o percurso de ônibus com a cabeça encostada no vidro. O bom é que assim os fios vermelhos se transformavam apenas em borrões conforme o veículo corria entre as vias da cidade. Durante o caminho, tentei decidir se eu era apenas azarada ou se havia a possibilidade de terem criado um boneco vodu com o meu nome.

Só podia achar cômica a decisão das entidades de darem uma missão daquelas logo para alguém como eu. Mas vai entender. Tem doido para tudo nesse mundo. Por que no mundo das entidades supremas seria diferente?

Quando, enfim, cheguei à gráfica, minha cabeça latejava pela noite em claro, o que só piorou quando abri a porta de vidro e fui rodeada pela conversa animada entre dois caras:

— Sério mesmo que dá pra tirar o fundo inteiro e mudar por outro completamente diferente? — um deles perguntou, os olhos quase brilhando enquanto encarava o computador à sua frente. — Mas esse tal de Photoshop é irado mesmo!

— Te falei! Dá pra fazer todo tipo de mágica aqui. Se liga, se a gente recortar essa parte...

Pigarreei e sorri, um pouco sem graça. Não queria atrapalhar aquele momento entre eles, mas eu precisava resolver logo o pepino que tirei da Flávia para que ela se encontrasse com o senhor Bittencourt.

— Oi, tudo bem? — saudei os dois quando aqueles pares de olhos me atingiram em cheio.

— Opa, bom dia! — disse o que estava sentado na cadeira, se levantando em um pulo para vir me atender.

Em sua blusa polo azul-marinho com um logo colorido na altura do estômago, tinha um crachá com seu nome e um "estagiário" bem grande logo abaixo, o que me fez pensar que agora fazia sentido os olhos brilhantes de poucos segundos atrás.

— Desculpa atrapalhar, João, certo?! — Ele assentiu, abrindo um sorriso. — Mas eu vim buscar os painéis da clínica de idosos que a Flávia da Up Marketing ficou de olhar.

— Aaaah, claro! Você deve ser a Letícia, né? — Dessa vez, fui eu quem concordei com a cabeça e sorri. — Ela ligou ontem avisando que você viria no lugar dela, mas achei que... bem... — João começou a parecer um pouco nervoso, pois massageava a nuca. — Achei que você tinha mandado *ele*.

João apontou para o cara atrás de si, o mesmo que estava lhe mostrando algo sobre Photoshop há pouco.

Meus olhos correram até o outro cara, e a primeira coisa que notei foi sua camiseta de *Star Wars*, na qual aquele E.T. feioso com um balão de fala dizia "It's a trap!".

Pela camiseta nada parecida com o uniforme da gráfica, deduzi que não trabalhava ali, o que me fez entortar a boca em confusão.

— Mas quem é *ele*? — perguntei para o João, que deu de ombros, confuso.

— Sou o Thiago, entrei essa semana na Up Marketing no time de *design*. Tô cuidando das artes da clínica e o Mauro me pediu pra vir — o fã de *Star Wars* se apresentou, estendendo-me a mão.

Uma mão sem nenhum fio vermelho pendendo.

— Ah — ofeguei.

Não pelo fato de ser surpreendida com sua presença na gráfica, mas porque a ausência daquela linha que eu evitava encarar devia ser a prova de que aquele cara também já havia perdido o amor de sua vida e eu, mais do que ninguém, sabia como era experimentar uma perda daquelas.

— Eu sou a... — Engoli seco, uma mistura de curiosidade e pena sobre aquele desconhecido se apossando de mim.

— *Ah* é o seu nome? Preciso dizer que seus pais não têm muita criatividade. Não me diga que sua irmã se chama *Bê?!* — Ele riu, o que me fez prender o ar e desviar o olhar de sua mão estendida.

Apertei-a rapidamente, antes que ele se sentisse ignorado e eu fosse tomada por uma mal-educada. Encarei seus olhos por puro instinto de quando cumprimentamos uma pessoa, mas me arrependi na mesma hora, quando percebi que quase ofeguei de novo.

Suas íris eram de um verde cheio de vida, uma cor que eu nunca tinha visto pessoalmente em mais ninguém.

— Foi mal. — Arranhei a garganta, me sentindo um pouco desconfortável. — Sou a Letícia, do *marketing*.

Thiago assentiu, erguendo um canto de boca, o que fez surgir uma covinha tímida em sua bochecha esquerda.

— Eu sei — falou, apertando firme sua palma contra a minha antes de soltá-la. — Tava te esperando.

— Me esperando?

— É. O Mauro me pediu pra pegar o material de outro projeto e, quando comentou que a Flávia te mandou vir buscar o painel, perguntei se não seria melhor eu esperar aqui. São várias coisas pra uma pessoa carregar sozinha. Então, vim ajudar. — Um sorriso largo surgiu em seus lábios, a covinha se mostrando sem nenhuma timidez agora e os olhos verdes parecendo mais jovens, enquanto me analisavam dos pés à cabeça. Senti todo o meu rosto queimar. — E acho que fiz bem, porque você ia sofrer pra carregar aqueles troços com esses bracinhos finos.

Ele apontou com o polegar para trás, onde um painel maior do que eu estava enrolado, esperando para ser levado dali, junto de todo o material de suporte para a estrutura. Não que parecesse de fato pesado, mas, com certeza, carregar tudo sozinha seria um pouco complicado.

— Ei, meus braços não são tão finos assim! — resmunguei, cruzando-os sobre o peito.

— São braços de menina — ele provocou, dessa vez seu sorriso se tornando apenas um erguer ladino de lábios.

— Bom, eu *sou* uma menina! Mas isso não quer dizer que eu seja fraca, certo?

— De jeito nenhum! Na verdade, acho que as garotas são muito mais fortes que nós, em mil e uma coisas. — Acenou com a cabeça, pensativo. — Mas quando se trata de estruturas de aço, painéis e lonas, acho que nada mais justo do que eu te dar essa forcinha, senão eu não poderia me considerar um...

— Verdadeiro Jedi? — completei, erguendo as sobrancelhas ao encarar sua camiseta.

Sua risada baixa e grave ecoou por meus ouvidos, uma sensação estranha surgindo na boca do meu estômago.

— Eu ia dizer um cavalheiro, mas serve também — falou, dando de ombros. — E aí, vamos?

Assenti, dobrando as mangas da blusa branca de botões e enchendo os pulmões de ar antes de pegar o painel e colocar em cima do meu ombro.

Ao me virar, vi que ele já estava abaixado, pegando as estruturas do painel com as mãos, me fazendo fitá-las por alguns segundos.

Nenhum fio, de fato.

Olhei para João, que mexia descontraído no computador.

A linha vermelha estava lá, amarrada em seu mindinho com delicadeza. Uma dor de cabeça me atingiu no mesmo instante e eu cambaleei, me arrependendo amargamente de ter focado na mão do funcionário da gráfica. Agora, com a imagem da garota loira e simpática que trabalhava na loja de eletrônicos do outro lado da rua, eu não tinha muito como ignorar aquele presságio.

— Opa, você tá bem? — Thiago perguntou, seus olhos verdes parecendo um pouco mais escuros e apreensivos.

Só então percebi que suas mãos seguravam meus braços, me mantendo no lugar. O toque de sua pele contra a minha era quente e um arrepio subiu pela minha nuca.

Balancei a cabeça, espantando aquela sensação e me desvinculei de seu aperto.

— Só me desequilibrei. Valeu — agradeci, dando mais dois passos para longe dele.

Por algum motivo, senti que precisava de uma distância maior entre nós. E, por outro motivo que não entendo, quis saber a história por trás do seu destino. Um destino ligado a... ninguém.

Assim como o meu.

— Espera, deixa que eu levo isso — avisou, tirando o painel do meu ombro e encaixando no dele antes que eu pudesse retrucar. — Aquelas lonas ali são mais fáceis de carregar. Agora só precisamos chamar um Uber na rua. Tá tudo bem mesmo? — perguntou novamente, a feição bastante séria, dessa vez.

— Tá sim, de boa — respondi, me abaixando para pegar as lonas listradas em azul e branco. — Vamos?

Thiago assentiu e agradeceu a João antes de sair da gráfica. Eu, por outro lado, demorei alguns segundos mais com o funcionário antes de seguir meu mais novo colega de trabalho até a calçada.

— O que você falou pra ele? — Thiago perguntou, curioso.

— Nada de mais — desconversei.

— Você falou algo sobre desconto na loja ali da frente. — Um vinco se formou em sua testa. — Mas não tem nada anunciado na fachada.

Fiquei nervosa na mesma hora com sua clara desconfiança.

Porra! Se ele tinha escutado, então por que diabos perguntou?

— Passei por lá antes e a vendedora falou que hoje ia começar um saldão — menti, me sentindo o maior Pinóquio de todos os tempos. Se meu nariz começasse a crescer, realmente não me surpreenderia.

Mas o que mais eu poderia dizer?

"Ah, sabe o que é? A alma gêmea do João tá bem ali, do outro lado da rua. Então, né, alguém tinha que ajudar esse pobre garoto a encontrar a felicidade. Por acaso já te falei que consigo ver quem é a cara-metade das pessoas? Não?! Pois é, é isso. Um espírito me disse que essa era minha missão, só acho meio absurdo não ganhar um salário, mas faz parte. É a crise do país e tal."

— Ei, Letícia, tá no mundo de Nárnia? O carro tá aqui — Thiago avisou e só então percebi que ele estava mais à frente, colocando as coisas no porta-malas do carro enquanto esperava que eu fizesse o mesmo.

Corri para alcançá-lo e em poucos segundos já estávamos a caminho da Clínica Boa Vida, que consistia em um tipo de retiro para idosos; um retiro bem caro, na verdade.

O lugar era enorme, moderno e todo equipado para receber a terceira idade com o máximo de conforto possível. Além de ter dois prédios de três andares interligados, o espaço contava com uma extensa área livre para que os hóspedes pudessem caminhar, fazer atividades ao ar livre e ter anos repletos de tranquilidade.

A inauguração seria na sexta-feira e Flávia estava bem animada com o projeto. Quando a Up Marketing foi chamada para cuidar de toda a parte visual do evento e de ações internas, lembro que ela até mesmo abriu uma garrafa de espumante em pleno escritório. A Clínica Boa Vida tinha muito dinheiro e aquele projeto nos renderia uma grana alta, além de um prestígio enorme por ter nossa marca junto à deles. Foi uma parceria muito legal, especialmente porque eles ouviam cada uma de nossas sugestões. Não apenas na publicidade, mas também nas ideias para deixar o retiro ainda mais vivo — como eles gostavam de dizer — e alegre.

Quando chegamos no local, fomos recepcionados pela diretora, que logo nos levou até a equipe de montagem.

Foi difícil ignorar a mão das pessoas trabalhando nos painéis e nos carrinhos estilo de golfe que serviriam para transportar os idosos. Naquele lugar deveria haver mais de duas dezenas de pessoas e isso queria dizer que havia muitas mãos e fios por todos os lugares. Para que eu não tivesse mais nenhuma "missão a cumprir", achei que seria uma boa me afastar e passear pelo lugar, aproveitando, assim, para conhecer melhor o ambiente.

Só não esperava que Thiago me seguisse.

— Aqui é enorme, né? — comentou, colocando as mãos nos bolsos e inspirando fundo ao encarar o céu sem nuvens.

— É mesmo.

— Achei muito maneiro a ideia dos carrinhos decorados com as lonas no teto e tudo mais. O sol aqui é muito forte pros velhinhos, sem falar que dá pra usar na chuva também, sem problema. E vamos combinar que fica bem mais legal assim do que um carrinho comum e sem graça. Me sinto um pouco em um circo ou sei lá.

— Um circo?

— É, você sabe — deu de ombros. — O lugar parece mais vivo e divertido. Não tem aquele clima de depressão que a gente vê em outros retiros para idosos, onde eles apenas tomam soro e esperam a morte chegar.

— Você já foi em outros retiros, então? — me ouvi perguntar.

Thiago assentiu e algo em seu semblante mudou.

— Minha avó passou os últimos anos dela em um. Ela tinha Alzheimer, ficou difícil mantê-la em casa. Quando acordava, não se lembrava da gente e achava que estava em perigo ou algo assim.

— Sinto muito — mordi o canto da boca, sem saber mais o que dizer.

— Foi mal — ele sorriu, sem graça —, não queria criar um clima estranho. — Balancei a cabeça, como se aquilo dissesse que não tinha problema. — Meu ponto é: a pessoa que teve essa ideia dos carrinhos personalizados foi genial. Consigo imaginar os idosos passeando por aí, sabe? Parece divertido. Imagina só fazer uma corrida com eles!

Thiago virou o rosto para mim, as esferas esverdeadas brilhando de animação, enquanto o sorriso aberto preenchia seu rosto. Os raios de sol tocavam seus cabelos castanho-claros e, naquele momento, pareciam surgir mechas loiras por todos os lados.

Meu pulso acelerou.

E aquilo me deixou confusa, assustada e — precisava confessar — com um pouco de inveja.

Tirando o fato de que ele era *designer* e gostava de filmes, séries e coisas do tipo, não sabia mais nada sobre ele. Thiago era um enigma ainda, porém, parecia tão... leve.

Ele sorria com espontaneidade e, de repente, senti falta de quando eu também era assim. E, naquele instante, percebi que sentia falta daquela época e agradeceria se a vida voltasse a ser mais divertida, suave e cheia de aventuras.

— Um pensamento por outro — ele disse, de repente. Encarei-o, confusa, e Thiago ergueu o canto da boca. — No que você tá pensando? — perguntou e eu ri baixinho, entendendo a proposta.

— Estou pensando que uma corrida seria legal — me ouvi dizer, vendo o sorriso dele se expandir ainda mais. — E no que *você* tá pensando?

— Estou me perguntando se a gente perderia o emprego se pegássemos dois deles emprestados pra um rali.

— Provavelmente, sim — ponderei.

Sua feição murchou assim que as palavras saíram de minha boca e tive vontade de rir de sua tristeza fingida.

— Tudo bem, a vida não é justa mesmo — ele murmurou, soltando o ar pela boca. — Se fosse, não teríamos aquele final maldito na primeira parte do *Guerra infinita* com os...

— Não dá *spoiler!* — gritei, nervosa, tampando meus ouvidos. — Ainda não assisti.

Thiago me olhou perplexo, como se eu fosse um E.T. Ou talvez como me olharia se soubesse que vejo fios vermelhos por toda parte.

— Você é o quê? De Marte, por acaso?

É... ele realmente me via como um alienígena.

Suspirei, derrotada. Mari me perturbava toda semana sobre isso, mas a verdade é que eu andava sem tempo para assistir qualquer coisa.

— É, eu sei. Tinha decidido esperar sair a segunda parte pra assistir tudo junto, mas acabei não vendo até hoje. Acho que parte de mim não quer aceitar que essa geração de heróis acabou e outra vai assumir o lugar — torci os lábios, chateada. — Assim, nada contra o Tom Holland, acho ele uma graça. Mas ninguém tira o lugar do meu trio T.

Ele arqueou uma sobrancelha e perguntou:

— Trio ternura?

Segurei uma risada e respondi:

— Trio tanquinho.

Thiago esticou os lábios, em diversão.

— Deixa eu advinhar... também conhecidos como Robert Downey Jr., Chris Evans e Chris Hemsworth?

Ofereci um sorriso culpado, o que fez ele rir. A verdade é que eu e

Marina adorávamos filmes de super-heróis. Não a ponto de comprar bonecos colecionáveis e tudo mais, mas era o tipo de entretenimento de que gostávamos. Exceto, claro, quando rolou aquela briga entre o Homem de Ferro e o Capitão América. Muita ação, reviravoltas e homens com um ótimo senso de humor e tanquinho, claro.

Tinha como não adorar esse tipo de história?

Ora, eles eram ótimos como amigos. E eu não conseguia tomar partido algum, o que só me deixou frustrada durante todo o *Guerra civil*.

— Trio tanquinho, hein? — repete, os cantos de sua boca erguidas. — Olha, acho que, considerando suas paixões platônicas, é melhor não assistir mesmo o final.

Um vinco se fixou em minha testa e ralhei:

— Ei, insinuações também são *spoiler*, senhor espertinho!

Thiago riu e o som caloroso fez com que minha expressão se suavizasse.

— Certo, certo, não vou falar mais nada, juro! Mas, sinceramente, acho que você é a única pessoa na galáxia que ainda não assistiu — comentou, coçando o queixo como se estivesse refletindo.

— Em uma galáxia muito, muito distante? — Levantei uma sobrancelha, sentindo meus lábios tremerem com o sorriso que segurava. De uma forma inusitada, era fácil conversar com ele. Quase como se pudéssemos nos considerar amigos.

Thiago riu e concordou com a cabeça, esticando a camiseta em seguida e falando com a voz alterada e aguda:

— *It's a trap!* — Sua voz retornou ao tom normal e ele continuou balançando a cabeça de forma pensativa. — Uma garota bonita que conhece *Star Wars* com certeza é uma cilada.

E assim, em um mísero segundo, todo o sangue do meu corpo correu para meu rosto e senti as bochechas queimarem. Não que fosse o primeiro elogio que eu recebia na vida, mas foi inesperado e me pareceu... errado.

Muito, muito errado.

Mas, como se o destino enfim decidisse fazer algo de bom para mim em vez de me sacanear com uma missão de cupido, um dos carrinhos personalizados surgiu com a diretora da clínica na direção, extremamente sorridente ao nos ver.

Ela estacionou o pequeno veículo ao nosso lado e disse contente:

— Ficaram ótimos, Letícia! Adorei a ideia dessa caracterização dos carros, você fez um ótimo trabalho. — Sorriu, satisfeita, em minha direção.

— Fico feliz que tenha gostado. — Retribuí o sorriso, um pouco sem jeito ao sentir os olhos de Thiago sobre mim.

— Não esperava que fossem ficar tão customizados assim — ela continuou, animada. — Com certeza deram um ar meio circense por aqui, o que vai deixar os hóspedes mais à vontade e alegres.

— Eu não disse? Ficaram incríveis! — Thiago falou, tocando o carro com as mãos, desde o banco creme até a lona azul e branca na parte de cima. — E você tava escondendo o jogo, hein? Por que não falou que foi coisa sua?

Sorri, sem graça, como se fosse um pedido de desculpas. A verdade é que não queria parecer que estava me gabando de alguma forma, ainda que me sentisse bastante orgulhosa de tudo o que criáramos para a clínica. Afinal, a ideia podia ter sido minha, mas todo o time ajudara até que ficasse perfeito.

— Melhor a gente voltar e ver como tá a montagem das coisas — falei, verificando as horas no celular.

— Entrem aí, eu levo vocês — a mulher ofereceu, e não pensei duas vezes antes de rodear o veículo e me sentar ao lado dela, enquanto Thiago se acomodava no banco traseiro e voltávamos para o prédio principal.

Decidi que o melhor que poderia fazer era ignorar o comentário de minutos antes e fingir que nada acontecera. Ainda que não significasse nada além de um elogio simples e simpático, meus instintos de defesa me obrigavam a fugir daquela lembrança, como o Diabo foge da cruz.

E assim o fiz.

Ou pensei que tivesse feito.

CAPÍTULO 5

O resto daquela semana foi um completo caos. Havia muita coisa ainda a ser feita para o evento de sexta-feira e, como uma das meninas do time estava de férias, meu trabalho foi dobrado.

Apesar do cansaço e estresse, aquela demanda maior serviu para que eu esquecesse qualquer coisa que não fosse relacionada às minhas tarefas. E nisso, claro, estou incluindo o fato de que Thiago mal chegara à Up Marketing e já parecia ser amigo de todos os outros funcionários.

Pelo que contou, ele e Mauro se conheceram na faculdade, quando meu diretor era seu veterano. Mas foi só depois que Thiago decidiu sair da empresa em que trabalhava que aceitou o convite do amigo para se juntar à agência.

Todos pareciam elétricos e entusiasmados com a nova adição ao time.

Na verdade, isso não me surpreendia. Ele era uma pessoa carismática e divertida. E me achava bonita...

Chacoalhei a cabeça, espantando aquele pensamento impertinente.

Deduzi que talvez tivesse ficado um pouco satisfeita e impressionada com o elogio, mas apenas pelo fato de que era a primeira vez que um cara, sem ser Alexandre, me elogiava daquela forma tão descontraída e banal, porém honesta e espontânea.

Provavelmente por isso me senti tão incomodada naquela hora. Porque Thiago não era Alexandre, e eu não estava acostumada àquele tipo de comentário tão direto de outra pessoa que não fosse ele.

Encarei a planilha aberta à minha frente no computador, com a listagem de tudo o que faltava ficar pronto para a inauguração da clínica, e suspirei desanimada.

Ainda tínhamos muita coisa para fazer até o dia seguinte, mas Flávia estava a mil e aparentemente teríamos tudo pronto até o final daquele dia, sem falta.

Não pude deixar de perceber que ela parecia mais bem-humorada do que de costume, e senti vontade de perguntar algumas vezes se tinha algo a ver com um tal carinha do canal de esportes, mas preferi me manter quieta. A última coisa que queria era me enrolar mais naquela confusão de fios.

Aparentemente, minha ideia de ignorar o fio vermelho e aquela missão sem pé nem cabeça não dera certo, porque eu continuava vendo o barbante com a mesma nitidez. E o pior: muitas vezes me sentia tentada a ver quem estava por trás daquela linha amarrada nos dedos do pessoal do trabalho. Como se algum tipo de centelha queimasse em mim, dizendo que aquela era minha obrigação, meu dever.

Mas eu tinha meu compromisso com a clínica e a entrega de tudo no devido prazo. Logo, meu foco deveria estar nisso e não em uma missão celestial, não é mesmo?

Então por que todo o meu âmago implorava para que eu ajudasse uma pessoa ou outra sempre que minha mente dispersava do trabalho?

Eu estava ficando louca!

Quer dizer, *ainda mais louca*!

Aquela sensação se tornava cada vez mais forte, me deixando aflita. Quanto tempo aquela missão maluca duraria? Nenhum outro sonho estranho invadira minhas noites de sono para me dar qualquer explicação plausível. Eu começava a ficar desesperada, achando que aquele tipo de superpoder viera para ficar e me atormentar pelo resto da vida.

Tudo bem. Era por um bem maior, coisa e tal, mas as dores de cabeça e as tonturas que eu sentia me desgastavam cada vez mais. Sem contar que não me achava nem um pouco apta a mexer com o destino das pessoas. Era muita responsabilidade.

Naquela manhã, aproveitei para passar novamente no santuário e pesquisar mais informações sobre a lenda. Por sorte, uma moça simpática de estatura baixa e cabelos curtos, pretos e lisos, me passou o contato de um especialista em mitos orientais e ali estava eu: em pleno horário de almoço, tentando falar com o homem, em busca de alguma solução para o meu... bem, probleminha.

— Atende, atende... — murmurei, com o celular colado à orelha.

— Opa, tá pedindo *delivery?* — Thiago perguntou, me fazendo pular de susto.

— Achei que todo mundo já tido ido almoçar — comentei, surpresa, constatando que o resto do escritório estava vazio e prestando atenção na camisa do dia que Thiago usava.

Era preta e parecia um pouco justa em seus braços, ou talvez eu não tivesse reparado antes que, para um completo *nerd*, até que ele tinha um corpo bem, digamos, saudável?

Se saudável significasse musculoso na medida certa, então Thiago tinha uma saúde de ferro, sem dúvida! Não que isso importasse alguma coisa, claro.

No meio da camiseta, reconheci a figura daquele dinossauro que pula cactos na página inicial do Google quando a internet cai. Me peguei com saudades de me divertir com o bendito joguinho. Ele é realmente viciante.

— Tava megaenrolado, mas tô morrendo de fome! — explicou, atraindo minha atenção para seus curiosos olhos verdes. — Tá ligando pra qual restaurante?

— Ah, *err*, não importa. Não estão atendendo mesmo — avisei, desligando a chamada. Ninguém precisava saber que eu estava atrás de um guru de crenças orientais.

— Acho que não aguentaria esperar a comida chegar, pra falar a verdade. Parece que vou morrer a qualquer momento — Thiago abriu um sorriso de orelha a orelha. — Quer comer comigo naquele lugarzinho aqui embaixo?

— O mata-rato? — Arregalei os olhos em espanto.

— Mata-rato? É sério que esse é o nome do lugar? — Um vinco surgiu em sua testa.

— Pelo amor de Deus, Thiago! Ninguém te falou pra não ir no boteco aqui de baixo?

— Huumm, não — ele fez careta. — Mas por que o nome carinhoso?

— Porque lá é tipo a casa do Mickey, do Stuart Little e do Remy, de *Ratatouille*. E de toda a família dos três. Confie em mim, você *não quer* comer lá.

— Bom, realmente não sou fã da desinteria, então vou seguir seu conselho e...

— E? — repeti, confusa, esperando que ele continuasse.

— E comer no...?

— Comer no...? Onde? — perguntei, sem entender.

— Exato — ele riu baixinho. — Onde vamos comer? Qual sua sugestão? Você vai ter que me levar pra almoçar, senão posso acabar parando no mata-pombos da próxima da vez.

— Ah, então você já conhece o restaurante por quilo da esquina?

— Meu Deus — Thiago murmurou, engolindo em seco. — Onde é confiável comer, com a garantia de que vamos sobreviver até o dia seguinte? Eu realmente não posso morrer antes de ler as *Crônicas de gelo e fogo*.

— Você é muito *nerd*. Sabe disso, não sabe?

— Antes ser *nerd* do que o Ned... sacou? — Ele fez um movimento com os dedos, como se eu devesse entender o trocadilho. Thiago suspirou, parecendo derrotado quando continuei encarando-o de forma confusa. — Tá, beleza, foi péssima essa.

— Aaaaah, Ned Stark! Saquei, saquei. — Balancei a cabeça. — É, foi péssima mesmo.

Ele fez uma feição engraçada e derrotada, o que acabou me fazendo rir de uma maneira espontânea, que até me surpreendeu. Uma voz dentro da minha cabeça dizia para não lhe fazer companhia, que deveria me afastar e continuar tentando ligar para o cara especialista em lendas japonesas.

Porém, o ronco do meu estômago foi mais alto e a gargalhada que Thiago deu em seguida contribuiu para ignorar o que meu cérebro dizia.

— Tá, vamos logo — falei, indo em direção à porta do escritório. — Talvez o mata-barata tenha lugar ainda.

Olhei para trás apenas para ver seu rosto horrorizado, antes de se tornar divertido e leve ao perceber que eu estava apenas tirando uma com a cara dele.

— Acho que seremos bons amigos, Letícia — Thiago falou, enquanto eu destrancava a porta do escritório. — Contanto, claro, que você também prefira *Friends* a *How I Met Your Mother.* — Ele me encarou com um questionamento mudo.

— Bom, pelo visto temos um problema, então, porque *How I Met* é *muito* melhor! — Apenas apontei o óbvio.

Thiago fez um *facepalm* exagerado, mas suspirou em seguida.

— Tudo bem, tudo bem. Tenho todo o tempo do mundo pra te fazer mudar de ideia. — Piscou, travesso.

Aquilo me fez pensar. Será que existia espaço em minha vida para um novo amigo?

E mais: um amigo que provavelmente me faria maratonar as dez temporadas de *Friends* até que eu sofresse uma lavagem cerebral?

✦

O almoço foi rápido por causa do tempo curto, mas foi tranquilo. Falamos mais sobre a Up Marketing e Thiago contou como havia chegado até a agência.

— Meus pais moram no interior — explicou, colocando uma almôndega inteira na boca, o que o fez parecer um esquilo. — Só que não tinha nada pra mim lá, sabe como é. Sempre sonhei com a cidade grande e, assim que surgiu a oportunidade, vim pra cá. Comecei estagiando em uma empresa e fui subindo de cargo, mas não gostava muito de lá. Aí o Mauro me convidou pra entrar na Up e, bem, aqui estamos.

Ele comeu outra almôndega de uma só vez e em seguida comprimiu os lábios como se tentasse dar um sorriso fechado, mas a boca cheia o fez ficar com uma feição torta e engraçada.

— E você? Sempre morou aqui? — perguntou.

— Sim, desde pequena.

— Mora com seus pais?

— Ah, não. Moro... sozinha — Sorri amarelo, antes de terminar com o frango grelhado do prato. — Meus pais se aposentaram há pouco mais de um ano e preferiram morar em uma cidade menor e mais calma. Eles diziam que estavam cansados do corre-corre daqui.

Recordei-me de como os dois estavam felizes quando deram para mim o apartamento da cidade e compraram a nova casa no interior. Isso foi um pouco depois do noivado, quando eles se sentiram tranquilos em me deixar, pois sabiam que eu estava prestes a começar uma nova etapa da minha vida ao lado de Alexandre, montando minha própria casa e, o mais importante, minha própria família.

Só que as coisas não aconteceram como o esperado e não foi fácil convencer meus pais de que não era necessário retornarem para a cidade. Eles mereciam a vida tranquila que sempre desejaram e que batalharam para ter durante todos os anos de serviço.

E ainda que eu sentisse falta deles todos os dias, jamais poderia fazer um pedido egoísta daqueles. Afinal, só porque meus sonhos não deram certo, não era motivo para que eles desistissem dos deles.

— E eles te deixaram aqui sozinha, na muvuca de carros e pessoas?

"Eu não estava sozinha quando eles se mudaram", pensei em dizer, mas abrir aquela caixa de Pandora não era bem uma decisão sensata.

Thiago estava provando ser uma boa companhia, óbvio, mas ainda era meio que um desconhecido. Além do mais, não sabia como poderia reagir à verdade, e o sentimento de pena era a última coisa que eu precisava naquele momento em que queria reerguer minha vida.

— Tipo isso — murmurei, tomando o resto do suco de laranja. Percebi que ele estenderia o assunto e achei melhor desviá-lo o quanto antes. — Vamos indo? A hora do almoço tá acabando e não quero nem pensar na quantidade de coisas que ainda tenho pra fazer.

Abaixei os olhos e fiz meio que um bico triste, sentindo o corpo exausto e a mente exaurida.

Thiago concordou com a cabeça e se levantou. Pegamos nossas comandas e levamos até o caixa para pagar.

— Tá ansiosa pra amanhã? — ele perguntou.

— Tô, sim. Acho que vai ser bem legal — respondi, oferecendo um sorriso sincero. — A equipe de *design* vai também?

Dessa vez, foi ele quem fez um bico chateado antes de dizer:

— Que eu saiba, não. Pelo menos, o Mauro não falou nada.

— E você queria ir?

— Claro! — bradou, sorridente. — Ainda não desisti de roubar um daqueles carrinhos pra um rali estilo *Corrida Maluca*. Já tava até procurando uma fantasia de Dick Vigarista. Sempre curti o bigode dele.

Soltei uma risada abafada imaginando como ele ficaria com um bigode daqueles na cara.

— Vai dizer que eu não ia ficar supercharmoso? — Ele semicerrou os olhos e, nos lábios, um sorriso cheio de malícia despencou.

Eu ri mais ainda.

— A única *charmosa* ali é a Penélope — declarei, me achando a rainha dos trocadilhos.

— Olha! Ela sabe fazer piada também! — ele comentou, como se falasse com outra pessoa aleatória. — Tô impressionado.

Dei de ombros e ergui os lábios em um sorriso maroto, sentindo o clima leve.

É, talvez um novo amigo fosse um bom começo para iniciar aquela etapa da minha vida.

Mas o pensamento cessou no instante em que senti meu celular vibrar no bolso da calça. O número desconhecido na tela parecia familiar, e não demorei para perceber que era o contato do tal cara para quem eu havia ligado mais cedo.

Thiago percebeu minha hesitação em atender a chamada na sua frente e fez um gesto de que iria na frente. Agradeci, um pouco envergonhada, com um aceno de cabeça e um "já tô indo" sussurrado.

— Alô? — falei ao atender.

— Boa tarde. Recebi uma ligação desse número mais cedo. Quem é, por gentileza?

— Eu falo com o senhor Tanaka? — perguntei, ansiosa.

— Isso, é ele mesmo.

— Senhor Tanaka, tudo bem? Meu nome é Letícia e me indicaram o senhor para falar sobre um... hã, estudo... baseado em lendas japonesas.

— Estudo sobre o quê, exatamente?

— Mais especificamente sobre o Akai Ito.

— Olha, se for para tentar descobrir quem é a pessoa destinada a você, devo informar que esse não é o meu trabalho. Não sou nenhum vidente — avisou de forma ríspida.

— Não! Não é isso, eu juro. Só preciso... bem, entender algumas coisas. Tenho perguntas sobre a lenda que ninguém tem conseguido me responder.

— Hum — murmurou, parecendo pensativo. — Tá legal. Muitas garotas me ligam procurando algum tipo de ritual para ver quem está do outro lado do fio delas, como se eu fosse algum tipo de monge e não um mero historiador.

Acabei soltando uma risada sem humor algum.

— Acredite, senhor Tanaka, isso é exatamente a última coisa que eu quero.

— Certo — ele ponderou. — Amanhã tenho compromisso na parte da tarde, mas estarei livre à noite. Podemos nos encontrar na cafeteria da esquina da Rua Carlos Alberto, às sete?

— Combinado! Estarei lá — bradei, aliviada.

Desligamos e senti um peso enorme esvair do meu peito. Se aquele homem poderia me dar alguma resposta ou não, só saberia depois de encontrá-lo. Mas, ao menos, havia uma chance.

Um fio de esperança em que pudesse me agarrar para que minha vida voltasse aos eixos novamente.

CAPÍTULO 6

Sexta-feira enfim chegou e todos estavam alvoroçados na empresa. A inauguração da Clínica Boa Vida começaria com um almoço e apresentações sobre as dependências, entretenimento e programação do retiro para convidados e os primeiros hóspedes.

Até aquele ponto, eu já era mestre em evitar encarar as mãos das pessoas. Fixava minha atenção no rosto e conseguia, assim, me manter longe dos problemas. Por isso, não estava tão preocupada em ter milhares de *déjà-vu* durante o evento. Bastava continuar tomando cuidado e redobrá-los enquanto estivesse lá.

Quando me preparava junto de Flávia e toda a equipe de *marketing* para sairmos, recebi uma continência de Thiago do outro lado da sala. Seus lábios se moveram em um "boa sorte", mas sem som algum. Eu fiz um gesto com a cabeça em forma de agradecimento e parti, sem conseguir deixar de perceber duas coisas: os olhos verdes um pouco tristes — provavelmente por também querer ir à inauguração, mas precisar ficar no escritório — e a camiseta do dia: cinza, com as mangas pretas, e no meio tinha o símbolo do Super-Homem, como se a tinta estivesse escorrendo.

Meus lábios se contraíram em uma linha fina, segurando um riso fraco, pensando em como deveria ser o armário dele.

— Que cara de boba é essa, Letícia? — Flávia perguntou, sugestiva.

— Oi? — retruquei, franzindo o cenho.

— Você tá com uma carinha boba, de quem tá apaixonada — falou, abrindo um sorriso ladino.

— Claro que não, Flávia. Você tá vendo coisa onde não tem — respondi, rindo de nervoso, enquanto entrávamos na *van* alugada pela agência para nos levar até o evento.

— Ah, Lê, não precisa falar assim com tanta convicção. Sabe... — ela mordeu o lábio inferior e ajeitou os óculos na ponta no nariz. — Já faz bastante tempo. Você não pensa em namorar de novo, algum dia?

Se dissesse que aquela pergunta não me pegou de surpresa, estaria mentindo. E se me dissessem que eu estava sendo inocente ao achar que nunca me perguntariam isso, confirmaria que eu era o ser mais ingênuo na face da Terra.

— Não — respondi, simplesmente, desviando meu olhar para o fio que pendia na mão de minha diretora e, em seguida, encarando minhas mãos vazias. — Já deu pra mim de relacionamentos por essa vida, tô muito bem solteira.

Dei de ombros, como se eu não me importasse.

Mas eu me importava.

Claro que me importava.

Só que... o que eu poderia fazer? A simples ideia de me envolver com outra pessoa me parecia... errado, insano, um ato inútil. Óbvio, eu era humana e os humanos buscam acalento nos braços dos outros, buscam desejo, carinho e amor. Mas eu jamais teria o último item dessa lista, pois ele já se fora e meu destino estava traçado. De que adiantaria tentar ir contra uma força tão maior que eu? Tão maior que todo o Universo?!

— Eu entendo — Flávia murmurou, parecendo um pouco arrependida de ter tocado no assunto, porém suspirou fundo e continuou. — A vida é sua e só você vai decidir como vivê-la da forma que te faz feliz. Sei também que você não é muito de sair à noite, mas mês que vem é meu aniversário. Os famosos 30, você sabe — Ela abriu um sorriso tímido. — E vou fechar uma boate para comemorar lá. Eu ficaria muito feliz se pudesse ir. Afinal, você é meu braço direito na Up e realmente acho que um pouco de diversão não te faria mal.

— Claro que eu vou, Flá! — falei, oferecendo um sorriso gentil. — Não perderia por nada a sua cara quando for assoprar as velinhas com aqueles enormes 3.0 em cima do bolo.

— Sua maldita! — ela ralhou em tom de brincadeira e compartilhamos uma breve risada. — E olha... só comentando, tá? Não é porque você não pensa em compromissos que não pode... ah, você sabe, dar umas curtidas por aí.

Ela piscou, arteira, e meu rosto entrou em combustão.

A verdade é que, sim, aquela ideia já passara pela minha cabeça. Algumas vezes, inclusive.

Óbvio que eu sentia falta de... certas coisas, por assim dizer. Mas eu só me entregara para uma pessoa em toda a minha vida e não me imaginava fazendo o mesmo com qualquer outro homem. Ainda mais alguém por quem eu não tinha nenhum sentimento. Nem nunca poderia ter. Uma pessoa apenas para esquentar minha cama, meu corpo e só.

Sei lá, parecia tão...

— Isso parece meio impessoal — murmurei, sem perceber.

— Mas esse é o ponto — Flávia retrucou, parecendo esperançosa por me fazer questionar aquele assunto. — Você não precisa se envolver emocionalmente com ninguém, se não quiser. Seu coração estaria seguro se curtisse umas saídas casuais e nada mais. É só uma dica mesmo pra te fazer refletir. Queria te ver mais... feliz, sabe? Se não com um cara, pelo menos com a vida em si, consigo mesma.

— Mas por que isso, de repente? — perguntei, indecisa.

— Acho que o favor que você me fez indo na gráfica outro dia me trouxe uma coisa boa. — Flávia coçou a nuca e sorriu, sem graça. — Queria fazer o mesmo por você de alguma forma. Mas tô parecendo uma intrometida, né? Desculpa.

Neguei com a cabeça e abri um sorriso.

Eu sabia bem a que "coisa boa" ela se referia, mas apenas fiz minha obrigação, de certa forma, quando a ajudei a conhecer o senhor Bittencourt. Fiquei feliz pelo fato de que, provavelmente, dera certo e eles estavam em contato, pelo visto.

— Valeu mesmo pela preocupação — agradeci, sentindo algo morno me preencher.

Então, aquela era a sensação de dever cumprido? Engraçado pensar que eu gostava dela. Que era reconfortante.

— E vai pensar no assunto? — ela indagou e torci a boca como quem dizia que ainda não sabia a resposta para aquela pergunta.

Mas, mesmo não querendo, comecei de fato a considerar aquela possibilidade. Talvez não nas próximas semanas, talvez não nos próximos meses, mas, quem sabe?

Talvez um dia.

De qualquer forma, meu coração estaria para sempre fechado, certo? Não queria dizer que minhas pernas precisassem seguir o mesmo caminho.

O risco era zero, então, por que não?

Minhas bochechas queimaram com o pensamento e tive vontade de praguejar. O que dizem é verdade: a carne, às vezes, grita mais alto que a mente.

✦

Como planejado, chegamos à clínica duas horas antes do início do evento, para checar o andamento das coisas. E, para nosso alívio, estava tudo impecável.

Assim que os primeiros hóspedes chegaram, pude ver no rosto deles o quanto estavam surpresos ao serem recepcionados pelos carrinhos decorativos. Seus olhos enrugados sorriam em êxtase quando informávamos que antes do almoço faríamos um *tour* pelas áreas externas.

O dia estava ótimo, morno e ensolarado. Os jardins verdes com canteiros e arbustos bem-cuidados faziam senhorinhas suspirarem e gracejarem quando foi explicado que haveria aulas de jardinagem disponíveis para as interessadas. Já os senhores ficaram animados quando foi revelada a existência de um pequeno campo de golfe, mais aos fundos.

Meus lábios formaram um pequeno sorriso de satisfação. Aquela clínica era mesmo bem legal. Claro que somente os mais abastados poderiam pagar a mensalidade, mas, ainda assim, era bom pensar que aquelas pessoas trabalharam e lutaram a vida inteira para se darem ao luxo de passar seus últimos anos, meses e até mesmo semanas em um lugar que os faria felizes.

Não pude deixar de ouvir algumas conversas paralelas e percebi que a grande maioria já havia perdido seus companheiros e, por isso, decidiram que um retiro lhes faria bem.

Meus olhos foram automaticamente para as mãos das senhorinhas que conversavam sobre o assunto. Das quatro, apenas uma ainda tinha o fio vermelho amarrado em seu mindinho. Isso significava que eu estava certa, afinal. O fato de não ter nada ligado a mim é porque eu já havia encontrado o amor da minha vida e ele me deixara. Assim como elas.

Mais uma viúva para a conta dos corações partidos e sem esperanças.

E eu nem tinha feito 25 anos ainda...

Porém, não podia esquecer que ainda havia aquela senhora, com o pequeno barbante amarrado ali, de forma tão delicada em seu dedo enrugado. Entre todas nós, ela era a única que ainda tinha chances de viver com sua cara-metade.

Senti uma pontada de inveja. Seria mentira se negasse. Mas, ao mesmo tempo, um sentimento quente consumiu meu peito e, pela primeira vez, não tentei desviar o olhar antes que a dor pontiaguda me atingisse.

A tontura chegou como num rompante e precisei me segurar no banco do carrinho para não cair. Minha respiração descompassou, pois o homem que eu via do outro lado em minha cabeça estava no veículo atrás do nosso.

Cacete! Só poderia ser algum tipo de ironia do destino!

Levei as mãos à boca, em um misto de susto, surpresa e... esperança? Eu não sabia ao certo.

O recipiente dentro de mim pulsou, como se chacoalhasse em busca de conteúdo, me obrigando a fazer algo.

Mas o quê?

Eu não poderia simplesmente chegar e dizer: "Olá, tudo bem? A senhora poderia olhar para aquele senhor ali, por favor? Isso, o de blusa azul-clara. A senhora não estaria a fim de passar o resto da sua vida com ele, não?".

Em vez disso, me mantive quieta, avaliando a situação. Quando dei por mim, o passeio pela área externa já tinha terminado e retornávamos para o prédio principal. A ideia era fazer os hóspedes e suas famílias se sentirem em um evento onde eles fossem os astros. Foi muito divertido ver os idosos e seus filhos tirando fotos no grande painel que eu e Thiago trouxéramos no outro dia. Depois, todos foram levados até o grande salão onde seria servido o almoço; em seguida, haveria uma apresentação de todos os benefícios da clínica, além da equipe de médicos, enfermeiras, nutricionistas, pessoal da limpeza etc.

Sorrateiramente, me coloquei na porta de entrada do salão. Estava decidida a ajudar aqueles dois velhinhos, só que ainda não sabia bem como. Por isso, quando vi a senhora se aproximar, andando devagar com sua bengala de madeira, não pensei duas vezes antes de me aproximar e oferecer ajuda.

Dona Agnes se apresentou e agradeceu quando encaixei seu braço na curvatura de meu cotovelo e a levei até uma das mesas. A mesma em que o senhor de blusa azul-clara estava sentado.

Mesmo durante o pequeno percurso, descobri que ela nunca se casara, pois não poderia ter filhos, ainda que fosse seu sonho, e seu noivo a deixara quando descobrira. Desde então, Agnes se contentou apenas em ser uma ótima tia para os seus sobrinhos enquanto vendia bolos caseiros para algumas padarias do bairro em que morava. Sem muitos custos, ela conseguiu segurar suas economias para aquele momento. E lá estava ela, como hóspede do retiro cinco estrelas, desejando viver seus dias pintando e praticando ioga.

Por um momento, senti pena de seu passado solitário. Com certeza, não fora nada fácil ser largada pelo noivo e não ter construído a família que tanto desejava, mas ela parecia ter virado aquela página e distribuía sorrisos amáveis para todos, conforme chegávamos até a mesa.

Ajudei-a a se acomodar e não pensei muito quando vi o adesivo branco escrito "Isao" colado na camisa do homem ao lado de Agnes. Era um nome peculiar, mas, considerando que já batizaram uma criança de Elvis Presley da Silva, quem era eu para ligar para um simples "Isao"?

— Tudo certinho, senhor? Precisando de algo? — perguntei, solícita.

— Tudo certo, querida. Obrigado pela preocupação — ele sorriu, os olhos pretos e levemente finos com um brilho gentil. — Meu filho foi atender uma ligação, mas já deve estar retornando. Ele não foi muito a favor de eu me internar aqui, sabe? — segredou ele, sorrindo. — Diz que ainda sou novo e que estou bem o suficiente para viver com ele, mas achei melhor me mudar do que continuar lhe dando trabalho e preocupação com meus medicamentos para o coração e tudo mais. Sem contar que este lugar é incrível, não é? Tem até clube de xadrez, ora bolas!

— Atividades não vão faltar por aqui! — comentei, sorrindo e tocando o ombro da senhora ao meu lado. — Aliás, essa aqui é a dona Agnes — apresentei, deixando que ele a olhasse por um segundo antes de explicar. — Ela também é uma das hóspedes aqui do Boa Vida. Tenho certeza de que vocês dois vão se encontrar muitas vezes. Aliás, o senhor poderia fazer companhia a ela por enquanto?

Seu Isao separou os lábios brevemente, mas logo os fechou. Vi seu pomo de Adão subir e descer, como se estivesse nervoso. Por um segundo, pensei que havia sido muito invasiva e começava a me arrepender da minha iniciativa, mas, antes que eu pudesse dizer mais alguma coisa, ele avisou:

— Será um enorme prazer! — Ele nem mesmo olhava para mim. Sua atenção era toda de Agnes, que agora tinha uma coloração avermelhada em suas bochechas. — O que achou dos jardins?

E essa foi a minha chance para deixá-los a sós.

Acabei tendo que abafar uma risada conforme me afastava, enquanto um sentimento entusiasmado percorria minhas células.

Encarei minhas mãos. Uma mania que havia pego desde que começara a enxergar o fio vermelho.

Só porque não poderia ter minha alma gêmea ao meu lado, não queria dizer que todo o resto do mundo não merecesse essa dádiva. Uma dádiva que eu, logo eu, poderia ajudá-las a conseguir.

E se isso me trouxesse mais daquele sentimento gratificante, então talvez aquela missão sobrenatural não fosse tão ruim assim.

Ou, ao menos, era o que eu esperava.

— Tá só perdida ou fugindo do bicho-papão? — Uma voz conhecida soou atrás de mim, me dando um baita susto.

Levei a mão ao peito antes de me virar e erguer o rosto para encará-lo nos olhos por conta dos aproximadamente vinte centímetros de diferença na altura.

— Cacete, o que você tá fazendo aqui? — perguntei, e Thiago sorriu de forma infantil. — Você não disse que o Mauro não tinha liberado a equipe de *design* pra vir? — Franzi o cenho.

— E não liberou — ele deu de ombros. — *Maaaaas*, a Flávia ligou pra ele e, pelo visto, ela tinha esquecido uma pasta na agência.

— E você, esperto, se ofereceu para trazer — deduzi.

— Exato — acenou com a cabeça, sentindo-se orgulhoso. Thiago se aproximou alguns centímetros, a feição arteira e os olhos chispando em minha direção. — Eu tenho uma proposta.

Prendi o ar instantaneamente e minha perna recuou um passo para trás. Não que eu estivesse com medo de sua aproximação, apenas me senti um pouco incomodada, com sua respiração tocando meu rosto daquela forma tão... íntima, as íris verdes tão intensas e próximas que fez algo em mim se sobressaltar.

Thiago percebeu o movimento — e provavelmente minha expressão de terror — e se afastou, sem graça por ter invadido meu espaço pessoal. Sua expressão era um pouco receosa, preocupada e... decepcionada, se eu o estivesse lendo corretamente.

Pensei em pedir desculpas pelo reflexo de me afastar, não queria que ele imaginasse que era algo pessoal ou nada do tipo, pois não era. Eu apenas não estava acostumada com esse tipo de proximidade. Mas o clima agora parecia estranho demais para que eu pudesse escolher as palavras certas e explicar.

Ele, no entanto, desfez a expressão desapontada de repente e assumiu aquele sorriso maroto de poucos minutos antes. Fingindo que o momento constrangedor recente nunca existira, Thiago falou baixinho:

— Não tem ninguém usando os carrinhos e um dos funcionários falou que podíamos dar uma volta.

— Céus, você ainda não esqueceu esse assunto? — murmurei, meio gemendo, meio rindo. — Acho que não dá, tenho que ficar aqui de olho pra ter certeza de que não vai dar nada errado.

Thiago me olhou de forma condescendente antes de soltar o ar pela boca:

— Claro que não vai dar nada errado. Você, a Flávia e todo o resto da equipe se esforçaram e deram tudo de si pra esse evento ser perfeito — lembrou. — Eu sei o quanto você se dedicou a ele. Posso não ter visto tudo de perto, mas lá na Up você é tipo uma lenda, sabia? Todo mundo te elogia.

Mordi uma bochecha, me sentindo envergonhada.

— Ah, não fiz nada além da minha obrigação — falei, já sabendo que meu rosto deveria estar da cor de um tomate maduro.

Eu amava meu trabalho e era sempre gratificante ver um simples projeto tomar forma e se concretizar diante dos meus olhos. Aquele era um desses momentos.

— Já tô ligado que você é uma *workaholic* e não é de se gabar pelo sucesso, mas olha só isso tudo. — Ele levantou as mãos para mostrar o salão cheio de pessoas alegres e conversando. Meus olhos se focaram no mesmo instante em Agnes e Isao, que estavam engatados em um assunto que os fazia sorrir um para o outro. — Você mandou superbem com tudo aqui na clínica e, com certeza, vai fazer o mesmo com os próximos projetos. Não acha que merece um pouco de diversão, também? Um tempinho pra relaxar e curtir, compensar todo o trabalho duro dos últimos meses?

Voltei minha atenção para ele, ponderando suas palavras.

Sim, eu gostaria disso, de aproveitar aquele momento, aquela conquista. Mas ainda estava receosa de dar uma escapulida, sem saber se precisariam de mim, de repente, para resolver algum pepino inesperado.

— A vida só se vive uma vez, sabia? Vai mesmo perder essa chance? — Thiago insistiu e aquilo me acertou como uma flecha.

Não queria mais perder chances. Não desejava mais ser a Letícia que só pensa em trabalho e se contenta com uma vida monótona, rodeada pela rotina e pelo pesar do que poderia ter vivido e não viveu.

Thiago tinha razão. A vida só se vive uma vez e as chances não se repetem.

— E aí, o que me diz? Vai perder pra mim numa corrida ou vai ficar aqui, sem fazer absolutamente nada? — Ele arqueou uma sobrancelha convencida e eu estalei a língua.

— Perder pra você? — Soltei uma risada amarga, em uma tentativa falha de parecer com a Malévola. — Nas ruas, me chamam de Toretto, querido.

Thiago soltou uma risada espontânea, que saiu um pouco alta demais e ele precisou abafar com a mão antes que atraísse olhares curiosos.

— Então, quer dizer que você vai correr comigo?

Um sorriso sagaz surgiu no canto de sua boca.

Mordi meu lábio inferior, procurando Flávia e o resto da equipe de *marketing* com os olhos. Tudo parecia em ordem e eu queria dizer sim para sua pergunta, ainda que ficasse receosa de me meter em problemas.

— Vamos, Letícia, nunca te pedi nada! — Thiago bradou, juntando as mãos e imitando perfeitamente os olhos do Gato de Botas, em *Shrek*.

Eu, claro, como qualquer humana adoradora de felinos, me desmanchei na mesma hora. Um sentimento excitante percorreu minhas veias e não pude recusar aquele pedido.

Afinal, que outra oportunidade eu teria de participar de uma corrida de carrinhos?

— Quem chegar por último, vai ter que pagar o próximo almoço — desafiei.

— Sendo assim, prepara sua carteira, menina do *marketing*.

Ele deu uma piscadela, já se sentindo um completo vencedor.

✦

A inauguração da clínica foi um sucesso e, para a nossa sorte, ninguém viu ou soube da nossa aposta. Porém, para o azar de Thiago, ele me devia um belo de um almoço, já que eu atingi o ponto de chegada meio segundo antes dele.

Eu já estava listando as opções mais caras em minha cabeça, enquanto ele bufava de forma consternada.

Ainda podia lembrar da sua cara de incredulidade quando o ultrapassei, no último momento. Ele achava que estava com a corrida no papo, mas eu avisei que Dominic Toretto era meu codinome e ele agora sabia que eu não brinco quando se trata de *Velozes e furiosos*.

Obviamente, apesar do baque inicial e do descontentamento de perder, Thiago logo admitiu a derrota e trocamos um aperto de mãos amigável, como se selássemos ali um trato.

Um trato que valia um rango grátis.

E, aparentemente, o início de uma nova amizade, pois, seguindo a linha de raciocínio de antes, sobre uma chance não bater à sua porta duas vezes, percebi que com novas amizades era a mesma coisa. E talvez estivesse na hora de me abrir para que outras pessoas se aproximassem.

CAPÍTULO 7

Flávia nos liberou para casa depois do evento e me despedi de todos com um aceno rápido antes de correr para o ponto de ônibus. Eu não tinha esquecido do meu compromisso com o senhor Tanaka.

Estava ansiando por respostas e algo em mim dizia que ele poderia oferecê-las.

E, vamos combinar: antes uma pessoa de carne e osso do que uma entidade que invadia sonhos e dava superpoderes às suas vítimas.

Cheguei à cafeteria no horário marcado e avistei o homem sentado em uma das poltronas em frente a uma baixa e pequena mesa redonda.

— Senhor Tanaka? — chamei, recebendo a atenção daqueles olhos pretos e estreitos, escondidos sob uns óculos de armação fina.

O homem era mais jovem do que eu pensara, provavelmente mal tinha 35 anos, o que me surpreendeu. Pelo telefone, eu esperava alguém mais... experiente.

— Letícia, certo?

Assenti, estendendo-lhe a mão.

— Obrigada por aceitar me encontrar.

— Por favor, sente-se — apontou para a poltrona vazia à sua frente e logo me acomodei. — Como posso te ajudar?

— Hã, bom, eu... — Pigarreei, pensando nas próximas palavras. — Gostaria de saber mais sobre a lenda do Akai Ito.

O senhor Tanaka meneou a cabeça em concordância antes de completar:

— A linha vermelha do destino.

— É, essa mesma! — exclamei. — O que é exatamente essa linha?

— Essa lenda nasceu na China, mas acabou se popularizando mesmo no Japão. De acordo com o mito, quando nascemos, os deuses amarram um fio vermelho invisível àqueles que estão predestinados a ficar juntos. Acredita-se que o fio pode esticar ou se emaranhar, mas nunca vai se partir. Não importa o número de relacionamentos que somamos na vida, o espaço ou o tempo passado, pois só viveremos a experiência do verdadeiro amor com a pessoa ligada a nós.

— Mas e quem não tem esse fio? — questionei, sentindo o pulso acelerar.

— A lenda diz que cada homem ou mulher nasce com o fio, sem exceções — explicou. — Todos estão interligados a um outro alguém, ainda que estejam distantes, podendo ter até mesmo um oceano os separando. De alguma forma, os predestinados vão se encontrar. Isso, no entanto, não quer dizer que ficarão juntos — apontou, e, quando vi, estava com os cotovelos equilibrados nos joelhos e o queixo apoiado nas mãos.

— E se, por exemplo, a pessoa perder sua alma gêmea?

— Você diz se uma delas morrer?

— Isso — falei, engolindo seco. — O fio pode desaparecer?

O homem pareceu pensativo enquanto avaliava minha pergunta.

— É difícil dizer, porque o fio é invisível aos olhos humanos e, teoricamente, visto apenas pelos deuses, mais especificamente pelo deus Yuè Xià Lǎorén. Nunca li nada sobre o que acontece quando uma das partes deixa o plano mortal.

— Yuè Xià Lǎorén — tentei repetir o nome com dificuldade, o que fez o senhor Tanaka claramente segurar uma risada.

— Pode falar Yuelao também. É a abreviação comum — sugeriu.

— Certo, mas então, esse Yuelao é a entidade que criou o fio? O responsável pela ligação entre as pessoas?

— Exatamente. Yuelao é um deus lunar, também conhecido como o deus do amor e do casamento. Dizem que ele vive na Lua e por isso só visita o mundo terreno à noite. Mas há boatos também de que ele mora em Yue Ming, que podemos comparar com o mundo obscuro, igual ao deus Hades da mitologia grega.

Ah, que ótimo!

Então esse tal deus que invadiu meu sonho e me deu uma missão é tipo aquele cara malvado do *Hércules*? Vai me dizer também que ele tem o cabelo em forma de fogo e precisa usar, desesperadamente, um aparelho ortodôntico?

Em vez disso, perguntei:

— Você acha que ele pode realmente visitar o nosso mundo e... falar com os humanos de alguma forma? Talvez dar a alguém essa habilidade de ver o fio?

— Ver o fio? — repetiu, confuso.

— É, ver *mesmo* a linha amarrada no dedo das pessoas — expliquei, balançando as mãos no ar e as juntando em meu colo em seguida.

O homem me encarou com desconfiança:

— Por que exatamente você está interessada na lenda?

Ofeguei, nervosa, me questionando se deveria contar a ele meu segredo ou se era arriscado demais.

O senhor Tanaka, pelo que averiguei, era um historiador e especialista sobre as lendas orientais. Ainda assim, era um completo desconhecido. Eu não poderia simplesmente esquecer ou ignorar esse fato.

Todavia, se ele não pudesse me ajudar, quem poderia?

Pelo visto, meu querido amigo Yuelao, se é que era ele mesmo no meu sonho, não pretendia me visitar novamente tão cedo.

— É melhor eu ir — ele falou, tirando a carteira do bolso e pegando o dinheiro. Ignorei a linha amarrada em seu mindinho e foquei em sua outra mão, que manuseava as notas com os dedos longos.

Porém, o que meus olhos encaravam era realmente o motivo de minha surpresa.

Bem ali, em uma das abas de sua carteira, havia uma foto. Naquela foto, reconheci o mesmo velhinho que me abordou no santuário.

— Quem é esse? — perguntei, um pouco esbaforida, segurando-lhe o pulso, e ele me olhou com espanto, soltando-se de meu aperto e me encarando com frieza.

— O que você realmente quer saber, garota?

— Esse homem — apontei para sua carteira. — Eu o conheço. Encontrei com ele no santuário daquele bairro japonês no último domingo.

O senhor Tanaka franziu o cenho e se levantou de súbito:

— Você está se confundindo.

— Não! — Pulei da poltrona. — É verdade, eu o vi!

— Meu avô morreu há pouco mais de um ano — informou, os olhos nublando a cada palavra dita.

— Mas era ele! Eu vi, juro! Assim como vejo... — Comprimi os lábios, nervosa.

Contar ou não contar? Eis a questão.

— Assim como vê o quê? — Ele parecia irritado.

Droga! O que eu devo fazer?

Ainda estava na dúvida quando ele apenas bufou, murmurou "garota maluca" e se afastou, me deixando sozinha com tantas outras perguntas.

É, foi um completo desastre.

Tudo bem, agora eu conhecia a lenda com um pouco mais de profundidade e sabia que o avô do senhor Tanaka estava relacionado de alguma forma àquela situação mística em que me encontrava, mas, obviamente, não poderia falar com ele, já que o homem estava morto!

Puta que pariu, eu tinha visto um fantasma, uma alma penada mesmo! E não era no estilo Gasparzinho!

Isso era tudo em que conseguia pensar enquanto me revirava na cama durante a madrugada de sexta para sábado. Minha vida estava uma bagunça, um caos completo, porque, por alguma razão que eu nem mesmo entendia, me metera em uma confusão entre os deuses.

Mas por que eu? Por que dar para uma simples mortal um poder daqueles? Uma missão tão importante.

Será que eles ao menos chegaram a cogitar a ideia de eu não dar conta do recado?

Ah, não! Eles são deuses, não é mesmo? E suas vontades são sempre absolutas, independentemente da religião ou lenda.

Em algum momento, acabei caindo no sono pelo cansaço do dia anterior. Agora, com a inauguração da casa de repouso, minha cabeça parecia um pouco menos turbulenta. Ao menos, é claro, em relação ao trabalho.

Acordei no início da tarde, ouvindo o celular tocar sem parar. Tentei ignorar o barulho irritante e voltar a dormir, sentindo o corpo e a mente exaustos ainda, mas o maldito toque não parava e eu sabia muito bem quem era o ser irritante que não desistia de me fazer levantar.

— O que que você quer? — perguntei, assim que atendi a ligação.

— Você prometeu que a gente ia ver *Guerra infinita* assim que terminasse o projeto lá do retiro. E acabou ontem, não foi?

Soltei o ar pela boca e fechei os olhos por um segundo. Mari tinha razão. Esse era mesmo o nosso combinado.

— Aqui ou aí?

— Aí. Quer dizer, aqui — ela riu, divertida. — Já tô na sua porta, amiga. Abre logo, vai!

— Eu não duvidaria nada que abaixo da palavra "inconveniente" no dicionário esteja o seu nominho — murmurei, mais para provocá-la do que qualquer outra coisa, enquanto me expulsava das cobertas e ia até a porta do apartamento.

— E eu não duvidaria nada que confundissem você com um panda e a levassem para o zoológico — ela retrucou assim que girei a maçaneta e a encontrei me avaliando com o cenho franzido. — Sabe tirar a maquiagem, não?

Passei as mãos pelo rosto, lembrando que chegara tão atordoada em casa na noite anterior que apenas me jogara na cama. Minha amiga tinha razão: deveria mesmo estar parecendo um panda.

Dei de ombros, dando passagem para que ela entrasse.

Mari se agachou e pegou as sacolas de supermercado que só então percebi que estavam no chão.

— O apocalipse chegou e não tô sabendo? — perguntei, espantada com a quantidade de comida que ela trouxera.

— Ué, você ainda não ligou a televisão? O caos se instaurou no mundo e os zumbis estão dominando tudo.

— Que sorte, então, que você conseguiu tantos mantimentos pra gente — respondi, tentando me fingir de séria. — Como poderíamos viver sem batatinhas?

— Exato! — ela bradou. — Não poderíamos!

Acabei rindo e Mari me acompanhou conforme colocava biscoitos, pizza congelada, sucos, mate, chocolates e balas em cima do balcão da cozinha.

— Já almoçou? — minha amiga perguntou.

— Nada. Acabei de acordar.

— *Humm*. Vai tomar um banho, enquanto esquento a pizza, pode ser?

— Obrigada. — Beijei sua bochecha e lhe sorri amarelo; ela apontava para o corredor com o polegar, na direção do banheiro.

— Vai logo, pandinha.

E eu fui. Tirei o pijama amarrotado e entrei no chuveiro, agradecendo a água morna batendo em meus ombros, tirando de mim toda a tensão.

Depois, sem os olhos envoltos por manchas escuras e me sentindo completamente limpa, me juntei à Mari no sofá acinzentado. Ela procurava no *streaming* o filme que combinamos há meses de assistir juntas e esperamos a pizza ficar pronta antes de dar o *play*.

— Como foi lá no evento? — perguntou.

— Foi ótimo. Deu tudo certo. — Sorri.

— Que bom. Agora não vai ter desculpas para não sairmos mais durante o final de semana, porque tá revendo o projeto — Mari sorriu de maneira quase diabólica, o que combinava com seus cabelos cor de fogo e os olhos astutos.

— Sempre poderei inventar uma enxaqueca — Ergui um ombro, antes de receber uma almofada na cara. — Que agressividade!

Mari riu da mesma forma que ria quando éramos apenas meninas.

— Nada de enxaquecas, cólicas ou síndrome de preguiça! Queria aproveitar que o Túlio não tá e ir pra uma festa. Faz muito tempo que não danço ou curto uma boa música. Ele não curte muito, você sabe. — Assenti, pois sabia que Túlio preferia uma noite de queijos e vinhos do que ir para alguma boate lotada. — Então é o seu papel, como minha estimada amiga, me acompanhar.

Ela balançou a cabeça, como se estivesse respondendo por mim mesma.

— E olha, acho que vai ser legal pra você também. A Letícia de que me lembro adorava dançar. E não foi você que estava resmungando outro dia de estar desperdiçando a vida? — apontou, fingindo um pouco de manha na voz.

Suspirei, sabendo que Mari estava certa.

A corrida boba de carrinhos que fiz com Thiago no dia anterior era a maior prova disso.

Nem me lembrava qual fora a última vez que me divertira tanto quanto ontem, enquanto corríamos como loucos e eu gargalhava ao sentir o sabor da vitória na boca.

Senti como se acordasse de um longo e profundo sonho, como se a vida voltasse a percorrer meu corpo. E foi bom. Muito bom mesmo!

Tão bom que estaria me enganando se dissesse que não queria mais.

— Beleza, Merida — falei, recebendo uma careta em resposta ao apelido carinhoso. — Mês que vem vai ter o aniversário da Flávia, minha chefe, e ela falou que ia fazer uma festona pra comemorar as três décadas. Posso falar com ela de você ir comigo, que tal?

— Agora sim vejo vantagem! — Mari respondeu, animada, praticamente pulando no sofá.

Soltei o que parecia uma risada pelo nariz. Até que eu estava ansiosa por essa festa também. Na adolescência, Mari e eu adorávamos passar as tardes na falecida casa de jogos da cidade, onde tinha aquelas máquinas de dança cheia de coreografias dos anos 80.

Quando entramos na faculdade, aproveitávamos cada *choppada* ou festa que rolasse após as aulas. Nós duas e Alexandre estudamos na mesma universidade, mas em cursos diferentes. Enquanto eu fazia Publicidade e Propaganda, Mari escolheu Nutrição, enquanto meu namorado cursava Engenharia.

Nossos horários não batiam na maioria das vezes, mas, não importava que horas fôssemos liberados, nas sextas-feiras à noite sempre nos encontrávamos para curtir a madrugada.

Lembro o quanto fiquei aliviada de Mari e Alexandre logo se tornarem amigos quando começamos o namoro no Ensino Médio. Tinha receio de minha amiga sentir ciúmes ou se sentir deixada de lado, mas, ao contrário, nos tornamos um trio e tanto. Por isso, quando ele se foi, sabia que Mari entendia a minha dor e minha perda. Pois ela também a sentia.

Ela esteve ao meu lado por tantos anos. Riu e chorou comigo, me apoiou e cuidou de mim sempre que precisei. O que tínhamos era o resultado de um laço forte, verdadeiro e cheio de carinho. Uma amizade que não se vê por aí, tão rara quanto um trevo de quatro folhas. Mas era real e eu agradecia todos os dias por isso.

Não foi à toa que desejei, naquele santuário, fazer algo por ela. Minha amiga merece todo o amor e a felicidade do mundo e, se pudesse ajudá-la com alguma coisa, eu ajudaria.

Ou ao menos era o que eu acreditava.

— Como tá o Túlio? Alguma novidade? — perguntei, mordendo uma bochecha ao encarar o fio amarrado em seu dedo.

Algo em mim se alertou ao ver a expressão tristonha que surgiu em sua face quando ela bufou e explicou:

— Tá meio difícil falar com ele por causa do fuso. E, sabe como é, ele tá todo enrolado com as aulas e os estudos.

— Isso é um saco mesmo — respondi, sem saber muito o que dizer.

O fato de saber que Túlio não era a alma gêmea de Mari ainda me atormentava. Sentia que a estava traindo de alguma forma, mas, ao mesmo tempo, me sentiria uma megera se fizesse algo que pudesse separá-los.

Bem ou mal, tinha toda aquela coisa de livre-arbítrio rondando minha cabeça e a ideia de me intrometer em um relacionamento que já existia e ser a responsável por separar duas pessoas que se gostavam me parecia muito errada.

Foi diferente das outras vezes. Ao menos, até onde eu sabia e parecia, eu não fora responsável por separar um casal, apenas por juntar pessoas às suas caras-metades. Ao menos no caso da Flávia e do senhor Bittencourt fora assim.

Tudo bem, talvez o taxista ou o garoto da gráfica tivessem alguém na vida deles, não tinha como ter certeza. Mas apenas dei dicas simples e deixei que o destino agisse.

Sequer sabia se realmente tinha acontecido algo.

Não era como o caso da Mari, por exemplo, em que eu poderia simplesmente fazê-la se encontrar com um cara desconhecido, que teoricamente um deus decidiu que combinava mais com ela do que o namorado que ela amava há anos, podendo criar uma situação embaraçosa que a deixasse confusa.

Porém, talvez nada acontecesse também, ponderei.

Ela poderia muito bem olhar para a cara do dito-cujo e nem ligar. Como se fosse apenas uma pessoa qualquer sem nenhum significado.

Mas seria mesmo certo me intrometer na vida de alguém tão próximo a mim? E se, no fim, Mari saísse machucada? Como eu poderia lidar com essa responsabilidade?

"De alguma forma, os predestinados vão se encontrar. Isso, no entanto, não quer dizer que ficarão juntos", me lembrei das palavras exatas do avô do senhor Tanaka.

E isso não queria dizer que seriam infelizes com outras pessoas, certo? Mesmo que Mari e Túlio não tivessem a tal conexão mística, isso não os impediu de se apaixonarem e se comprometerem um com o outro.

Por que, então, aquele deus ou o destino em si, eu não sabia ao certo, queria intervir nos relacionamentos dos humanos?

E pior: por que queriam que *eu* fizesse o trabalho sujo por eles?

— Opa, a pizza tá pronta! — Mari avisou ao se levantar e me acordar dos devaneios. — Finalmente! Tô faminta. Também não almocei ainda.

Virei meu tronco no sofá para encará-la da sala e ofereci um sorriso fraco. Ainda estava um pouco atordoada com os pensamentos de poucos minutos antes.

— Vai colocando o filme — pediu, enquanto servia duas fatias generosas nos pratos.

Fiz o que ela pediu e, em alguns segundos, minha amiga se juntava a mim e as primeiras cenas de *Guerra infinita* surgiam na tela.

Aquela semana tinha sido muito confusa. Acho que eu merecia mesmo um pouco de descanso e distração.

Especialmente quando a distração envolve Robert Downey Jr., Chris Evans e Chris Hemsworth em uma mesma tarde.

CAPÍTULO 8

Era segunda-feira de manhã e me sentia particularmente entediada, encarando meu computador e sem nada para fazer. Pelo menos até o momento em que Flávia chegou ao escritório, já no final do período da manhã, com um sorriso enorme e jovial no rosto.

A diretora ajeitou a armação de seus óculos como de costume e arranhou a garganta, chamando a atenção de todos. Mauro, o outro diretor da Up, também se juntou a ela com uma expressão contente, o que começou a gerar burburinhos animados por parte de todas as equipes.

— Em primeiro lugar — Flávia começou, olhando na minha direção. — Quero agradecer os esforços de todos no projeto da Clínica Boa Vida. Parabéns pelo trabalho, pessoal. Vocês foram ótimos, de verdade! A inauguração de sexta foi um sucesso e os donos estão mais do que satisfeitos. Na sexta-feira, após o evento, me reuni com eles e assinamos mais um ano de contrato.

As palmas e os urros começaram no mesmo instante. Até mesmo eu aplaudia, sentindo orgulho da nossa agência e de todo o trabalho e dedicação dos últimos meses.

Mauro fez um gesto com a mão, pedindo que todos esperassem e fizessem silêncio. Em seu rosto, uma máscara de orgulho surgia.

— Além disso — Flávia continuou —, acabei de retornar de uma reunião com o diretor do Canal Radical e fechamos também um projeto de uma ação que eles querem fazer para incentivar os pais a matricularem seus filhos nos esportes, o mais cedo possível. É uma conta grande e muito importante pra nós, o que pode nos levar a outro patamar. Por isso, esperamos contar com vocês. Depois do almoço, faremos uma reunião geral para discutirmos ideias, combinado?

Todos assentiram, animados pela novidade. O Canal Radical era enorme e muito conhecido nacionalmente. Tinham muito dinheiro e prestígio, o que realmente nos elevaria a outro nível, por ser a agência que o representava.

— Letícia — Flávia me chamou, de repente —, quero que seja a responsável por essa ação.

Minha boca se escancarou no mesmo segundo. Ela e Mauro trocaram um olhar cúmplice e um breve sorriso.

— Você fez um trabalho impecável com a clínica e acreditamos que tem um enorme potencial, e é nossa funcionária mais antiga aqui da Up. Achamos que já está na hora coordenar um projeto.

— Mas... o do Canal Radical? — praticamente balbuciei, meio surpresa, meio receosa.

— Não se preocupe. Vamos te *briefar* sobre tudo depois do almoço — ela respondeu, e tudo o que pude fazer foi sorrir.

Ou ao menos aquilo no meu rosto era uma tentativa. Talvez um pouco falha, mas faz parte.

De fato, eu era a funcionária mais antiga da Up. Quando comecei como estagiária, aos 21 anos, Flávia e Mauro tinham acabado de fundar a agência e tive sorte de vê-los crescer cada dia mais, com contas maiores e importantes entrando a cada ano. Além da equipe que só aumentava, o que dava um orgulho danado.

Mas não esperava coordenar um projeto inteiro sozinha. Ainda mais um daquele tamanho e importância.

A confiança que estavam depositando em mim era assustadora, mas também incitava a vontade de dar o meu melhor.

Fiquei tão imersa, ainda digerindo aquela novidade, que nem percebi o tempo passar e, quando Thiago surgiu na minha frente, acenando bem próximo aos meus olhos, arfei:

— Que susto! — Levei a mão ao rosto.

— Te chamei duas vezes, mas você tava em outro planeta. — Ele se desculpou com um sorriso tímido.

— Foi mal. — Sorri de volta. — Acho que ainda tô meio chocada com essa parada toda de coordenar o projeto.

— Chocada por quê, cara? É mais do que merecido. Você vai tirar de letra! — Seus lábios se abriram mais, me oferecendo um sorriso largo, caloroso e contagiante.

— Será que vou dar conta? — Mordi o canto da boca.

— Olha só, Letícia, se o Simba sobreviveu à morte do Mufasa, então não tenho dúvidas de que você vai dar conta, sim.

Acabei rindo. Thiago tinha razão. Era um novo desafio, sim, mas eu daria conta. Eu era capaz e precisava me lembrar disso.

— Usar a carta do Rei Leão foi pesado — apontei, e ele torceu os lábios em diversão.

— Foi necessário — explicou, alargando o sorriso. — Então, bora?

— Bora pra onde? — Franzi o cenho, sem entender.

— Ué, já esqueceu do almoço da vitória? Tô te devendo, mesmo que ainda me doa admitir. — Tocou, com o punho fechado, a área do coração enquanto comprimia a boca em uma linha fina.

Acabei rindo sem perceber.

— Claro que não esqueci! — menti. — Vamos, vamos! Tô mais do que pronta para o meu banquete de rainha.

— Só se for de Rainha de Copas — murmurou, cheio de ironia.

— Continue sendo folgado assim e corto sua cabeça fora! — avisei, tentando parecer séria, e me levantei da cadeira.

Thiago arregalou os olhos e levou a mão até seu pescoço. Mas seus lábios tremiam e quase pude ver a covinha que se escondia em sua bochecha surgir.

Fomos a um restaurante japonês por quilo que ficava a algumas quadras do escritório. Apesar de querer me manter longe de quase tudo que se referia ao Japão, quando se tratava de um *sushizinho*, simplesmente não dava para resistir.

— Mas e aí, fez o que de bom no final de semana? — Thiago perguntou antes de colocar uma peça na boca.

— *Aaah*, nem te contei! Eu vi *Guerra infinita*! Puta que pariu, hein? Que final foi aquele da primeira parte? — Soltei o ar pela boca, consternada.

Sabia que o final era tenso, mas não imaginava que seria capaz de deixar eu e Mari mudas e boquiabertas por quase quinze minutos apenas encarando a televisão.

— Pois é, cara! Exatamente! — bradou, batendo a mão na mesa com um pouco mais de força do que provavelmente pretendia. — Juro que quase chorei, sério.

— Acho que só não surtei porque ainda tava sem acreditar que era real. Mas, meu Deus, o que fizeram com o Thor... estragaram o personagem! — lembrei.

— É, foi o fim do seu Trio Tanquinho — provocou.

Soltei um longo suspiro, ainda resignada com o final dos filmes.

— Nunca vou superar essas perdas — admiti, mergulhando um *sushi* de salmão no *shoyu* antes de devorá-lo de uma vez.

Thiago soltou uma risada fraca e me estendeu o guardanapo. Ele fez um gesto com o dedo indicador, tocando no canto da própria boca para me dizer onde estava sujo.

Dei aquele sorriso de esquilo, com as bochechas cheias e aceitei o pedaço de papel para me limpar.

— Valeu — agradeci assim que engoli a peça e bebi um gole de água. — Mas e você? Fez o que de bom?

— Tive o exame de faixa no sábado, mas só isso. Foi um final de semana meio chato — deu de ombros.

— Exame de faixa? Você faz o quê?

— Judô. Desde os 12 anos — explicou, parando o *hashi* antes de colocar o último *sushi* na boca. — Por que você tá com essa careta pra mim? — Ele pousou os palitinhos e o peixe no prato, me encarando com os olhos semicerrados. — Você acha que *nerds* não praticam nenhum esporte, né? — acusou, de forma debochada.

Acabei sorrindo amarelo, não porque achasse que as pessoas que se intitulam *nerds* não fizessem exercício, mas porque não achava que *ele* fizesse.

Se bem que, olhando com um pouco mais de atenção, Thiago tem mesmo os ombros largos e um tronco atlético. Os braços têm músculos na medida ideal e...

Afastei os pensamentos, um pouco confusa sobre qual caminho eles percorreriam a seguir.

— Só não imaginava que você fazia judô, ora — me defendi. — Mas me conta, qual faixa você tá agora?

— Marrom — sorriu, com orgulho.

— Hã... e essa é... uma faixa alta? — quis saber, já que eu entendia de judô tanto quanto sabia ler grego.

E não, eu não sabia ler grego.

Inclusive, quem diabos conseguia ler aquela coisa?

— Significa que falta só uma pra chegar na preta, que é a última faixa — explicou. — Só não cheguei nela ainda por causa da faculdade, que acabou sugando todo o meu tempo livre. Mas pretendo conseguir antes dos 27 anos!

— Que será...? — perguntei.

— Ano que vem!

— Uau! — exclamei, verdadeiramente impressionada. — Então você é tipo o Oliver Queen das paradas.

Ele soltou uma risada sem querer, tendo que cobrir a boca e beber um gole de água do copo à sua frente.

— Tirando o dinheiro, o instinto de vingança, o senso de humor frio e a facilidade em atrair mulheres... aí pode até ser — brincou.

Pensei em dizer que, se ele achava que não atraía mulheres, então provavelmente estava mais cego que o Demolidor, mas mordi a língua antes que algo do tipo escapasse.

Thiago era bonito e eu sabia bem disso; aqueles olhos verdes tão vivos que combinavam perfeitamente com os cabelos castanho-claros. Seu nariz era reto, os lábios finos, mas bem desenhados e, naquele dia, ele não havia feito a barba, deixando uma penugem escura cobrindo seu rosto de uma maneira desleixada e atraente.

Se ele não percebia que quase todas as garotas da nossa idade estavam comendo-o com os olhos dentro do restaurante, acho que não poderia convencê-lo do contrário.

E nem pretendia, na verdade.

Eu já o considerava meu amigo, mas não sei se era uma boa ideia entrar em assuntos íntimos como relacionamentos.

Não por ele, na verdade. Mas por mim.

Se eu tocasse no assunto, ele poderia perguntar sobre minha vida amorosa também. E não queria contar a minha história.

Com Thiago, as saídas eram divertidas, descontraídas e leves. Contar sobre Alexandre tiraria isso de nós. Ele sentiria pena de mim e do meu passado trágico.

E, sinceramente, já bastava a pena que senti de mim mesma por tanto tempo.

— Um pensamento por outro — sugeriu ele.

— Estou pensando no Oliver Queen subindo e descendo aquelas barras sem blusa — brinquei e vi o rosto dele se contorcer em uma careta.

Acabei rindo. Mas o canto de sua boca se ergueu de repente com certa malícia antes de dizer:

— E eu estou pensando se você também ficaria impressionada se eu tirasse a minha camisa.

Engasguei. E dessa vez foi Thiago quem riu.

Um som espontâneo, alegre, que reverberou por dentro de mim.

Bebi um gole de água e fingi que aquele comentário nunca existiu.

— Mas e aí, você faz mais algum esporte ou é só o judô? — Voltei ao assunto de antes, achando que seria mais seguro.

— Fiz balé na escola — falou, me fazendo arregalar os olhos pela surpresa.

— Sério? — perguntei, a voz ainda um pouco falha pelo engasgo de segundos antes.

— Não — ele riu, divertido. — Na verdade, fiz atletismo, mas acabei ficando só com o judô mesmo. Não dava tempo de conciliar as duas coisas e o *videogame* — brincou.

— *Videogame*, é? — Arqueei uma sobrancelha, desconfiada.

— É — ele balançou a cabeça, pensativo. — Tem um jogo que joguei muito quando era mais novo. Se chama: se-não-passar-na-universidade-pública-vai-ter-que-trabalhar-pra-pagar-a-particular. Aí, precisei abrir mão de atletismo — ergueu um ombro, descontraído.

— É um jogo difícil mesmo — refleti. — Mas, me diga, chegou na última etapa?

— Chegar, cheguei. Mas tive que trabalhar do mesmo jeito. — Seu rosto assumiu uma expressão distante que me fez desejar saber o que passava em sua cabeça.

— Por quê? — As palavras saíram antes que pudesse me decidir se deveria ou não fazer aquela pergunta.

— Meus pais sempre quiseram um filho advogado ou engenheiro — explicou, os olhos encarando seus dedos que tocavam o copo de vidro na mesa. Parecia estar vivendo as lembranças do passado, bem ali, na minha frente. — Quando optei por Publicidade e *Design*, comecei a viver o inferno na Terra — continuou. — Não tive opção senão sair de casa.

Abri a boca, mesmo sem saber o que poderia dizer sobre aquilo. Sabia que muitos pais não eram capazes de aceitar a carreira que seus filhos escolheram seguir, mas jamais imaginaria que esse era o caso de Thiago.

Principalmente porque ele estava sempre alegre e estimulado no trabalho. Todos, todos mesmo, o adoravam na Up. Em pouco tempo ele conquistou o respeito e a consideração do pessoal com seu jeito carismático e original.

Claro que as camisetas engraçadas o ajudaram também, já que virou febre entre os funcionários esperá-lo chegar para saber qual seria a da vez. A de hoje era cinza e em preto estavam os símbolos da Liga da Justiça, formando a frase *"You can't save the world alone"*.

Estava claro que aquela lembrança o magoava e percebi pelo seu semblante que era algo que ainda o afetava diretamente.

Eu poderia ter dito que sentia muito e que torcia para que ele e os pais se resolvessem, já que era óbvio que isso ainda não havia acontecido completamente, mas, antes que eu dissesse qualquer palavra, sua expressão voltou ao normal, tranquila e alegre como sempre. A máscara de segundos antes desapareceu como se nunca houvesse existido.

— Mas vamos falar de coisa boa, né? — disse, apoiando o cotovelo na mesa e pousando o queixo na mão. — Já teve alguma ideia brilhante para o Canal Radical?

Neguei com a cabeça, imitando seu gesto e apoiando a mandíbula em minha mão.

— Pra falar a verdade, não sou ligada em esportes — confessei. — Então, vou ter que ralar muito pra ter uma ideia que preste.

Suspirei um pouco cansada. E ainda era só segunda-feira!

— Bom, pra falar a verdade, algumas coisas já passaram pela minha cabeça. Tá a fim de ouvir?

— Com certeza! Afinal, não posso salvar o mundo sozinha, né? — falei, apontando sua camiseta com o queixo.

Ele abriu um sorriso de menino e concordou com a cabeça de maneira preguiçosa.

Conforme eu ouvia suas ideias, não pude deixar de ter as minhas próprias. Ao final do almoço, tínhamos construído juntos o esboço de um projeto que poderia beneficiar muitas famílias.

Sorrimos um para o outro de forma cúmplice, percebendo que, além de amigos, poderíamos nos dar muito bem como parceiros de trabalho também.

Porém, não conseguia simplesmente ignorar o pensamento de que Thiago estava cada vez mais próximo, cada vez mais imerso na minha vida. O que fez um sinal vermelho apitar no fundo do meu cérebro.

E vermelho, pelo menos naquele momento, definitivamente não era a minha cor favorita.

CAPÍTULO 9

Conforme Flávia havia combinado, naquela tarde ela nos deixou a par de todas as expectativas do senhor Bittencourt. Contei a ela sobre as ideias que Thiago e eu tivéramos e o olhar de orgulho que a diretora me lançou foi o suficiente para ter certeza de que estávamos no caminho certo.

Mauro também pareceu gostar bastante do que falamos e liberou Thiago para participar da criação e do planejamento comigo.

Depois disso, sequer vi a semana passar.

Os dias se baseavam em ficar na sala de reunião com o time, todos imersos no projeto de corpo e alma.

Tanto que, quando a sexta-feira chegou e conseguimos finalmente concluir a apresentação para o Canal Radical, decidimos comemorar em um barzinho ali perto.

A Letícia de algumas semanas antes provavelmente inventaria uma desculpa e iria direto para casa, se enrolaria no cobertor e dormiria até a manhã seguinte. Mas eu já não era *aquela* Letícia. Ou, ao menos, tentava não ser. Por isso, quando deram a ideia de sairmos, topei sem muita resistência.

Eu estava morta, claro, e com certeza ansiava por uma boa noite de sono. Porém, havíamos traçado um plano tão legal e estimulante que, mesmo exausta, me sentia animada.

No bar, Mauro pediu dois baldes de cerveja para todos. Brindamos, nos divertimos e comemoramos o ótimo trabalho. Agora, só faltava a aprovação do Canal Radical para colocarmos as ações em prática. Mas a reunião na próxima semana ainda parecia distante demais para que o pessoal se importasse ou não em ficar bêbado com alguns copos da bebida amarga.

Estava sentada próxima a duas meninas da equipe de *marketing*, tendo Flávia à minha frente. Mais à ponta, não pude deixar de notar que Thiago conversava com Mauro e Luana, uma menina de pele marrom clara com cabelos longos e escuros, que trabalhava no financeiro.

Pareciam distraídos o suficiente para que não notassem que eu os observava. Especialmente ela, que não parava de lançar sorrisos, enquanto suas bochechas ficavam cada vez mais coradas. Luana estava tentando chamar a atenção dele, eu não tinha dúvidas.

O que me deixou curiosa e encucada foi o fato de ele parecer tão alheio àquele claro convite, apenas respondendo e sorrindo com gentileza e educação. Nenhuma maldade em sua expressão, nenhum charme forçado.

Por fim, achei melhor parar de encarar as tentativas de flerte da Luana e voltar a ouvir o que as garotas próximas a mim falavam.

Para a minha decepção, as três comentavam sobre seus relacionamentos, o que me fez preferir ficar quieta, apenas ouvindo e assentindo com a cabeça. Pelo pouco que prestei atenção, uma delas acabara de terminar o namoro.

Fiquei triste pela garota, mas foi no momento em que um soluço saiu de sua garganta que algo em mim pulsou forte.

Um sentimento com o qual eu já começava a me familiarizar, mas que ainda me assustava como o Diabo.

Olhei para cima e cerrei os olhos.

Não olhe, não olhe, repeti mentalmente como um mantra.

Havia decidido tentar não intervir na vida das pessoas. Pelo menos não na daquelas próximas a mim, que poderiam suspeitar de algo, caso eu cometesse algum deslize.

E eu ainda não sabia se demitir alguém por causas sobrenaturais era uma possibilidade ou não. Só queria que minha vida voltasse ao normal o quanto antes, mesmo temendo que ela jamais fosse a mesma.

Decidida a ignorar a espiada no predestinado da menina, endireitei meu rosto e abri os olhos, pronta para retomar a conversa com minha melhor cara de paisagem. Porém, no instante em que minhas pálpebras se abriram, todo o ar de meus pulmões sumiu.

— Letícia? — Flávia chamou, mas sua voz parecia distante.

Se era pelo álcool ou pelo fato de o velhinho que me abordara naquele dia no santuário estar a poucos metros, atrás dela, eu não sabia dizer.

Quando o vi, seus olhos escuros e estreitos se cravaram nos meus e um leve balançar com a cabeça, claramente mostrando decepção, me fizeram levantar em um rompante.

Ele era real e ele estava ali!

O senhor Tanaka mentira para mim, o homem estava vivo!

Finalmente poderia tirar satisfações com ele, buscar formas de acabar com aquela missão sem pé nem cabeça e me ver livre de um poder que não deveria ser meu.

Um fio de esperança percorreu minhas veias.

— Letícia! — Flávia chamou, parecendo preocupada demais para que eu a ignorasse por completo.

Desviei minha atenção por meio segundo, apenas para ver o copo pousado na mesa virar, derrubando todo o líquido amarelo em minha blusa e calça.

Não tinha percebido que estava encharcada. Na verdade, nem sequer ligava.

Afastei a cadeira de madeira para trás e olhei novamente para onde o homem misterioso estava.

Estivera...

Pois agora eu não o via em nenhum lugar.

Virei meu rosto para todos os lados e nada: nem sinal do velhinho que me olhava com tanta decepção.

— Já volto — avisei, sem encarar ninguém, aérea sobre o que estava acontecendo e para onde aquele maldito havia ido.

Fui até onde ele estivera poucos segundos antes e perguntei às pessoas próximas se haviam visto para onde ele fora.

Para minha surpresa e medo, ninguém tinha visto senhor nenhum.

Assustada, molhada de cerveja e confusa, corri até o banheiro mais próximo e me tranquei. Abaixei a tampa da privada e me sentei, sentindo as pernas tremerem, sem força o suficiente para me manter em pé.

Havia sido algum tipo de alucinação?

Eu não estava bêbada o suficiente para ver coisas, certo? Mal tomei três copos de cerveja!

Não... definitivamente não estava bêbada. Eu o vi. Por um breve segundo, sim, mas era ele! E ele sumira, como fumaça.

Como um... espírito.

Engoli em seco e precisei esmagar meus punhos fechados entre as coxas. Até quando aquilo, o que quer que fosse, iria brincar comigo daquele jeito? Por que ele não escolhia uma pessoa que desejasse participar daquela missão maluca por livre e espontânea vontade? Por que eu?

Nada fazia sentido e eu estava com medo. Literalmente tremendo de medo, parecendo uma garotinha assustada na primeira noite longe dos pais.

— Letícia, você tá aí? Tá tudo bem? — A voz de Flávia soou do outro lado da porta e eu ofeguei.

Não pensei muito: me levantei e a destranquei. Por algum motivo, não queria estar sozinha.

E quando a porta revelou Flávia e as duas garotas de antes me encarando com nervosismo, me arrependi no mesmo instante.

— Tá tudo bem, sim — falei, tentando controlar a voz.

A diretora torceu a boca em desconfiança e abri a minha para repetir que estava tudo certo, mas uma mão com um copo de água surgia em minha frente.

— Aqui, trouxe pra você. Tem que se hidratar, senão vai passar mal

— disse a garota que havia terminado o relacionamento recentemente, mas não peguei o copo.

Minhas mãos foram, instantaneamente, para minha cabeça, onde uma dor aguda atravessava meu cérebro e o partia em dois.

Seu fio vermelho pairando bem em frente ao meu rosto, como se implorasse para ser visto, como se mostrasse que eu não poderia fugir daquilo para sempre.

Que aquele era o *meu* destino.

A imagem do homem de cabelos loiros e jaleco branco, que agora atendia um paciente no hospital da cidade, atravessou minha mente e me fez perder o equilíbrio.

Estava tão atordoada que nem percebi quando braços fortes me seguraram no lugar.

De repente, tudo estava embaçado e minhas forças já não estavam comigo. Gotas de suor escorriam de minha testa, indicando que eu poderia estar febril.

Senti meu corpo amolecer. A voz de Thiago chamando meu nome ecoou por todos os meus sentidos.

Então, a escuridão me engoliu.

— Você não pode fugir da sua missão, menina — o velho disse, me encarando com seriedade. — Você não pode.

Tudo era escuro: o chão, os céus, o entorno. Estávamos apenas nós dois em um espaço vazio, frio e solitário.

Mas não tive medo, não quando eu poderia obter as respostas para minhas perguntas.

— Eu não pedi por isso! Quero parar de ver esses malditos fios! Já fiz a minha parte, mas não consigo lidar com isso por mais tempo! Meu corpo não aguenta os efeitos colaterais — avisei, em um tom de voz um pouco mais nervoso do que eu mesma esperava.

— Mas, apesar de tudo, sua alma pede, menina — respondeu, com tanta gentileza e pena que senti algo em meu estômago se contrair.

— Minha alma? — balbuciei, confusa.

— Esse senso de dever que você sente, o impulso de ajudar os destinados a se encontrarem, vem de sua alma. Pedindo para ser alimentada, preenchida com o bem, com o amor. Ainda que seja dos outros.

— Então, a ignore! — bradei, sentindo a respiração pesar.

— Não podemos — o velho murmurou, encarando os pés. Seus olhos subiram lentamente para os meus e senti que poderia chorar. Até que ele avisou: — E nem você poderá.

— Você encontrará seu caminho — uma voz baixa atingiu meus ouvidos, fazendo todo o meu corpo tremer. — Mas, para isso, precisa estar pronta para ele.

— E se eu não estiver? — Minhas palavras mais pareciam sussurros perdidos, como se falar se tornasse uma tarefa quase impossível.

— Desse modo, sua alma continuará partida e não haverá espaço para a felicidade em sua vida. Escolha sabiamente seus próximos passos, pois sua missão só terminará quando o objetivo estiver completo. Agora, o tempo que isso levará, depende apenas de você.

— Mas por que eu? Por que logo *eu*?

Ele me olhou com pena, os lábios se retorcendo num sorriso triste.

— Todos nós temos uma missão, menina.

Ergui as sobrancelhas, confusa, espantada e um pouco curiosa. Sua figura, de repente, deixou de ser nítida e percebi que nosso tempo estava acabando.

Ele, aparentemente, percebeu também.

— Sinto muito pela sua perda. Me desculpe — o velho disse, com tanta mágoa e dor que arfei, sendo engolida por um clarão que me cegava. Então a escuridão se foi, como mágica, como uma névoa que se dissipa com uma rajada de vento forte. Assim como o homem, que já não estava mais ali, à minha frente.

Senti minha mente despertar e o corpo reagir. As pálpebras se abriram lentamente, tentando se acostumar com a luz branca acima da minha cabeça.

Murmurei alguma coisa que nem eu mesma sabia o que significava, mas quando a lembrança do sonho recente se tornou tímida, abri os olhos com espanto.

Minha coluna ficou ereta e a respiração ofegante. A mente girou e precisei levar uma mão até a cabeça, que latejava como o inferno.

Só então percebi que minha outra mão estava presa, mais especificamente por outra mão. Olhei para o lado e vi Thiago, sentado numa cadeira, dormindo com o rosto no que parecia uma cama, a mesma em que eu estava deitada. Seus dedos completamente entrelaçados com os meus.

Surpresa e um pouco envergonhada, olhei ao meu redor, tentando entender onde eu estava. As paredes brancas e os aparelhos médicos não foram mistério para minha dedução. Um soro pingava lentamente, as gotas percorrendo sem pressa o tubo transparente até o furo em meu braço.

Praguejei. Odiava hospitais.

Lembrei vagamente da hora em que desmaiei e não demorou para entender que me levaram até ali para que algum médico me examinasse. Senti a culpa como um raio, imaginando como deveria ter deixado Flávia, Thiago e os outros preocupados.

Encarei mais uma vez minha mão presa à dele. Sua palma era grande e quente, praticamente engolindo a minha em um aperto de calor e carinho.

Seu corpo estava sentado em uma cadeira que parecia desconfortável, mas seu rosto, apoiado no colchão fino da cama, demonstrava uma expressão tranquila conforme ressonava pacificamente, dormindo sem dificuldade.

Os cabelos castanho-claros estavam uma perfeita bagunça, caindo sobre sua testa, e, sem pensar, ergui a mão livre para ajeitar-lhe os fios. Mas, assim que as pontas dos meus dedos chegaram próximos o bastante para tocá-lo, a porta se abriu.

— Você acordou, ainda bem! — Flávia disse, e entrou no quarto acompanhada pela garota que me oferecera a água e o médico de cabelos loiros!

Uma risada cheia de ironia percorreu minha garganta e meu corpo tremeu conforme o som aumentava.

Não liguei para a expressão de confusão dos três, que me encaravam sem entender coisa alguma. Na minha cabeça, tudo em que eu conseguia pensar era que aquilo só podia ser brincadeira.

O destino era uma piada, isso sim!

— Letícia — Thiago murmurou, acordando de repente.

Sua mão soltou a minha para esfregar o rosto cansado e, por um segundo, senti minha palma fria e desconfortável sem seu calor.

— Como se sente? — ele perguntou com aqueles olhos atentos me analisando da cabeça aos pés.

Senti meu rosto aquecer e me encolhi de forma involuntária.

De repente ele tão perto de mim, me encarando daquele jeito, me trouxe um desconforto do tamanho de um elefante.

— Bem — menti, desviando meu olhar do dele. Algo naquelas íris brilhantes fez meu pulso acelerar e aquele alerta vermelho soar no fundo do meu cérebro. — O que aconteceu? — perguntei, me virando para Flávia.

— De acordo com os exames, você estava com hipoglicemia — o médico respondeu. — Você tem se alimentado direito ou ficou muito tempo sem comer?

Abri a boca para responder, mas Flávia se intrometeu:

— Ela, com certeza, não tá comendo direito! Passou a semana inteira trancada no escritório, aposto que chegava em casa e só dormia. Você tem jantado, Letícia?

Mordi o lábio inferior e neguei com a cabeça.

Afinal, ela estava certa. Chegava tão cansada que apenas me jogava na cama e pronto.

— Também não te vi almoçando na sexta — Thiago comentou, pensativo, e, de repente, seus olhos verdes pareceram mais escuros, como se me repreendessem.

— Ah, comi uma banana e...

— E nada! — Flávia bradou. — Sabe o quanto nos deixou preocupados quando desmaiou? Caramba, Letícia!

Sua mão ajeitou os óculos no rosto com mais força que o normal, mas ela logo suspirou fundo e pediu:

— Não faz mais isso, tá legal?

Assenti, fitando minhas mãos se apertarem em meu colo.

De repente, uma mão grande tomou as minhas e encarei o dono delas.

Thiago me encarava de forma gentil e seu polegar roçou minha pele em uma carícia tímida.

— Você tá proibida de ficar sem comer, beleza? Nem que eu enfie comida pela sua garganta, à força. — Ele abriu um pequeno sorriso em minha direção. O ar quase me faltou.

— Desculpa — pedi, sem graça, tentando ignorar o toque de sua pele contra a minha. Encarei Flávia, querendo fugir dos olhos analíticos dele e repeti: — Desculpa por deixar vocês preocupados. E foi mal mesmo fazer com que vocês ficassem aqui comigo, no hospital.

Flávia fez um gesto com a mão, como se dissesse para que esquecêssemos aquilo.

— Ela já pode ir pra casa, doutor? — a outra menina perguntou, se virando para o médico.

— Assim que acabar o soro, ela estará liberada — ele respondeu, e quase soltei uma nova risada quando o vi desviar seu olhar da garota, parecendo sem jeito.

Permiti-me visualizar aquele fio vermelho que pendia entre os dois.

Tão próximos agora, verdadeiramente conectados. Um sentimento quente e acolhedor tocou meu coração. Algo dentro de mim pulsou e me lembrei na mesma hora das palavras do velho.

Minha alma...

Minha alma se preenchia com aquilo, com a felicidade e o amor dos outros.

Ele dissera que eu não poderia ignorá-la e, no instante em que vi aqueles dois compartilhando um sorriso envergonhado, mas tão puro, acreditei em suas palavras.

Não poderia ignorar a minha realidade. Por mais insana que fosse. E ele avisara que a missão terminaria quando o objetivo estivesse completo, não é mesmo?

Então, eu só precisava abraçar aquela loucura e cumprir minhas tarefas de cupido até que tudo terminasse.

Certo... Ok. Eu poderia fazer isso. Ainda que os efeitos colaterais me deixassem tonta e com enxaquecas terríveis, com uma alimentação melhor e um bom analgésico talvez tudo desse certo.

— Raissa — chamei, e a menina virou-se para mim. — Queria muito alguma coisa pra beber, minha garganta tá seca.

— Quer que eu chame uma enfermeira? — ela perguntou, gentil.

— Não precisa. Deve ter aquelas máquinas de bebida por aqui, certo, doutor? — Ele assentiu. — Ótimo! Será que você poderia mostrar pra minha amiga onde fica, por favor?

Ele assentiu novamente, dessa vez com seu pomo de adão subindo e descendo lentamente na garganta.

— Volto já — Raissa respondeu, as bochechas ficando cada vez mais vermelhas, e os dois saíram. Juntos.

E, de uma forma muito louca, me senti um pouquinho menos vazia.

CAPÍTULO 10

Passei o final de semana inteiro na cama, me sentindo uma inválida, pois Marina não me deixava fazer nada além de me entupir de comida e descansar.

Após sair do hospital, Thiago e Flávia insistiram em me levar para casa. Raissa, por outro lado, aproveitou a carona com o médico, que estava terminando seu plantão naquela hora.

Thiago perguntou se eu queria companhia, mas a simples ideia de tê-lo no meu apartamento, apenas nós dois, fez tudo dentro de mim gritar "perigo!".

Por alguma razão que eu não desejava decifrar, a simples menção de ficarmos a sós me parecia uma péssima ideia, simplesmente terrível. Então, recusei a oferta com um sorriso amarelo e um agradecimento sincero, avisando que ia chamar uma amiga para me fazer companhia.

Ele não insistiu e agradeci silenciosamente por isso.

Acabei caindo dura na cama no momento em que o sol nasceu no horizonte, me sentindo uma pessoa horrível por fazê-los passar a madrugada de sábado em um hospital. O que era para ser uma comemoração saudável se tornou um pequeno pesadelo, estilo *Grey's Anatomy* — pelo menos sem nenhuma morte no final, ufa!

Suspirei fundo, me entregando, enfim, ao sono. Na manhã seguinte, eu poderia pedir para Mari vir aqui para casa.

Naquele momento, só queria esquecer a situação vergonhosa de desmaiar em um bar e o fato de que eu estava prestes a aceitar o meu destino. Um destino que incluía poderes sobrenaturais, espíritos que me visitavam quando bem entendiam e um monte de pessoas para juntar, como se eu fosse uma deusa casamenteira.

Ainda achando, claro, que eu deveria ao menos ganhar uma graninha por aquele *freela* inesperado.

— Se eu comer mais alguma coisa, vou explodir, na real! — avisei, fazendo careta para a sopa que Mari queria empurrar para mim.

— Qual é, Lê? Você só comeu dois pratos de comida, uma sopinha não é nada. — Sua feição se tornou quase como a de uma mãe dando bronca na filha.

— Não aguento, Mari! Sério, deixa pra depois, pelo amor de Dumbledore — pedi, fazendo minha cara de dar pena.

Minha amiga estalou a língua, aceitando meu pedido e colocando o prato na mesinha de cabeceira ao lado da cama.

— Não dá pra negar nada quando você cita o rei dos bruxos com esses olhões na minha direção — admitiu, bufando.

Sorri, vitoriosa, e ela acabou cedendo e me dando um peteleco na perna em resposta.

Fiquei feliz por ter Mari comigo. Não só naquele momento, mas em todos.

Quando acordei no sábado de manhã, encontrei milhares de ligações e mensagens desesperadas dela, preocupada com meu sumiço. Aparentemente, se você fica sem responder por uma noite inteira, ou você conheceu um cara muito gato ou foi sequestrada.

Como ela me conhecia bem demais, sabia que a primeira opção era improvável, por isso entrou logo em desespero achando que eu tinha sido capturada por uma gangue.

Quando retornei a ligação e expliquei o desmaio, não demorou nem dez minutos para que a doida com instinto materno estivesse batendo em minha porta, com um arsenal de comida em mãos, pronta para me transformar em uma bola enorme.

Mari me encheu de perguntas e só ficou mais tranquila quando contei sobre Raissa, Flávia e Thiago terem ficado comigo e os dois últimos terem me trazido em segurança para casa.

Como se ele me ouvisse falar seu nome, uma mensagem de Thiago apitou em meu celular. Quando a abri, fui surpreendida por um meme que consistia em uma Bela Adormecida tomando soro no hospital. O príncipe dormia recostado em uma cadeira ao lado, um rastro de baba escorrendo por seu maxilar, enquanto a Malévola passava pelo corredor se fingindo de enfermeira.

Gargalhei no mesmo instante.

O mais bizarro era que a montagem tinha ficado impecável e, quando a risada cessou, me peguei pensando em quanto tempo ele levara para fazer aquela brincadeira, claramente com o intuito de me zoar e divertir ao mesmo tempo.

Thiago era mesmo incrível.

Em seguida, havia uma mensagem perguntando se eu estava sendo bem alimentada. Enviei a imagem de um Snorlax em resposta, dizendo que ele não precisava se preocupar com mais nada, além do fato de que talvez não me reconhecesse na segunda-feira, pelo aumento repentino de peso.

— Esse Thiago é quem? — Mari perguntou de repente, me fazendo perceber que tinha esquecido que ela estava ao meu lado, lendo e vendo tudo. — Essa montagem ficou perfeita, cacete! — bradou, entusiasmada.

— Ah, ele é novo na empresa. Você não o conhece — expliquei, desligando a tela e colocando o aparelho na mesinha de cabeceira, ao lado da sopa intocada.

Ela me encarou com desconfiança e curiosidade, o que me fez franzir o cenho.

— Que foi? — perguntei.

— Nada — ela deu de ombros, fingindo indiferença. — Mas vocês parecem se dar muito bem.

Se não conhecesse minha amiga, acharia que aquele era apenas um comentário comum, mas eu a conhecia como a palma da minha mão e sabia que havia algo por trás daquela pergunta.

— Ele é só um amigo, Mari — frisei, vendo-a formar uma careta birrenta — Não começa a inventar coisas nessa cachola cheia de minhocas que é a sua cabeça.

Mari bufou, meio irritada, meio decepcionada.

— Não custa nada ter um pouco de esperança, poxa!

— Esperança de quê? — Arqueei uma sobrancelha.

— De ver você se apaixonar de novo, ué! — disparou.

Meu coração apertou, mas segurei o impulso de levar a mão ao peito.

— Isso não vai acontecer — falei, baixinho.

— Você não sabe — retrucou.

Só que eu sabia. Claro que sabia, certo?

Eu achava que sim...

— Enfim, não adianta falar disso agora que você vai logo pra defensiva — Mari falou, se levantando e pegando o prato de sopa. — Quando acontecer, vai acontecer e você não vai conseguir escapar. Seja com esse Thiago...

— Já falei que ele é *só* um amigo — repeti, trincando o maxilar.

— Ou outro cara — ela continuou, me ignorando. — Mas o fato é que não te via rir assim há muito tempo e agradeço a esse seu *amigo* por isso. Me lembrou a Letícia do Ensino Médio, com aquele coração enorme e aberto para o amor.

Ela abriu um pequeno sorriso engenhoso e saiu em direção à cozinha.

Enfiei a cara no travesseiro e murmurei alguns sons sem nexo, mas a lembrança de nós duas na escola, imaginando como seria quando estivéssemos namorando e tendo encontros duplos preencheu minhas memórias. Fora uma fase boa da nossa vida, da qual eu sentia falta constantemente, as expectativas borbulhando em nós, ansiando pelo futuro.

Pelo mundo que gostaríamos de conquistar e os amores que viveríamos.

Mas, enquanto vivi apenas um grande amor, Mari viveu vários. E era sempre uma grande aventura vê-la se apaixonar por garotos distintos e experimentar tantos gostos, toques e sentimentos diferentes.

O completo oposto de mim.

Até então, aquilo nunca havia me incomodado. E não que incomodasse agora, na verdade. Afinal, fui muito feliz com Alexandre, cada dia em que estivemos juntos.

Só que, sem querer, me lembrei daquela sensação que ela sempre comentava com os olhos sonhadores: o pulso acelerado e as mãos suadas, durante os milésimos de segundos antes do primeiro beijo com a pessoa que faz nosso coração martelar no peito. A dúvida, o receio, a adrenalina tomando conta de todo aquele momento, até que seus lábios se tocassem e milhões de estrelas explodissem em sua barriga, peito e garganta.

Meu primeiro beijo com Alexandre não teve dúvida, receio ou adrenalina alguma. Pelo contrário: foi repleto de ternura e certeza. Acho que isso se deve ao fato de termo sido amigos desde antes de ficarmos juntos.

Porém, me peguei pensando se um dia teria a chance de viver aquelas sensações que Mari contava com nostalgia e, para a minha surpresa, o pensamento de me apaixonar novamente, mesmo que por um pequeno instante, não pareceu tão errado ou impossível assim.

Não como eu achava que era até algumas semanas atrás.

Balancei a cabeça, afugentando aqueles pensamentos. Era besteira perder tempo com aquilo, quando eu tinha algo mais importante para fazer.

E não, não era começar a ajudar caras-metades a se encontrarem. Afinal, era sábado e todos merecem um descanso do trabalho.

Algumas maratonas até o dia seguinte na companhia de Mari pareciam uma ótima maneira de me recuperar.

O único problema foi que, no finalzinho de domingo, uma mensagem estranha de Túlio fez todo o mundo da minha amiga ruir.

E, consequentemente, o meu também.

✦

— UM TEMPO? — Mari gritava, andando de um lado para o outro pelo apartamento. — Como assim, esse desgraçado quer um tempo? Ele viajou tem só duas semanas!

Prendi o ar, sem saber ao certo o que dizer.

Temi que minha amiga se transformasse em um dragão e cuspisse fogo, me queimando dos pés à cabeça. Mari parecia furiosa, como eu nunca tinha visto na vida.

Assim que a mensagem de Túlio chegou dizendo que precisavam ter uma conversa, comecei a estranhar aquele papo.

“Precisamos conversar” nunca é um bom presságio. Nunca!

Mari acabou pedindo licença e foi ligar para ele do meu quarto, e quando voltou — quase quarenta minutos depois com as faces vermelhas e os fios ruivos bagunçados — percebi que as coisas eram piores do que eu imaginava.

— Calma, amiga. Respira e me explica melhor o que ele falou — pedi, um pouco tensa, especialmente quando os olhos azuis começaram a lacrimejar em minha direção.

Como puro instinto, abri meus braços e Mari correu para eles, enfiando o rosto na curvatura do meu pescoço e chorando com desespero, tristeza e dor.

— Ele disse que precisa de um tempo no nosso relacionamento — ela murmurou, a voz embargada. — Perguntei se ele tinha conhecido alguém lá e ele disse que não, mas hesitou. Senti ele hesitar! Eu sabia que tinha outra pessoa na parada, consegui sentir nos meus ossos.

— E ele? — Engoli seco, nervosa com a resposta.

— Depois de eu insistir muito, falou alguma baboseira sobre sentir uma conexão com uma garota. Prometeu que nada tinha acontecido, mas que alguma coisa dentro dele precisava entender o que aquilo significava.

Mari soluçava em cada palavra e pude sentir tudo se destroçando dentro dela, o que apenas fazia tudo em mim se destroçar junto.

— O que você respondeu? — perguntei, sem saber o que dizer.

— Usei todo o meu arsenal de xingamentos e depois desliguei na cara dele. Aquele hipócrita, nojento, ridículo! Faz só duas semanas. *Duas semanas*! E ele já tá na dúvida quanto ao nosso relacionamento e atrás de uma garota qualquer? Esse não é o homem por quem me apaixonei, é apenas um covarde, um cafajeste dos grandes!

— Eu sinto muito, amiga. Sinto muito mesmo. Ele não te merece — falei, baixinho e o mais amável que consegui, ainda que dentro de mim tudo borbulhasse e minha vontade fosse voar pelo continente e arrancar a cabeça daquele desgraçado por fazê-la chorar.

Abracei Mari com toda força que me restava, acariciando seus fios vermelhos rebeldes, enquanto suas lágrimas encharcavam minha camiseta. Seu choro me machucava a alma. Era puro sofrimento, e minha amiga não merecia se sentir daquele jeito. Nunca, em hipótese alguma!

Mari merecia ser feliz, merecia amar e ser amada com igualdade, com a mesma dedicação.

E, até uma hora antes, eu tinha certeza de que essa era a sua realidade.

Talvez por isso nada daquilo fazia sentido. Absolutamente nada.

Túlio era doido por ela, ele a amava de verdade, então por que...

Um estalo ecoou em meu cérebro.

A conexão única e intransferível. A verdadeira experiência do amor. Seria aquilo que Túlio encontrara no exterior?

Só podia ser.

Para que ele tomasse uma decisão assim, para que colocasse em risco tudo o que ele e Mari construíram e viveram juntos, sem sequer pensar com cuidado o que estava disposto a perder.

Ele fizera sua escolha.

E agora estava na hora de eu fazer a minha.

CAPÍTULO 11

Aquela semana foi uma das mais difíceis da minha vida. Acabei dormindo na casa da Mari todos os dias e toda noite era a mesma coisa: minha amiga se acabando de chorar enquanto eu acariciava seus cabelos até que a exaustão a levasse para o mundo dos sonhos.

Em todos os momentos que precisei, Mari esteve comigo. Nada mais justo do que eu estar ao lado dela dessa vez.

Túlio não deu mais notícias e ela também não o procurou mais. As coisas simplesmente ficaram por isso mesmo.

Assim como acontece em qualquer luto, a pessoa passa por diferentes estágios. Não há uma ordem específica, cada um encara a perda — independentemente de qual seja a natureza — de sua forma. Mari começou pela raiva nos dois primeiros dias, passando para o completo desalento nos quatro dias seguintes e, no domingo, quando completou uma semana desde aquela ligação, minha amiga bradou que jamais se apaixonaria novamente.

Ambas sabíamos que aquilo era a maior mentira do mundo, pois Mari tinha um coração enorme e era uma apaixonada pela arte de se apaixonar, se é que isso fazia algum sentido.

Mas, ao mesmo tempo, eu sabia que seu envolvimento com Túlio era importante.

Cacete, ela queria se casar com ele! Formar uma família.

E aquele laço foi rompido tão rápido e tão facilmente que era natural que ela desabasse.

Olhando para o fio que pendia em seu dedo mindinho, eu sabia que, mesmo com um buraco em seu peito, Mari superaria Túlio.

A mesma conexão que seu ex alegara sentir por outra garota também a esperava. E toda vez que encarava por tempo suficiente aquela prova em tom vermelho na mão dela, aceitando de bom grado a pontada dolorida na cabeça, tinha mais certeza ainda de que não demoraria para acontecer.

Eu não sabia quem era o predestinado de Mari. Tudo o que reconhecia era seu rosto: os cabelos escuros, olhos amendoados, a barba por fazer emoldurando um rosto quadrado.

Toda vez que me permitia enxergá-lo, conseguia ver onde ele estava e percebi que sua localização nunca era muito distante. Provavelmente morávamos os três no mesmo bairro, pois ele frequentava os mesmos lugares que nós. Se já tivéssemos nos esbarrado em alguma esquina, não seria nenhuma surpresa.

Porém, com Mari naquele estado de luto, passando por suas fases e sofrendo à sua maneira, temi apressar seu encontro com sua verdadeira alma gêmea.

Claro, eu poderia sugerir que ela fosse comprar pão na mesma padaria que ele, ou fingir que acabara o leite, apenas para ela ir ao mercado em que ele estivera na última quinta-feira.

Mas e aí?

Ela estava despedaçada, sem querer enxergar qualquer pessoa diante de si. As chances de que passasse direto pelo cara, como se ele nada mais fosse do que um inseto, eram enormes.

Por isso, achei melhor esperar uns dias, até que ela se reerguesse e decidisse deixar a dor de lado para continuar sua vida.

Confesso que só não esperava que seria tão rápido; no domingo à tarde, ela decidira que não ficaria para trás. Se Túlio não a queria, ela acharia quem quisesse!

A vingança.

Era um estágio do luto, também.

Minha amiga não estava preparada para se relacionar com outra pessoa ainda, não enquanto ela pensasse no assunto apenas para jogar na cara do ex.

Então, lembrei que na próxima semana teria a festa de 30 anos de Flávia, e Mari jurou por todas as princesas da Disney que iria se divertir como nunca. E se ela encontrasse um príncipe encantado para chamar de seu por apenas uma noite... bom, não seria nada mal!

Com o passar do tempo e seu coração já remendado o suficiente, eu a levaria até a pessoa certa. Aquele que não a faria sofrer nunca mais.

Apesar de a semana anterior ter sido difícil por causa de tudo o que estava se passando na vida da minha melhor amiga, algumas coisas boas também aconteceram. Uma delas incluía um senhor Bittencourt mais do que satisfeito com a proposta que montamos para a ação do Canal Radical, uma Flávia orgulhosa pelo trabalho de toda a equipe e um Thiago cumprindo sua promessa de me obrigar a comer, ainda que tivesse de ser à força.

Por sorte, ninguém precisou enfiar nada dentro da minha goela.

Pelo contrário: uma parte de mim se sentia um pouco mais à vontade comigo mesma, decidida a cumprir a tal missão que haviam jogado em meus braços. Até mesmo consegui ajudar duas meninas da empresa a encontrarem suas metades da laranja. Tudo com dicas simples e ignorando aquela dor de cabeça insuportável. Mesmo com a pontada que se seguia depois do presságio, de alguma forma bastante reconfortante me sentia cada vez mais alegre, cheia, completa.

Era uma sensação esquisita, mas boa. Boa demais. Tão reconfortante que me peguei arrependida por lutar contra aquilo nas semanas anteriores.

Ainda ficava assustada com aquele poder sobrenatural que me invadia de uma maneira tão simples e profunda, mas, conforme o aceitava, me acostumava cada vez mais com sua presença e sua força. A força de trazer a felicidade para as pessoas ao meu redor.

E tantas outras também, lembrei.

Menos uma, também recordei.

A ausência do fio de Thiago me deixava intrigada e, conforme nos aproximávamos, a pergunta sobre ele ter perdido alguém no passado sempre parava em minha língua.

Eu queria saber. Queria entender.

Mas isso significaria uma abertura que não sabia ainda se estava pronta para dar. A brecha para que ele perguntasse sobre mim, sobre o *meu* passado.

Por isso, apenas me controlei e deixei que nossa amizade continuasse daquela forma: divertida, leve e rasa.

Durante aquelas duas semanas, conversávamos mais sobre o trabalho do que qualquer outra coisa. Estávamos ambos imersos no projeto para o Canal Radical e achei aquilo ótimo.

Enquanto estivéssemos distraídos com algo, perguntas mais pessoais não pareciam encontrar espaço entre nós. E, ainda que — principalmente nos almoços — Thiago tenha me questionado sobre alguns gostos particulares como filmes, séries e comidas favoritas, não fomos muito mais a fundo.

Tirando o fato de ele ter percebido minhas olheiras e perguntado se estava tudo bem, acabei contanto que uma amiga estava com problemas, mas não abri mais o assunto. Ele, com muito respeito, assentiu e não questionou mais nada.

Ou seja, estávamos em uma zona sem perigos.

Nos considerávamos amigos. Conversávamos, ríamos juntos e até mesmo tínhamos nossas piadas internas. Mas só.

Não falamos sobre a família dele novamente. Nem sobre a minha. Nada sobre sentimentos, relacionamentos ou experiências pessoais. Nosso foco, naquela quinzena, estava especificamente em colocar em prática nossas ideias na ação que montamos juntos e que tinha tudo para ser um enorme sucesso.

Por isso, foram dias insanos, contatando jornalistas, famílias de conhecidos que tinham crianças, correndo atrás de permissão para usar o grande parque da cidade e por aí vai. Uma loucura total, mas que, por fim, deu muito certo.

Com isso, o aniversário de Flávia chegou num piscar de olhos e nossa diretora nos obrigou a ter ao menos um dia de descanso, sem pensar em trabalho, projeto ou qualquer outra coisa.

Tudo já estava nos conformes e agora era nosso momento de nos divertirmos, comemorar e relaxar.

Então, na sexta-feira, antes que pudéssemos deixar a agência, a diretora se aproximou de mim:

— Lê — chamou, animada. — Só pra confirmar, você vai levar sua amiga amanhã, certo?

— Isso. O nome dela é Marina — respondi, vendo-a anotar em uma prancheta.

— *Show*! Então você vai levar sua amiga, a Raissa vai acompanhada do Doutor Guedes... — Flávia abriu um pequeno sorriso malicioso, que me fez querer rir baixinho. — E o Thiago vai levar a Dominique. Certo, certo. — Ela ajeitou os óculos no rosto, enquanto balançava a cabeça, conferindo os nomes.

— Dominique? — repeti, um pouco surpresa.

— Acho que é a namorada dele — Flávia piscou um olho.

— Ele tem namorada? — a pergunta saiu com espanto de minha boca.

— Pelo que entendi, moram até juntos.

— Ah... — murmurei, sem saber o que mais poderia dizer.

Thiago nunca tinha me dito que namorava. Muito menos que *morava* com a garota.

Meus lábios se torceram e senti uma careta feia surgir em minha face, mas a desfiz antes que Flávia percebesse e fizesse algum comentário.

A verdade é que algo em mim se incomodou com a descoberta. A ideia de vê-lo com outra, sorrindo com aquela covinha ridícula para ela e...

Por que Thiago nunca me contara nada? Pensei que éramos amigos, pensei que...

Mordi uma bochecha, mais forte do que esperava, percebendo que era besteira minha ficar irritada com ele. Por todo aquele tempo, era *eu* quem não queria aprofundar nossas conversas, certo? Não deixar que fossem para um caminho sem volta. Um caminho que significava me abrir, me mostrar realmente para ele.

E por que diabos me incomodava tanto com o fato de ele ter namorada? O que isso me importava, afinal?

Me senti ridícula e pequena de repente, além de hipócrita. *Totalmente* hipócrita!

— Bom, tô indo. Até amanhã — falei, recebendo de Flávia um aceno de cabeça em despedida.

E quando caminhava, a passos mais duros que o costume até o elevador do prédio para descer, as costas de Thiago me saudaram.

Paralisei no lugar, sem saber o que fazer.

Meu pulso acelerou instantaneamente e, como se fosse possível ouvir as batidas fortes do meu coração, ele se virou.

Os olhos verdes brilharam em minha direção e um sorriso ladino preencheu seu rosto bonito, me agraciando com aquela pequena covinha.

— E aí? — ele saudou, abrindo o sorriso. — Se soubesse que tava indo embora agora também, teria te esperado, Lê.

Lê...

Era a primeira vez que ele me chamava assim.

Sempre foi Letícia ou, em alguns momentos descontraídos, Bela Adormecida, por conta do incidente com o hospital.

Lê... repeti em minha cabeça. Soava tão amigável, tão carinhoso, tão... íntimo.

Mas não éramos íntimos de verdade, não é mesmo? Eu até poderia saber qual era o seu herói favorito (Homem de Ferro), sua comida favorita (espaguete com almôndegas) e que gostava de jogar um pouco de *videogame* após o trabalho para relaxar. Sabia até mesmo sobre a situação delicada com seus pais e sua vontade de morar na cidade grande, mas... Quais eram seus sonhos? Quais eram seus medos? Qual era seu passado? No que ele pensa antes de dormir?

Queria perguntar tudo aquilo e muito mais. Queria saber se amara alguém antes da namorada atual. Se teria experimentado o amor verdadeiro antes e o perdera também.

Queria perguntar como ele seguiu em frente, como conseguiu se apaixonar de novo. O que passou para chegar até ali, morando com outra pessoa e sendo feliz.

Meus pulmões arderam quando inspirei fundo e tentei entender o porquê de aqueles pensamentos me deixarem tão triste, desnorteada e... decepcionada?

Ergui aquele muro eu mesma, desejando que nossa amizade fosse apenas aquilo: tranquila e supérflua.

Seria algum tipo de inveja o que eu sentia? Inveja por ver que ele conseguiu seguir em frente, quando eu ainda tinha medo de não ser capaz, ainda que tentasse, ainda que desejasse...

Até aquele momento, não quisera me abrir para ele. Mas agora... agora, eu talvez quisesse conversar, talvez quisesse entender.

Seria tarde demais? *O que* exatamente eu queria dele?

— Letícia? — ele me chamou, rindo. O som grave preencheu meus ouvidos, fazendo minhas mãos suarem frio. — Tá no mundo da lua de novo? O elevador chegou.

Encarei Thiago, um pouco atordoada. Minha cabeça parecia um

turbilhão de pensamentos confusos, que eu não entendia e nem era capaz de organizar.

Olhei para a porta do elevador que se abria e arfei.

— Esqueci uma coisa no escritório — menti. Simplesmente porque queria distância, espaço. Um enorme espaço entre nós conforme o apito estridente soava em meu interior, irradiando por todos os meus músculos. — Pode ir.

E saí em disparada para o corredor longo, parando em frente à porta do escritório e me recostando ali por um segundo, ofegante, nervosa e... eu não sabia mais o quê.

Há um mês, aproximadamente, não sabia algo tão simples quanto o fato de ele ter uma namorada. Não tinha a menor ideia de que ele dividia o quarto com uma garota e isso me pareceu tão estranho, tão impessoal e tão... distante. Distante demais ao considerar o quanto eu gostava de ter Thiago por perto, com seu cuidado e carinho sempre à disposição, me fazendo rir com aquelas camisetas idiotas e as referências bobas. Ele agia como um bom amigo e eu o tratava como um escape, fugindo de qualquer laço mais profundo que ele pudesse me oferecer.

Por um momento, senti que não sabia de nada. Nadinha de nada sobre ele, sobre o que significava o tempo que passamos juntos, sobre o que se passava na minha cabeça.

Apenas conseguia perceber que uma guerra se iniciava dentro de mim.

Uma parte pedindo para correr. Outra parte pedindo para me aproximar.

Me aproximar dele.

No entanto... o que aquilo significava *exatamente*?

CAPÍTULO 12

Mari havia colocado uma máscara em seu rosto durante todo o sábado, conforme nos vestíamos para a festa de Flávia. Ela fingia que estava tudo bem, que estava animada o suficiente para passar a madrugada dançando, mesmo que ambas soubéssemos que aquilo nada mais era do que uma personagem incorporada.

Por dentro, ela desejava ficar com o rosto amassado no travesseiro, deixando as lágrimas caírem, enquanto imaginava Túlio com outra garota.

A simples ideia de vê-la naquele estado por mais um dia fazia meu estômago se contorcer e meu coração rasgar ao meio.

Logo, não disse nada quando ela começou a nos maquiar e tagarelar sobre que drinques gostaria de tomar. Mesmo que aquilo não passasse de uma fachada, ao menos ela estava tentando e só aquele fato já era extremamente admirável.

Minha amiga já estava pronta, em seu vestido azul tubinho e os olhos delineados. Eu usava um vestido roxo, que emoldurava meu corpo e acentuava parte dos meus seios, com o decote coração.

— Sabia que ia ficar um arraso em você, Lê — Mari comentou, terminando de fazer o delineado em mim. — Acabei comprando e nunca usei. Se quiser, pode ficar com ele.

Sorri o mínimo possível em agradecimento. Caso me mexesse, minha amiga me olharia de novo com cara feia e reclamaria sobre o fato de que eu precisava permanecer imóvel para que meu olho de gatinho não se transformasse em algo "borradamente catastrófico".

— Prontinho — ela disse, exultante, se afastando.

Abri os olhos e pisquei algumas vezes, me acostumando com a claridade novamente.

— Aqui, olha!

Mari me entregou um espelho redondo e pude vislumbrar a mágica que ela fizera em meu rosto.

— Você é uma bruxa, só pode — murmurei, ainda avaliando a maquiagem tão bem feita.

— Contanto que eu seja da Grifinória, pode me chamar de bruxa quantas vezes quiser. — Ela sorriu com todos os dentes, mas o sorriso não chegou aos seus olhos azuis, que ainda carregavam a tristeza que ela não queria admitir.

— Você tá linda também, sabia? — falei, tentando fazê-la se sentir mais confiante.

Mari não dissera, mas eu tinha certeza de que ela secretamente tentava se comparar à outra garota que Túlio conhecera. Devia se perguntar toda noite quem era ela, qual seria sua aparência, se seria tão bonita assim a ponto de fisgar seu ex-namorado em apenas uma quinzena.

Mas a verdade é que eu sabia que nada daquilo importava. Beleza, corpo, ou o que fosse. A conexão do amor verdadeiro vê além de um rosto bonito ou de curvas generosas. É a mistura da personalidade e da alma, forjada em pares para se completarem.

E minha amiga entenderia isso quando encontrasse o homem feito para ela. Eu só queria que ela estivesse pronta para recebê-lo, para aceitá-lo e para que vivesse um futuro feliz e repleto de amor que merecia.

— Hoje é dia, Lê! Vamos deixar todos os caras dessa festa fazendo uma trilha de baba atrás da gente. A noite é feita para a caça e hoje tô me sentindo como o lobo mau — falou, com uma feição maliciosa que me fez morder uma bochecha.

— Também não é pra tanto, amiga — ri, nervosa. — Vamos nos divertir, dançar, beber umas e...

— E encontrar um cara bem gostoso pra lavar roupa no tanquinho — ela piscou e me fez engasgar. — Ah, Lê, já sei que você não vai me acompanhar nisso, mas também não precisa reagir assim.

Mari riu baixinho, batendo em minhas costas. Sorri amarelo e achei melhor não falar nada, apenas anotando mentalmente que deveria ficar de olho nela durante a festa.

Chequei as horas no celular e me levantei do colchão, me sentindo alta e desengonçada naqueles saltos pretos.

— Vamos? — perguntei, assim que me estabilizei no chão.

— Partiu!

O salão era maior do que eu esperava, e Flávia não estava brincando sobre querer comemorar sua nova década com estilo. Sempre soube que a família da minha diretora tinha dinheiro e também que a agência dava ótimos lucros, mas aquilo era bem mais grandioso e cheio do que eu esperava.

Quando chegamos, enxerguei facilmente mais de cem pessoas no espaço escuro, cobertos de luzes *neon*, rostos pintados com aquela tinta que brilha no escuro e o tambor da batida vinda da mesa do DJ, que avistei no fundo.

No centro do salão, uma ilha enorme que funcionava como bar. Cinco *bartenders* atendiam os convidados, fazendo malabares com seus copos e garrafas. Era um *show* e tanto, principalmente quando as luzes da ilha piscavam e mudavam de acordo com o ritmo da música.

— Ameeeei! — Mari bradou, animada. — Vamos virar uns *shots* logo, Lê!

— Precisamos achar a Flávia primeiro — lembrei, me esticando como uma girafa em busca dos cabelos encaracolados e óculos de armação branca. — Temos que dar os parabéns, depois podemos ir até o bar.

Mari murchou, mas apenas por um segundo, pois ela segurou meu pulso e foi abrindo caminho pela multidão.

Somente quando ela parou de repente eu entendi. Ela havia encontrado a aniversariante.

— Flávia! — chamei, abrindo os braços para apertá-la contra mim. Ela usava um vestido vermelho. — Parabéns! E que lugar incrível, hein?

— Que bom que você chegou, Letícia! — ela gritou para que eu pudesse ouvi-la por cima da música alta. — O pessoal da Up se acomodou num dos sofás, pra lá.

Ela apontou para a extremidade esquerda do salão, onde havia diversos sofás vermelhos e brancos.

Ouvi Mari murmurar um "uau", mas não dei atenção. Apenas busquei rostos conhecidos para que nos juntássemos a eles depois.

Avistei Raissa e o Doutor Guedes aos amassos na ponta, o grupo das meninas do *marketing* fazendo *selfies* intermináveis e o Mauro em um papo animado com Thiago e outro cara que não reconheci.

Nenhuma garota desconhecida próxima a eles.

Será que a namorada dele estava no banheiro ou desistiu de vir?, me peguei pensando e me senti estúpida por isso.

Como aquilo poderia ser da *minha* conta, afinal?

— Essa é a sua amiga? — Flávia perguntou, me fazendo virar o rosto e pedir desculpas antes de apresentá-la à Mari, que desejou um feliz aniversário com um enorme sorriso no rosto. — Por favor, se divirtam. É tudo liberado e a noite é uma criança — ela sorriu e eu assenti, vendo-a se virar para trás para recepcionar o senhor Bittencourt que, pelo visto, acabara de chegar.

Segurei um risinho frouxo e puxei Mari até o bar, dando maior privacidade para os dois.

— Hoje quero zoar tudo, sem pensar no amanhã — avisou ela antes de virarmos duas doses de tequila cada uma.

Assim que o líquido ardente desceu pela minha garganta, tive vontade de tossir, que só passou após chupar um pouco do limão deixado em cima de um pequeno prato branco à nossa frente.

— Isso aí! — Mari gritou, balançando a cabeça como aqueles bonecos assustadores que os taxistas colocam na parte da frente do carro.

— Pronto, já deu, né? — perguntei.

— Que nada, amiga! Não ouviu o que sua chefe disse? A noite é uma criança!

Soltei o ar pela boca, sabendo que aquela, de fato, seria uma *loooonga* noite. Mas não tive tempo de pensar em mais nada, pois Mari já me entregava outro copinho com um líquido escuro, brindava e virava a bebida de uma vez, fazendo um barulho engraçado com a boca.

— Vai, Lê! Só mais esse — ela sorriu de maneira angelical, ainda que por trás dos olhos azuis pairasse o brilho de Belzebu.

— Só mais esse — concordei, uma vez que a bebida já estava na minha mão de qualquer forma.

Tomei em um só gole e me imaginei fazendo o mesmo barulho engraçado que minha amiga fizera há pouco.

Senti minha cabeça girar no mesmo instante.

— Que porra é essa? — perguntei, fazendo careta.

O gosto amargo tinha tomado conta de toda a minha língua.

— Uísque — ela sorriu, travessa, enquanto eu tentava não perder o foco na visão.

Não era muito acostumada a beber, principalmente destilados. A visão embaçada foi o suficiente para que soubesse que havia chegado no meu limite, por mais ridículo que ele fosse.

Em minha defesa, ainda não tinha comido nada desde o almoço. Assim como Mari.

Minha amiga, por outro lado, não perdeu tempo e pediu logo um drinque chamado Morte do Demônio e, pelo cheiro de álcool de limpeza naquele copo, cogitei a ideia de Mari falecer antes de terminar a bebida.

Mas, para a minha surpresa, ela sobreviveu, mesmo após o último gole. Seus olhos, no entanto, não passavam de uma neblina azulada.

— Sério, agora chega pra você, hoje — falei, séria.

Ela assentiu, se virando para trás.

— Aquela galera do seu trabalho parece... divertida — comentou ela, e estranhamente umedeceu os lábios de uma maneira esquisita.

— Você já tá loucona — apontei, me virando para o bar e pedindo uma água para o homem de camisa preta de botões. Nós duas iríamos precisar.

Com a garrafinha nas mãos, girei o corpo para onde Mari estava, mas não a encontrei. Nenhum resquício dos cabelos cor de fogo ou de seu vestido azul pelas redondezas.

Praguejei, nervosa:

— Cacete, Marina! Pra onde você foi? — resmunguei, olhando de um lado para o outro e... — ACHEI!

Ah, desgraçada! Que diabos ela está fazendo, saindo andando por aí?

Mari não chegava a tropeçar em seus pés, mas seu jeito de andar era desengonçado e torto, denunciando sua embriaguez. Tentei correr atrás dela, mas alguns casais dançantes entraram na minha frente e tive que desviar.

Por Dumbledore, como odeio lugares lotados!

— Mari! — gritei, tentando chamar sua atenção, mas a música era alta demais para que ela me ouvisse. — Porra, Mari, onde você tá indo? — murmurei comigo mesma, percebendo então o caminho que ela tomava.

Até o complexo de sofás.

Franzi o cenho, confusa.

Marina não conhecia o pessoal do meu trabalho, então por que simplesmente saiu andando como um zumbi em pleno apocalipse até eles como se quisesse comer suas carnes frescas e bem-arrumadas?

Precisei desviar de um cara que surgiu na minha frente, um sorriso tão brilhante que quase me cegou. Meu Deus, parecia até o irmão do Firmino!

Pedi licença e consegui ver que Mari, agora, estava a poucos centímetros de

Thiago. Ela tocou o braço dele e ele a encarou, um pouco confuso de início, mas dando um sorriso ladino em seguida conforme ela dizia algo em seu ouvido.

Thiago, de repente, pareceu buscar algo pela multidão.

Ou alguém, considerando que sua namorada não estava com ele. Talvez procurasse por ela, o que fazia total sentido, mas... em vez disso, seus olhos me encontraram e ele acenou, alargando os lábios em um sorriso cheio.

Meu pulso acelerou e culpei o fato de me sentir sufocada naquele lugar apertado, quase como uma sardinha enlatada.

Não tinha nada a ver com os olhos verdes brilhantes em minha direção ou o sorriso quente que Thiago tinha. Muito menos com a covinha totalmente à mostra e as sobrancelhas grossas que...

Ele sempre foi tão bonito assim? Ou será que era a luz?

Semicerrei os olhos, confusa.

— Merda — praguejei. — Bêbada. Completamente bêbada. É só o álcool falando — repeti como uma prece para que meu cérebro não levasse aqueles pensamentos sem nexo a sério.

Por fim, acenei de volta enquanto me aproximava e vi Thiago abaixar o rosto quando Mari falou algo novamente. Ele apertou a nuca e pareceu um pouco constrangido.

Estranho. Muito estranho...

Minha amiga não pareceu se importar e apenas riu, daquela forma adorável dela, pousando a mão na camiseta preta que ele usava, bem na região do peito, onde um *Pac Man* amarelo feito de palavras aleatórias estava.

Um vinco surgiu em minha testa conforme tentava entender a cena a poucos passos de mim. A música pareceu martelar em meus ouvidos e tudo girou quando me aproximei deles, ficando a apenas poucos centímetros dos dois, vendo quase que em câmera lenta Mari o puxar pela blusa e colar os lábios contra os dele.

Algo em mim se apagou e senti como se meu cérebro fosse um computador vazio, a tela azul gritando *ERRO* em todos os idiomas, vozes e tamanhos.

Mari... Mari estava beijando Thiago!

Ai. Meu. Deus!

— Opa, opa — Thiago falou, nervoso e sem graça, ao afastá-la com cuidado pelos ombros. Seu rosto se tornando tão vermelho quanto um pimentão. Vi seu pomo de adão subir e descer umas duas vezes antes de me encarar.

— Ela... hã... é sua amiga, né? — Ele engoliu em seco. — Pelo menos foi o que disse quando se apresentou.

— É... ela é minha amiga — murmurei, incrédula com a cena recente.

Minha feição devia estar péssima, pois ele me encarava com um horror crescente.

— Eu... eu... — tentou falar, mas ele parecia estar com algum tipo de *bug* também.

Mari riu baixinho, bêbada e enlouquecida, sem sequer reparar no clima estranho que causara. O que diabos ela tinha feito?

— Com licença — pedi, sem entender como fora capaz de falar *qualquer coisa*.

Puxei Mari comigo para perto de outro sofá.

— Você tá maluca? — repreendi. — Ele tem namorada, Mari! Ele é o Thiago, aquele sobre quem você perguntou outro dia.

Ela escancarou a boca e arregalou os olhos azuis opacos.

— O *seu* Thiago?

— *Meu*? — Franzi o cenho, balançando a cabeça. — Não tem nada de meu, não. E a namorada dele tá por aí, sua doida! Como assim, você sai beijando o cara do nada? Você não pensa nas consequências, não? — briguei, irritada, tentando ignorar a náusea que começou no exato momento em que aquelas bocas se tocaram e o aperto que meu coração sentiu, como se tivesse sido atingido com uma estaca de madeira.

Espantei aquela cena da cabeça imediatamente, querendo trancá-la em uma caixa de Pandora, nas profundezas da minha mente.

— Quando a sua chefe apontou pra cá... eu... eu... vi ele e... — Ela levou as mãos ao rosto, cobrindo-o por completo. — Só o achei gato demais e pensei que poderia, sei lá, arriscar e me divertir. Eu só... não queria... — Mari começava a soluçar e eu já sabia o que viria a seguir.

Abracei-a com força, esmagando-a contra meu corpo, enquanto suas lágrimas molhavam meu vestido.

— Ficar pra trás, eu sei — completei sua frase, sentindo-a assentir com a cabeça. — Mas já parou pra pensar que isso não é uma corrida?

— Claro que é — retrucou, a voz embargada.

— Mari, não adianta você querer dormir com qualquer um que ache bonito só pra esquecer aquele idiota do Túlio. As coisas vão acontecer naturalmente. Você precisa respeitar o seu tempo e...

— Ei — alguém pigarreou e me virei. — Tá tudo bem? — Thiago perguntou ao se aproximar, completamente sem jeito.

Nossos olhos se encontraram e mordi o canto da boca, desviando imediatamente. Encará-lo naquele momento parecia incômodo demais.

— Vai ficar. Ela só fica meio emotiva quando mistura bebida — falei, me surpreendendo com uma mão estendida próxima a mim.

— Aqui — o homem desconhecido atrás de Thiago ofereceu alguns guardanapos, apontando com o queixo para minha amiga.

— Você!

Minha boca abriu e fechou como um peixe algumas vezes. Porque o cara que estava ao lado de Thiago era... era *ele*!

O predestinado de Mari!

O homem de cabelos escuros, a barba por fazer e os olhos amendoados.

Minha amiga soluçou e afaguei suas costas, respirando fundo e tentando controlar minha surpresa.

— Vocês se conhecem? — Thiago perguntou com estranheza.

— Você é muito gentil — falei, como se fosse o que eu quisesse dizer desde o princípio. — Obrigada.

Peguei os guardanapos e afastei Mari de meu aperto, enxugando as lágrimas que percorriam seu rosto.

— Minha maquiagem tá borrada? — ela perguntou, com um biquinho fofo nos lábios.

Acabei rindo ao balançar a cabeça, mas ela não pareceu acreditar na minha palavra, foi quando se virou. Se virou e...

— Ei, você acha que tô parecendo um panda? — indagou ao cara que oferecera os guardanapos.

Prendi a respiração no mesmo instante, esperando alguma reação, alguma... coisa.

Um brilho no olhar, um sorriso apaixonado... Qualquer coisa, cacete!

Mas tudo o que eu via entre os dois era o fio vermelho, bem ali, tirando uma com a minha cara, enquanto balançava de um para o outro.

Ligados. Eles estavam, sim, ligados um ao outro. Mas onde estava a maldita conexão que a lenda prometia?

— Bom... — o cara falou, parecendo pensativo. — Tirando as bochechas redondas, não, não parece.

Ah, não...

Ah, querido. Por quê? Por que você fez isso?

Eu vi ali, bem na minha frente, o maior erro que aquele homem poderia cometer: dizer algo sobre as bochechas dela. Mas ele o fez. Simplesmente fez, e todo o futuro feliz com um casamento alegre e crianças correndo em volta dele e de minha amiga acabara de entrar em perigo.

— Qual o problema com as minhas boc... — minha amiga tentou dizer, mas meu olhar assustado fez Thiago entrar em alerta.

— Ele só tava brincando. Suas bochechas são do tamanho e formato ideal — Thiago acalmou a fera, que agora tinha um sorriso doce nos lábios. — Aliás — arranhou a garganta —, Frenchie, essa é a Letícia. Letícia, esse é um amigo meu, o Frenchie.

— Frenchie? — Mari repetiu, fazendo careta. — Que nome esquisito.

Ele deu de ombros, mas um sorriso ladino surgiu em seus lábios.

— Todo mundo me chama assim. Nasci na França, mas me mudei pra cá quando pequeno — explicou. — Mas e o seu nome? É Merida, por acaso?

Uma ironia preencheu sua voz e seu rosto.

Comprimi os lábios ao ver que os olhos azuis de Mari se semicerraram e esperei um rugido, um cuspido de fogo, qualquer coisa do tipo, mas ela apenas riu.

Uma risada baixa e cheia de escárnio. Seus olhos reluzindo com um brilho de afronta, mas, ainda assim, tão vivos, de uma forma que eu não via há um bom tempo.

— E você é o quê? — retrucou ela, empinando o queixo. — Algum Inspetor Clouseau falsificado?

— Olha só, a ruivinha sabe fazer piada — Frenchie riu com deboche. — Será que sabe usar um arco e flecha também?

Encarei Thiago, que olhava com a mesma curiosidade para os dois, que agora discutiam sobre como Mari poderia espetar uma flecha no nariz arrogante de Frenchie.

Eu, por outro lado, tive vontade de gargalhar. Aquela situação era inacreditável.

Aqueles dois idiotas deveriam se apaixonar, se casar e gerar vários bebês babões. Em vez disso, competiam para ver quem tinha o pior trocadilho. Coloquei as mãos no rosto, me sentindo cansada apenas de assisti-los. Percebi olhos me fitando e vi Thiago, as íris verdes vidradas em mim, parecendo tão incrédulo quanto eu sobre aquela situação. Ele me ofereceu um sorriso e provavelmente o retribuí, pois ele logo se aproximou.

— Acho que a gente tá sobrando aqui — comentou. — Somos tipo a vovó no Looney Tunes assistindo a linda amizade entre o Piu-Piu e o Frajola. — Arqueei as sobrancelhas em sua direção. — Que foi? Vai falar que eles não são iguaizinhos? — me desafiou, com uma expressão instigante.

Acabei soltando uma risada.

— Acho que você tem razão — respondi, pensativa. — A grande questão é: quem é o gato e quem é o pássaro?

— Ah, o Frenchie é o gato, com certeza. E eu não duvidaria que isso aí desse em casório — brincou, cutucando minhas costelas.

Concordei com a cabeça, prestando atenção naqueles dois. Alguma coisa quente queimou dentro de mim quase que instantaneamente.

Poderia ser a bebida ou apenas o lugar abafado. Mas eu conhecia bem aquela sensação para negar que era algo em mim se enchendo.

Minha alma.

E meu coração também, conforme observava Mari beber a garrafinha de água que eu lhe dera e conversar com Frenchie. Uma conversa tão animada, fluida e... familiar.

Eles pareciam se conhecer há anos. Pela eternidade. E se provocavam da mesma forma.

Ali estava afinal, a tal conexão única, intransferível e verdadeira bem na nossa frente, cumprindo seu destino. Só faltava os dois perceberem. Se isso seria rápido ou lento, aí dependeria apenas deles. Minha missão estava cumprida, ainda que não tivesse feito praticamente nada.

O fio vermelho pendia entre os dois, e tudo o que eu conseguia desejar era que finalmente cessassem os últimos centímetros que os separavam. O único problema era que, pelo andar da conversa, talvez Mari finalizasse aquele espaço com um peteleco no nariz da sua cara-metade.

Quis rir com o pensamento, imaginando como o destino pode ser irônico às vezes, e como nós estamos ao seu completo bel-prazer.

— Será que eles vão se matar até o final da noite? — perguntei, encarando Thiago ao meu lado.

Seus lábios se curvaram para baixo e ele meneou a cabeça em reflexão:

— Talvez. O que você acha de a gente pegar alguma coisa pra beber enquanto assiste o *show* de improviso dos dois? — sugeriu, travesso.

— Uma água cairia bem — respondi, sincera, já que Mari bebera toda a garrafinha que eu trouxera.

— Então, vamos!

Thiago, de repente, me puxou pela mão conforme nos afastávamos dos nossos amigos. Tentei ignorar a sensação quente e áspera de seus dedos em minha pele, fazendo toda a região pinicar e algo estranho percorrer meu braço.

Talvez ainda estivesse sob os efeitos dos *shots*, tentei me convencer.

Agradeci quando ele me soltou assim que chegamos à ilha no centro do salão e se esgueirou pelo balcão pedindo as bebidas para o *bartender.*

O homem de camisa preta de botões pediu que aguardássemos e Thiago apoiou os cotovelos no balcão de madeira, me encarando.

— Letícia — mordeu o lábio inferior, parecendo hesitante. — Sobre aquilo... bem, que aconteceu agora há pouco... — Coçou a nuca e quase pude ver as engrenagens funcionando em seu cérebro, buscando as palavras certas para continuar.

— Você diz sobre o fato da minha amiga ter te beijado? — deduzi, fazendo uma careta involuntária.

Thiago assentiu, me encarando nos olhos. Suas pupilas haviam dilatado e eu mal via resquícios das íris verdes.

— Eu não sabia que ela ia fazer aquilo, caso contrário, teria desviado — avisou, tão sério como nunca vira antes.

Me senti perturbada, uma coceira estranha no céu da boca, o coração em um ritmo descoordenado e a respiração querendo falhar.

— Não foi sua culpa — falei, dando de ombros, tentando fingir que aquela cena no fundo do meu cérebro não me incomodava. — Peço desculpas por ela. A Mari tá passando por um momento difícil, acho que acabou perdendo a linha. Foi mal mesmo.

Thiago balançou a cabeça, firme.

— Só queria ter certeza de que você não achava que... sei lá, eu tinha tomado alguma iniciativa ou pior: me aproveitado dela.

— Não, de jeito nenhum! — Como por impulso, toquei seu cotovelo. Sua pele me queimou e dei um passo para trás, agora segurando meu braço como se tentasse me abraçar. — Claro que não ia pensar uma coisa dessas.

— É mesmo? — sua sobrancelha se arqueou em desconfiança e malícia. Algo dentro de mim rugiu, mandando eu correr enquanto ainda era tempo. Porém, apenas permaneci parada, esperando que ele continuasse. — Porque você me olhou com tanto ódio que achei que teria um aneurisma. — Deu de ombros e coçou o queixo, fingindo refletir, depois me encarou, num misto de curiosidade e sagacidade. — Ou será que era só ciúmes?

Engasguei.

Que diabos eu poderia fazer?

— Ora, ora, acho que acertei em cheio — disse ele, com tom vencedor, aproximando seu rosto, lentamente, como um felino. Os olhos verdes chispando com astúcia.

Meus pulmões pararam de funcionar.

— Um pensamento por outro — ele desafiou.

— Estou pensando que você já bebeu demais pra pensar essas besteiras — disparei.

Ele sorriu de canto e deu de ombros.

— Talvez.

— E... você? — ousei perguntar.

A música ainda estava alta, especialmente no meio do salão, mas ouvi perfeitamente quando sua voz ressoou bem próxima ao meu pescoço.

— Sabe... — Pude sentir o movimento de sua língua umedecendo os lábios. — Estou pensando que, se fosse você, não teria me afastado.

Escutei cada palavrinha como se fossem empurradas para dentro de mim, me assustando e me excitando. Sua voz, uma dança sedutora percorrendo meus sentidos, ou o que restava deles.

Thiago estava perto demais. Podia sentir sua respiração quente contra minha pele, parecendo aguardar apenas a liberação para se aproximar mais, para me tocar.

Aquele apito vermelho soou em meu cérebro, mais forte do que nunca. Minhas mãos ficaram inquietas e me peguei pensando se os lábios de Thiago eram macios ou como seria a sensação de tê-los em meu pescoço, queixo, boca...

— Aqui sua cerveja, amigo — o *bartender* avisou, nos tirando da bolha em que estávamos.

Arfei de susto, surpresa e medo quando ele se afastou. Mas também de expectativa e uma vontade insana que eu não sentia há um ano. Isso foi o que me deixou mais nervosa. O fato de eu... sentir. De querer.

Eu o queria.

Deus, como eu o queria!

Os lábios finos e cheios de malícia beijando minha pele, as mãos fortes percorrendo meu corpo. Agora, tudo queimava. Tudo era fogo dentro de mim. Um incêndio perigoso, mortal.

— Sua água — Thiago ergueu a garrafinha à minha frente, um sorriso ladino e mordaz naquela boca diabólica cheia de promessas ocultas. — Você tá sempre no mundo da lua, né? — brincou, como se nada tivesse acontecido.

Sorri amarelo e peguei a garrafa, abrindo e bebendo o máximo que pude, tentando, de alguma forma, diminuir o calor que sentia.

Encarei Thiago, que tomava sua cerveja encarando a multidão. Eu tinha certeza de que estava corada, sentia o sangue fincado em minhas bochechas, minhas mãos ainda suavam e minha mente girava.

O celular dele tocou e o vi semicerrar os olhos assim que acendeu o aparelho e a luz do visor clareou seus olhos. Não vi o nome escrito, mas havia a foto de uma garota. Uma garota bem bonita.

— Preciso atender — ele disse, me encarando.

Sua expressão se tornou fechada, um pouco tensa.

Minha cabeça se mexeu sozinha, confirmando que havia escutado. Ele murmurou um "volto já" e se afastou, atendendo a ligação.

Fiz uma careta, me sentindo uma idiota. Ele não estava falando sério. Claro que não. Era só uma brincadeira.

Thiago era brincalhão, sempre cheio de frases prontas e referências. Além disso, ele tinha namorada. Provavelmente, era ela quem estava ligando agora, querendo saber quando ele voltaria para casa e fariam amor até amanhecer.

Eles dois. Não eu e ele.

Não eu e Thiago. Aquilo era impossível.

"Se fosse você, eu não teria me afastado." Estalei a língua.

Claro que ele estava só tirando uma com a minha cara! E eu seria tola se pensasse outra coisa.

CAPÍTULO 13

O resto da festa se resumiu a Mari e Frenchie trocando farpas e algumas risadas debochadas quando a piada do outro não era tão boa, Thiago com a feição fechada e preocupada, e eu sem coragem de perguntar o que havia acontecido. Principalmente porque ele não parecia estar nem um pouco bem humorado.

Será que tinha brigado com Dominique? Era uma possibilidade, já que ela não o acompanhara até a festa.

Será que...

Balancei a cabeça, afastando as suposições.

Não era da minha conta.

Eu não deveria estar pensando no relacionamento de Thiago.

O único problema é que na manhã seguinte — no domingo — Thiago era tudo que rondava a minha cabeça.

Pelo simples fato de ter acordado suada e inquieta por causa de um sonho erótico, nem um pouco esperado, com ele passando aquelas mãos grandes pelo meu corpo, me deitando em plena mesa do escritório.

Levantei-me da cama como se tivesse sido atropelada por um caminhão, correndo para o banho e tentando esquecer as imagens obscenas que emergiam do fundo do meu cérebro.

A água fria foi capaz de acalmar a agitação que borbulhava dentro de mim, o que me levou a lembrar de algo muito importante: o corpo desfalecido de minha amiga em meu colchão.

Mari estava apagada, dormindo como uma criança após virar a noite esperando o Papai Noel.

Percebi que, desde que terminara com Túlio, aquela era a primeira vez que eu a via dormir tão... pacificamente. Sem choros, sem pesadelos, sem me chutar para fora da cama. Apenas um sono tranquilo e profundo, que eu esperava que se estendesse para todas as noites, a partir de agora.

Acordei-a à força quando terminei de preparar o almoço. Depois de beber mais do que devia na festa, ela precisava colocar algo quente e caseiro no estômago. E eu também.

Especialmente quando um vazio parecia me consumir de dentro para fora. Se era fome ou apenas a vontade de continuar minha missão casamenteira, eu não sabia. Torcia para que não tivesse nenhuma relação com o fato de meu punho, bem onde Thiago me tocara, continuar quente e formigando. A pele sensível do meu pescoço se arrepiava conforme a lembrança de sua boca tão próxima me inundava de sensações.

Aquilo era ruim.

Na verdade, era *péssimo.*

Eu era mulher e reconhecia bem o que aquela chama queimando baixo no meu ventre significava. Só não conseguia acreditar que... bom, eu não esperava sentir aquilo de novo. Não imaginava me sentir seduzida, enfeitiçada e tão *viva.*

Muito menos por Thiago, que não estava disponível. O que, obviamente, fazia com que eu me sentisse ainda pior.

Pela primeira vez desde Alexandre, eu desejava alguém. Isso era assustador, mas excitante também. Porém inútil, eu não podia esquecer.

Uma vontade completamente inútil e desnecessária, que deveria ser ignorada e esquecida o quanto antes.

Mas o som da voz dele ainda percorria meus nervos e todo o meu corpo acendia quando me lembrava de suas palavras quentes, sussurradas tão próximas:

"Se fosse você, eu não teria me afastado."

Só que ele teria, porque era a única opção que eu tinha.

✦

— Espero nunca mais encontrar aquele cara, Lê. Meu Deus, que chato! — Mari resmungou, colocando um pedaço de carne na boca. — Ele comparou meu cabelo com uma vassoura, acredita? *Argh*, idiota! — praguejou, revirando os olhos.

Acabei soltando uma risada, sem conseguir me controlar. Recebi um olhar enviesado de minha amiga, mas dei de ombros.

— Engraçado, achei vocês perfeitos juntos. Pareciam unha e carne — provoquei, recebendo uma cara de nojo em resposta.

— Você é louca. Credo! Quero distância daquele grosseirão — falou, convicta e sem me dar espaço para retrucar.

Fiquei pensando em como a vida pode ser cômica.

Aqueles dois estavam destinados a ficar juntos, a se apaixonar e viver felizes. Porém, tudo o que conseguiram fazer no primeiro encontro foi dar e receber uma má impressão.

Diferente de Flávia e do senhor Bittencourt, que conversaram de forma animada durante toda a noite. Ou até mesmo de Raissa e do Doutor Guedes, que mal desgrudaram suas bocas.

Aparentemente, não é só porque o destino está traçado que os envolvidos vão cruzar os olhares e se amar instantaneamente. Claro, Mari e Frenchie obviamente tinham um tipo de conexão. Eu via a prova de que eram predestinados por conta do fio que os ligava, mas, mesmo sem enxergar nada, Thiago pôde perceber que aqueles dois pareciam entrosados demais — ainda que com palavras afiadas no meio deles.

Talvez fosse por conta de suas bagagens, personalidades e momentos da vida. Tudo podia influenciar, certo?

Fiquei pensando em quantos casais não ficaram juntos por isso, pela Lei do Livre-Arbítrio e pelas decisões que tomaram e os distanciaram de suas caras-metades.

Quem sabe, poderia ser que Mari e Frenchie não estivessem prontos para o amor. Talvez o fato de ela ter saído de um relacionamento recentemente e se encontrar com as portas do coração ainda fechadas pudesse influenciar no desastre daquele encontro. E será que, se eu não tivesse a missão de garantir que as coisas dessem certo entre os dois, eles ficariam juntos no final?

Ou se casariam com outras pessoas, aceitando um destino que, no fim, não era o deles?

Eu tinha uma grande responsabilidade em mãos.

Muito grande mesmo.

— E você e o Thiago, hein? — Mari abriu um sorriso travesso. — Rolou alguma coisa naquela hora que vocês sumiram? Se bem que... — Ela mordeu o canto da boca, buscando na memória os resquícios de lembranças que tinha da noite anterior. — Se rolou, não foi nada bom, né? Ele voltou com uma cara bizarra de enterro.

— Óbvio que não rolou nada — engoli em seco com a meia mentira. Não era como se tivesse rolado realmente, mas enfim... — Ele recebeu uma ligação da namorada, acho, e depois ficou daquele jeito.

— Estranho, né?

Dei de ombros, segurando a língua para não começar a soltar suposições.

Era melhor que não me metesse na vida de Thiago. Na verdade, era até melhor que me afastasse um pouco, agora que tudo o que conseguia pensar quando falava ou lembrava dele era em lábios, pele e meu corpo sendo apertado pelo dele.

Bufei, irritada.

Era como se meu subconsciente estivesse se vingando de mim. Jogando na minha cara todos aqueles meses de celibato, me arrastando com força pelo submundo dos desejos carnais.

Pelo visto, sonhar era o novo perigo da nação. Da minha nação, para ser mais específica.

Mas, em vez de encontrar o Freddy Krueger, eu ganhava superpoderes ou tinha sonhos eróticos com meu amigo de trabalho.

Pesadelos reais e rostos derretidos pareciam quase um paraíso diante daquilo.

Aquela manhã de segunda-feira foi esquisita. E não só para mim.

Todos perceberam que Thiago estava quieto, distante, ali sentado de frente para seu computador e produzindo as artes que tínhamos combinado para o projeto do Canal Radical.

Pela primeira vez desde que ele entrara na Up, sua camiseta não tinha nada de engraçado. Era de um azul petróleo liso. Abaixo dos olhos, marcas arroxeadas denunciavam a noite sem dormir.

Se aquilo não era sinal de que algo estava muito errado, então eu não sabia nem mais o meu nome.

Comprimi a boca em uma linha fina, pensando que deveria chamá-lo para almoçar e conversar. Talvez eu pudesse ajudar de alguma forma. Talvez não. Mas, se ao menos o fato de ele ter alguém para ouvi-lo adiantasse alguma coisa, eu ofereceria meus ouvidos por toda a eternidade.

Porém, quando o relógio bateu meio-dia e o estômago de todos rugiu como um rinoceronte em busca de alimento, o alvoroço no escritório começou. Todos se levantaram e as conversas ficaram mais altas com o pessoal decidindo onde almoçaria. Meus olhos buscaram por Thiago, mas não o encontraram.

As meninas da minha equipe se aproximaram e Raissa falou:

— Lê, você vem com a gente? Vamos provar aquele novo restaurante vegetariano que abriu aqui perto.

Olhei novamente aos redores. Nada de Thiago. Ele provavelmente já tinha saído e eu perdera minha chance.

Soltei o ar pelo nariz, decepcionada. Vê-lo daquele jeito retraído e cabisbaixo me deixava da mesma forma. Thiago era sempre alegre, sempre a luz que iluminava tudo e todos ao redor. Agora, de uma maneira bem estranha, eu me sentia vazia de novo, no frio e escuro.

— Vou sim — falei, por fim, seguindo as garotas.

Fiquei calada durante todo o caminho, pensando em onde Thiago poderia ter ido para sair tão rápido assim do escritório, sem nem mesmo eu ter a chance de falar com ele.

Bastou apenas uma olhada para dentro de um restaurante em que passávamos para descobrir seu motivo.

Paralisei no lugar, em frente ao vidro amplo que mostrava todo o estabelecimento por dentro. Pessoas almoçando e conversando, como era de se esperar.

E era exatamente o que Thiago parecia estar prestes a fazer, enquanto enlaçava a cintura de uma menina e a levava até uma mesa vaga.

Assim que se sentaram, percebi que a garota era bem bonita, de cabelos longos escuros e lábios fartos. Eles pareciam ter intimidade, principalmente porque ela segurava a mão dele por cima da mesa e vi claramente quando o polegar de Thiago acariciou a pele dela. Logo a cataloguei como sendo Dominique.

— Lê? — Raissa chamou e arregalei os olhos, percebendo que estava dando uma de espiã. E uma não muito boa, vale ressaltar.

— Foi mal — sorri, sem graça, antes de me juntar ao grupo e continuar a caminhada.

Pelo visto, Thiago tinha com quem conversar e não precisava de outra pessoa.

Não precisava de mim.

CAPÍTULO 14

Na parte da tarde, Flávia pediu que eu e Thiago fôssemos até a sala de reunião e nos avisou que a diretora da Clínica Boa Vida tinha ligado pela manhã e estava com algumas ideias sobre ações nas redes sociais.

Minha diretora perguntou se nós dois poderíamos visitá-la e entender exatamente o que ela tinha em mente. Ambos concordamos, mesmo que eu tenha reparado no brilho de hesitação nos olhos verdes de Thiago.

Quando vi, estávamos dentro de um táxi, a caminho do retiro.

Ele ficou quieto durante todo o caminho e aquilo me matava pouco a pouco, como uma faca cega. Mordi a língua durante todo o percurso, procurando não invadir sua privacidade quando, obviamente, ele não queria desabafar com ninguém.

Quer dizer, exceto com a namorada. O que fazia todo sentido, claro.

Mesmo assim, eu gostaria de poder ajudar de alguma forma.

Chegamos à reunião com a diretora e meu peito se apertou ainda mais quando os olhos de Thiago não brilharam ao passarmos pelos carrinhos decorados. No fundo, esperava que ele voltasse à alegria e animação de sempre, propondo outra corrida clandestina quando ninguém estivesse vendo.

Mas nada.

Não havia nada ali além de opacidade.

A reunião não foi longa e em menos de duas horas já tínhamos tudo decidido, então a diretora nos liberou e convidou-nos para passar na cantina do prédio principal, onde estava sendo servido um lanche.

Não estávamos com pressa, então fomos até lá. Porém, a sensação de que tudo estava errado começava a me deixar inquieta, louca, desesperada.

Thiago mal abria a boca para falar. Se podia, apenas fazia um aceno com a cabeça para concordar ou discordar.

E assim que montamos nossos pratinhos com algumas frutas e biscoitos, eu não aguentei e o puxei para fora.

— O que foi, Letícia? — ele perguntou, tão baixo que fez meu coração apertar.

Parei no meio do jardim, sentindo minha respiração começar a descompassar. Virei para Thiago e bufei:

— *O que foi?* — repeti, um pouco nervosa. — Eu que te pergunto: o que foi? Por que você tá estranho desde a festa?

Ele desviou o olhar. Thiago olhava para todos os cantos do jardim, menos para mim.

— Thiago — chamei, dessa vez com carinho na voz.

E quando ele me encarou, meu coração se partiu em dois, três, quatro... em mil pedacinhos.

Seus olhos verdes seguravam algumas lágrimas, pude perceber. Ele sofria. Algo tinha realmente acontecido.

Podia não ser da minha conta, mas não me importava. Não quando eu o via daquele jeito.

Tirei o prato de sua mão e o coloquei no banco de madeira ao lado, junto com o meu.

— Letícia — ele disse, mas sua voz não passava de um sussurro embargado.

Não pensei duas vezes e o abracei.

Acolhi seu corpo com toda a minha força. Ele hesitou por meio segundo, mas logo seus braços apertavam minha cintura, colando ainda mais os nossos corpos. Seu rosto se encaixou na curvatura do meu pescoço e uma de minhas mãos percorreu sua nuca, fazendo uma leve carícia em seus cabelos macios.

— Eu tô aqui — murmurei, porque era a única coisa que podia fazer. — Eu tô aqui por você, sempre que precisar.

Seu choro se intensificou e seu aperto quase me tirou o ar, mas não me importei. O corpo de Thiago estava quente e rígido, enquanto ele derramava suas lágrimas sobre minha pele, encharcando minha blusa.

Eu sabia bem que, qualquer que fosse a dor que ele sentisse, as lágrimas a colocariam para fora.

Se ficamos daquele jeito por minutos ou horas, eu não saberia dizer. Somente quando senti o corpo de Thiago parar de tremer e sua respiração ofegante se acalmar em meu pescoço, me permiti afastá-lo. Ele, no entanto, voltou a me segurar firme antes que eu pudesse de fato colocar alguns centímetros entre nós.

— Desculpa — ele pediu, a voz parecendo tímida, e então se afastou.

O nariz estava vermelho, os olhos ainda embaçados e em suas bochechas haviam tantos rastros de lágrimas que senti vontade de secá-los com os dedos. Como um impulso, foi o que fiz.

Minhas mãos se encaixaram em seu rosto e com os polegares eu o toquei, centímetro por centímetro, enxugando aquelas linhas de água salgada.

As íris verdes me fitaram com atenção, receio e algo mais que não consegui identificar.

— Pareço patético, não é? — perguntou, soltando uma risada amarga.

Neguei com a cabeça.

— Apenas humano — respondi, oferecendo um pequeno sorriso.

Ele retribuiu o gesto, o canto de sua boca se erguendo infimamente, mas me dando a visão daquela covinha que eu adorava.

Thiago segurou minhas mãos e as juntou perto dos lábios, deixando nos nós dos meus dedos um beijo cálido em um agradecimento mudo.

— Acho que você descobriu meu segredo — falou, suspirando fundo.

Franzi a testa, sem entender.

— Não sou um super-herói — retorceu a boca em um sorriso triste. — Apenas humano, com cicatrizes e falhas.

— E isso é ruim? — perguntei.

Ele deu uma risada baixinha antes de responder.

— Bom, eu não me importaria de ter superpoderes, e você?

Mordi a bochecha considerando que, bem, eu tinha um, não é mesmo?

— Ser apenas humano é bom também — disse, sincera.

Thiago deu de ombros.

— Não quando não há nada que você possa fazer além de sentar e esperar. — Sua voz pareceu tremer com as últimas palavras e afaguei sua bochecha. Thiago me encarou, os olhos verdes enevoados mais uma vez. — Minha mãe pode estar com câncer de mama. Ela vai fazer a biópsia essa semana pra ter certeza. — Thiago bagunçou os cabelos, nervoso. — E se realmente for câncer? O que eu posso fazer?

Minha mão correu para seu ombro e o apertou.

— Ficar ao lado dela. Se realmente for isso, sua mãe vai precisar do filho dando toda a força de que ela precisa.

Thiago suspirou e entortou a boca.

— Só ficar ao lado dela parece tão... inútil. Eu só... eu só queria poder fazer mais — explicou, parecendo cansado, e pude imaginá-lo virando as últimas noites pensando sobre o assunto.

— Não são poderes ou habilidades que transformam as pessoas em heróis, e sim suas ações, seu coração — apertei seu ombro mais uma vez, oferecendo um sorriso. — O fato de você estar com ela e segurar sua mão pode ser mais eficaz do que você imagina.

— A... — Thiago mordeu o lábio inferior, desviando o olhar. — A última vez que nos vimos foi quando saí de casa, há alguns anos. Te falei sobre isso, minha relação com meus pais é complicada.

— Então trate de descomplicar! — falei, séria. — Não importa os problemas ou desavenças que vocês tiveram no passado. Não agora.

Thiago arregalou os olhos, talvez surpreso por meu tom, mas isso não me impediu de continuar:

— Sua mãe, sua família, precisa de você com eles. Você disse que queria ter superpoderes, então o que acha de começar com o poder do perdão?

— Eu... — murmurou receoso e fechou os olhos, abrindo-os em seguida com um brilho de dor que logo identifiquei. — E se eles não me quiserem por perto? Não é como se tivessem me procurado nos últimos anos também.

— E você realmente vai deixar o orgulho entrar na frente dessa situação? Sua mãe *precisa* de você. Não importa o que fale ou o que você pense sobre isso. Passe por cima das mágoas, Thiago, e eles passarão também.

Ele me encarou em completo silêncio por incontáveis segundos e pude perceber que absorvia cada palavrinha que joguei no ar. A verdade é que eu sabia o quanto ele se arrependeria se não ficasse com a mãe nesse momento delicado. O câncer é uma doença sádica e assustadora. Ele precisava estar junto da família e esquecer quaisquer brigas ou ressentimentos.

— Você tá certa — ele sussurrou, enfim. O brilho cheio de vida percorrendo os olhos esverdeados, com determinação. — Completamente certa. O que eu tava pensando? — Esfregou a testa com a palma da mão.

— Tá esperando o quê então? — Minhas sobrancelhas se ergueram enquanto minhas mãos pousavam no quadril.

Ele sorriu se aproximando e beijando minha bochecha.

— Você parece até a Mulher-Maravilha nessa pose, sabia? — Piscou, travesso. — Valeu mesmo pelos conselhos. — O sorriso se alargou. — Vou ligar para o Mauro e já volto — disse, se afastando com o celular em mãos.

E fiquei ali, esperando, ainda sentindo a maciez de sua boca contra a minha bochecha.

✦

Assim como eu já esperava, Mauro liberou Thiago pelo resto da semana.

Já estávamos indo em direção à saída da clínica para pegar um Uber quando dona Agnes surgiu à nossa frente, de mãos dadas com Isao.

— Menina, bom te ver! — ela falou, animada.

— Olha só, que surpresa boa — Isao disse, sorrindo, o que apenas fez seus olhos finos ficarem ainda mais estreitos.

— Tudo bem com vocês? — perguntei, ainda que não precisasse mesmo de uma resposta.

O fio vermelho embolado que pendia entre eles já era informação mais do que suficiente.

— Ah, sim, tudo ótimo! — foi Isao quem respondeu, apertando ainda mais forte os dedos de Agnes.

— E esse é o seu namorado? — a idosa perguntou, curiosa. — É um garoto muito bonito. — Ela piscou e quase engasguei.

— Trabalhamos juntos, só isso — expliquei, sentindo a garganta pinicar.

Encarei Thiago, que dava de ombros com as mãos nos bolsos.

— Ela não me quer — ele disse, fazendo uma feição triste.

Arregalei os olhos, sem entender nada.

— Ora, não desista, rapaz! — Isao incentivou.

— Pode deixar, senhor. Não vou! Um dia eu conquisto essa mulher — ele apontou para mim com o polegar, um sorriso triunfante nos lábios.

Tudo o que pude fazer foi escancarar a boca, perplexa. Mas antes que pudesse perguntar para Thiago que brincadeira sem graça era aquela — considerando que... né... ele tinha uma namorada e definitivamente não era eu! — uma voz masculina soou por trás de mim.

— Pai.

Meu corpo travou. Tudo em mim parecia congelado e tive medo de virar o rosto e constatar quem era o homem que acabara de chegar.

— Ah, Akira, venha cá, filho — Isao pediu e me virei. — Quero te apresentar essa menina. Desculpe, mas ainda não sei seu nome.

Não respondi. Não conseguia.

— É Letícia — Thiago disse, um pouco receoso. Podia sentir seus olhos cravados em mim, mas tudo o que eu conseguia ver eram as íris pretas do senhor Tanaka contra os meus.

Confuso e nervoso. Como eu.

— Então — Isao continuou, alheio ao clima estranho pairando no ar —, foi a Letícia que me apresentou à Agnes.

— Você? — o senhor Tanaka murmurou, surpreso.

Prendi o ar e assenti.

Nosso primeiro e único encontro terminou de maneira desastrosa. Eu descobrira que seu avô era o espírito que andava me perseguindo e ele via em mim uma garota maluca que dizia ter esbarrado com a alma penada de seu ancestral.

— Vocês se conhecem? — Foi Thiago quem perguntou e engoli em seco, com medo do que o senhor Tanaka pudesse falar.

A última coisa que eu precisava agora era Thiago me fazendo perguntas sobre meu profundo interesse a respeito das lendas orientais. No mínimo, me faria assistir a uma tonelada de *animes*.

— Sim — o senhor Tanaka respondeu, cauteloso. — O que faz aqui? Você está... — Ele encarou o pai e sua mão instantaneamente tocou a carteira em seu bolso.

Um vinco surgiu em sua testa conforme ele me olhava com atenção.

Eu sabia o restante da frase: "Você está me perseguindo?"

Sabia também que, se ele a completasse, as coisas poderiam ficar complicadas.

Por isso, reuni todas as forças de dentro de mim e avisei:

— Já estávamos indo. Boa tarde. — E puxei Thiago para longe, meu coração martelando contra minhas costelas, a respiração ofegante conforme eu praticamente corria pelos jardins, em busca da saída.

Quando chegamos à calçada, minha cabeça latejava e não pude deixar de olhar para atrás, apenas para me certificar de que não fomos seguidos.

Coloquei as mãos nos joelhos e inspirei fundo, aliviada ao ver que estávamos sozinhos. Até que...

— O que diabos foi aquilo? — Thiago questionou, confuso.

Mordi minha língua, procurando alguma desculpa plausível no fundo do cérebro.

— Você conhece esse cara? Ele já te magoou ou algo assim? — Sua voz parecia mais raivosa e senti o corpo dele se virar para trás, pronto para correr em disparada e acabar com o senhor Tanaka, caso eu confirmasse suas desconfianças.

— Não! — bradei, segurando seu antebraço. — Quer dizer, sim, eu o conheço, mas não, ele nunca me magoou nem nada do tipo.

— Então por que você ficou nervosa e se transformou em uma estátua quando ele chegou?

— Hã... ele... eu... a gente saiu uma vez e não deu muito certo — menti, sem conseguir encontrar mais nenhuma justificativa para a situação de minutos antes. Ao menos aquela explicação era a mais próxima da verdade que eu conseguiria dar.

Thiago franziu o cenho e seus lábios viraram apenas uma linha reta.

— Não sabia que aquele cara fazia seu tipo — comentou.

— É melhor a gente ir — falei, um pouco afobada, querendo tirar o foco do assunto de cima de mim. — Você não precisa ainda arrumar a mala e ir pra rodoviária?

Ele assentiu, apenas com um curto aceno de cabeça.

Seus olhos ainda me encaravam, com tanta profundidade que senti meu pulso disparar. Sua face era uma máscara ilegível, mas seu maxilar parecia trincado.

Thiago estava desconfiado. Só podia ser isso. Ele não tinha acreditado na minha mentira, mas, ao menos, não a estava questionando.

— *Err*, então... — Mordi o lábio inferior. — Vamos pegar um táxi, vai ser mais rápido do que chamar pelo aplicativo.

Girei o tronco em direção à rua e chamei o primeiro carro que surgiu.

E quando achei que o dia já tinha tido surpresas demais, o taxista se vira para mim com um enorme sorriso no rosto e praticamente grita:

— Você! Que surpresa boa, garota!

Thiago franziu o cenho, revezando o olhar entre mim e o homem de bigode e cavanhaque.

— Ai, meu Deus — murmurei, chocada.

O destino só podia estar brincando comigo. Talvez minha vida fosse uma tragicomédia que os deuses gostavam de assistir lá dos céus, enquanto devoravam um balde de pipoca.

— Que coincidência, né? — o taxista comentou, contente, e se virou para Thiago, sentado ao meu lado, no banco de trás. — Conheci minha alma gêmea graças à sua namorada, amigo.

— Ele não é meu namorado — falei, sem graça.

— E você é algum tipo de cupido, por acaso? — Thiago me perguntou.

— Ela foi o meu cupido, com certeza! — o homem respondeu no meu lugar, enquanto eu sorria amarelo para os dois. — Graças à dica dela, acabei conhecendo Suelen — ele apontou animado para a tela do celular no painel do carro, com a foto da moça de cabelos cacheados que eu vira no primeiro dia em que ganhei o poder de enxergar o fio vermelho que conecta as pessoas. — Ela é a mulher da minha vida! Obrigado mesmo, garota.

Algo dentro de mim se aqueceu e uma satisfação me inebriou.

Seu bigode se esticou, denunciando um enorme sorriso agradecido em seu rosto.

Sorri de volta. Porque, naquele instante, não importava mais nada além da constatação de que eu cumprira mais aquela missão.

Minha dica tinha dado certo e eles seriam felizes. Assim como Agnes e

Isao, Raissa e o Doutor Guedes, Flávia e o senhor Bittencourt — ainda que não fosse nada concreto, por enquanto — e, futuramente, Mari e Frenchie.

Eu estava mesmo fazendo a diferença na vida das pessoas. Não podia evitar o orgulho que sacudia meu peito e me trazia uma enorme alegria ao coração.

— Fico feliz que tenha encontrado sua cara-metade — respondi com honestidade.

Ele assentiu, um pouco frenético demais e alargou o sorriso, se virando para a frente do carro e desligando o taxímetro.

— Hoje, a corrida é por conta da casa. Considere como um presente do destino pelo nosso reencontro — disse ele, o que me fez rir. De felicidade ou pela ironia de sua fala, eu não sabia. Mas aquele era um momento bom, um momento de paz. — E aí, pra onde vamos, casal?

Encarei Thiago, ainda rindo, sem me importar com o fato de o taxista ainda achar que éramos namorados. Meu sentimento de dever cumprido irradiava pelos meus músculos, poros e pele.

Ele me olhava de volta, um sorriso ladino de tirar o fôlego, projetado em seu rosto, algum plano ardiloso sendo arquitetado em sua mente; então, se virou para o taxista e disse o endereço, finalizando com:

— Moço, não somos um casal porque ela não me quer, acredita? — E apontou para mim com o polegar, fingindo uma feição tão triste que pensei ser digna de Hollywood.

CAPÍTULO 15

Mal vi o resto da semana passar.

Quando não estava pensando em Thiago — que se fora naquela mesma tarde para sua cidade natal —, pensava em maneiras de conversar com Isao sobre seu pai e tentar encontrar uma resposta para eu ter caído de paraquedas naquela situação digna de filmes de ficção. E, quando não estava com a cabeça em nada disso, só conseguia lembrar que o projeto do Canal Radical estava quase pronto e que seria colocado em prática na semana seguinte.

Eu me sentia ansiosa. Principalmente por estar coordenando todo o processo. Dessa vez, tudo caíra sobre os meus ombros e eu queria que fosse, no mínimo, perfeito. Eu não aceitaria nada menos do que isso.

Mari dizia que era meu sangue virginiano correndo pelas veias.

Se era ou não, eu não sabia. Não importava. Só precisava que tudo saísse nos conformes para mostrar o meu melhor para Flávia e para Mauro. Afinal, eles haviam confiado a coordenação daquele projeto em minhas mãos e eu não iria decepcioná-los.

Thiago, mesmo de longe, nos acompanhou em cada etapa. Sempre evitava passar tarefas para ele, desejando que ele tivesse o máximo de tempo possível para ficar com a mãe, que ficou muito contente com a visita e reaproximação do filho. O pai, pelo visto, ainda estava se mantendo um pouco distante, mas eu não duvidava que fosse apenas uma questão de tempo para que se resolvessem.

Ainda assim, o *designer* cabeça-dura insistia em fazer ele mesmo as artes e sempre as enviava no meio da noite, por *e-mail*, junto de alguma piadinha boba que me fazia soltar uma risada baixinha, sem querer confessar a falta que sua ausência física me causava.

Na sexta à noite, quando enfim conseguimos cumprir os afazeres, fui direto para casa, desejando um banho quente e a maciez da minha cama.

Já limpa e enrolada nas cobertas, meu celular apitou. Me estiquei sobre o colchão para pegar o aparelho da mesinha de cabeceira e semicerrei os olhos quando a luz branca da tela me ofuscou.

O nome de Thiago piscou. Era uma mensagem dele.

Trocamos mensagens sobre o trabalho durante a semana inteira e praguejei quando imaginei que talvez fosse algo errado com alguma arte.

Mas não. Não havia nenhuma indicação de ser um relato de algum problema.

Muito pelo contrário...

Thiago: Por que o Mário foi ao psicólogo?

Eu conhecia aquela piada e já sabia a resposta. Um sorriso infantil salpicou em meus lábios quando comecei a digitar.

Letícia: Que Mário? :P
Aquele que te...

Thiago: Não é esse, não. Esse Mário é passado!
E valeu mesmo por me lembrar desse amor frustrado ☹
Mas por que o Mario Bros foi ao psicólogo?

Uma risada fraca escapou de minha garganta.

Letícia: Porque ele tava numa fase difícil.

Thiago: Ah, qual é? Que sem graça, você. Aposto que foi pesquisar a resposta!

Mais uma risada.

Letícia: Claro que não fui pesquisar! Essa piada é mais velha que a minha avó.

Thiago: Humm, acho que preciso melhorar meu arsenal, então...

Letícia: Seria bom hahaha

Thiago: E como tá tudo por aí?

Letícia: Tudo certo. Falta pouca coisa pra finalizar na semana que vem.
E aí?

Fiquei apreensiva enquanto ele digitava sua resposta. Ele havia me contado que iria com a mãe naquela manhã buscar os exames no hospital da cidade e eu estava curiosa para saber os resultados.

Demorou alguns segundos para Thiago responder e, quando li sua mensagem, minha respiração travou.

Thiago: A biópsia deu positivo. É câncer de mama mesmo.

Pude imaginar seu rosto triste e tive vontade de estar ao lado dele. Ele continuou escrevendo.

Thiago: Mas a boa notícia é que descobriram cedo. O câncer não se espalhou, então as chances de ela se recuperar são boas.

Suspirei em alívio.

Letícia: Que bom! Ela com certeza vai se recuperar 100%.

Thiago: Também tenho certeza que sim. Ela vai fazer os exames pré-operatórios na semana que vem e vão marcar a retirada do tumor. Depois vem a parte do tratamento.

Letícia: Se o tumor ainda é pequeno, deve ser fácil de remover. Vai dar tudo certo na cirurgia e ela vai tirar o tratamento de letra.

Thiago: Vai sim. Minha mãe é uma leoa hahahaha um dia você vai conhecer ela e daí vai entender do que eu tô falando. E, Letícia...

Prendi o lábio inferior entre os dentes, aguardando enquanto ele digitava e apagava o resto da mensagem sem parar, quando enfim a enviou.

Thiago: Obrigado mesmo por me dar aquele choque de realidade. Eu tô muito feliz por ter vindo pra casa e me resolvido com a minha mãe. O meu pai já tá começando a falar melhor comigo e acho que vamos deixar tudo pra trás, como você disse. Alguém tinha que dar o primeiro passo e eu dei, graças a você.

Meu coração se aqueceu e meu lábio se ergueu em um sorriso sincero. Thiago era uma pessoa tão boa, gentil e alegre. Ele merecia estar feliz, merecia ter amor e apoio da família para fazer o que gosta.

Letícia: Eu não fiz nada, Thiago. Só te dei um empurrãozinho, mas tenho certeza de que você iria mesmo que eu ou qualquer outra pessoa não tivesse falado nada. Fico feliz, de verdade, que tenha dado tudo certo.

Thiago: Eu também. Mas mesmo você dizendo isso, eu quero retribuir.

Mais uma vez, ele digitava e apagava, o que fazia meu pulso disparar e me deixava ansiosa, agarrada ao celular esperando pelo que viria a seguir.

Thiago: Vou te levar pra jantar depois que acabar o projeto do Canal Radical.

Comecei a escrever, dizendo que não era necessário, mas ele foi mais rápido que eu, me fazendo pensar se aquele homem, por acaso, era capaz de ler meus pensamentos.

Thiago: E nem vem dizer que não é necessário e etc.
Considere isso como uma intimação 😉
Já até sei onde vou te levar e não aceito uma negativa como resposta. Eu e você vamos ter uma noite especial, pra comemorar as coisas boas.

Minha respiração descompassou com as palavras *eu*, *você* e *noite especial*.

Parecia... um encontro.

E parecia errado. Muito errado.

Thiago tinha namorada e Dominique, com certeza, não gostaria de saber que ele levaria outra garota, por mais que fosse apenas uma amiga de trabalho, para jantar e ter... uma noite especial.

Engoli em seco, pois minha mente perversa e carente imaginou nós dois com os corpos colados, suados e ofegantes, assim como no sonho que tivera dias antes. Aquele maldito sonho que ainda estava claro em minha mente. Tão vívido e real que ainda me fazia arfar com a lembrança.

Um senso de perigo soou em meu cérebro. Eu precisava fazer aquilo parar e um jantar com Thiago não me ajudaria. Pelo contrário! Por isso, respondi, ainda que tenha odiado escrever cada palavrinha.

Letícia: Realmente não precisa, Thiago.
E a galera da Up já tava marcando um happy hour de qualquer forma ☺
Melhor eu dormir agora, tô caindo de sono.

Thiago: Sem problemas, vai lá. Nos falamos depois. Boa noite.

Ele não insistiu, para meu alívio e tristeza também, eu odiava admitir.

Respondi um "boa noite" de volta e só. Nenhum "podemos marcar outro dia" ou "quem sabe outra hora". Era melhor deixar aquele assunto intocado, como estava. Sem esperanças, sem expectativas.

Não queria causar problemas para ele. Para Dominique. Para nós.

No fim, praticamente não dormi nada, odiando o fato de ter sido uma estúpida com ele por recusar seu convite gentil.

Mas que opção eu tinha para manter nossa amizade de forma saudável?

✦

Passei o sábado inteiro na cama, recostada na cabeceira amarronzada e com o *laptop* nas pernas cruzadas, estudando as redes sociais da Clínica Boa Vida para dar início às ações que eles queriam fazer.

Almocei algumas sobras que tinha na geladeira e, antes que pudesse perceber, o sol sumia pela janela, dando espaço para a lua e estrelas.

Suspirei, cansada, alongando a coluna e colocando o *laptop* de lado.

Peguei o celular e encarei a tela. Nenhuma mensagem nova de Thiago.

Minha boca se contraiu para o lado, os dedos coçando querendo voltar atrás e aceitar seu convite para jantar.

Não sabia exatamente como ou quando começara a me sentir atraída por ele. Aquele sentimento ainda era muito novo e estranho, na verdade. Desde Alexandre, eu nem mesmo *olhava* para um cara. Simplesmente porque não me interessavam, ninguém parecia certo.

Mas Thiago surgiu de repente na minha vida e foi entrando e entrando, até que fui obrigada a olhar para ele. Inicialmente como um amigo, depois, como o homem que era.

Um homem divertido, bonito e de coração grande.

Praguejei, soltando o ar pela boca e pendendo a cabeça para trás.

Talvez para ele não fosse nada de mais jantar com uma amiga. Mas para mim era, e não queria acabar causando nenhum mal-entendido no relacionamento dele. Muito menos no nosso.

— Eu fiz a coisa certa, eu fiz a coisa certa — repeti como um mantra, até que senti o celular vibrar na mão.

Encarei o visor. Um número desconhecido.

— Alô?

— Letícia?

— Sou eu. Quem é?

— É o Frenchie — a voz do outro lado avisou e ergui as sobrancelhas, estranhando por ele estar me ligando. — Estou com a Marina. Ela tá um pouco assustada por causa de um quase assalto — explicou, e senti meu corpo tensionar.

— Onde vocês estão? Posso falar com ela? — pedi, preocupada.

— Estamos na minha casa. Ela foi ao banheiro, mas me passou seu número. Ela tá bem abalada — avisou.

— Me passa o endereço, por favor. Tô indo praí, agora!

Frenchie me passou tudo e saí em disparada, pegando o primeiro táxi que vi e chegando ao apartamento dele em menos de dez minutos.

O amigo de Thiago me recebeu com um olhar apreensivo, apontando para o banheiro onde Mari colocava as tripas para fora. Bati três vezes na porta.

— Amiga, abre pra mim — pedi, cautelosa.

A porta se abriu e Mari se pendurou em meu pescoço, chorando sem parar e sem conseguir explicar direito o que acontecera, pois seus soluços eram tão altos e sofridos que as palavras se misturavam.

Frenchie surgiu atrás de mim, oferecendo um copo com água para ela. Mari acenou em agradecimento e a levei para perto da pia. Lavamos seu rosto vermelho e coberto de lágrimas e ela bochechou um antisséptico bucal que Frenchie apontou.

Com Mari um pouco mais calma, o corpo tremendo menos, puxei minha amiga para o sofá preto na sala de estar.

Sua respiração ainda estava errática e sua boca parecia branca demais, então afaguei suas costas e pedi:

— Me conta o que houve.

Seus lábios tremeram e os olhos pareceram assustados novamente.

Frenchie se sentou ao lado dela e segurou sua mão entre as dele.

— Eu estava indo até o mercado comprar alguma coisa pro jantar — ele começou e Mari o encarou, oferecendo um pequeno sorriso agradecido. — Mas quando passei por uma rua mais estreita, vi um cara ameaçando uma garota. Não pensei duas vezes antes de me aproximar e prender os braços dele às costas. Só então reconheci a Marina.

— Ele tinha uma faca — Mari sussurrou, passando os braços pelo próprio corpo, tentando conter a tremedeira que voltava com força. — E... e colocou na minha barriga, gritando pra que eu passasse tudo. — Um soluço alto escapou de sua garganta e eu a puxei para mais perto.

— Tudo bem, amiga, já passou. Você tá segura, ninguém vai te machucar — falei, beijando o topo de sua cabeça.

— Gritei pra chamarem a polícia, que chegou muito rápido e levou ele embora — Frenchie continuou. — Fomos fazer o B.O. na delegacia e viemos pra cá. Não queria deixá-la sozinha.

Meneei a cabeça em positivo e agradeci aos céus por nada grave ter acontecido. Nem podia imaginar o medo que minha amiga sentira quando o assaltante a ameaçara com uma arma branca.

Por sorte, Frenchie havia aparecido na hora certa, e Mari, apesar de aterrorizada, estava sã e salva. Eu não poderia pedir nada mais além disso.

Deixei que minha amiga se acalmasse com seu corpo recostado no meu. Sua mão continuava no aperto de Frenchie e eu o encarei. Ele fitava o chão, provavelmente revivendo a cena em sua cabeça, pensando no que aconteceria caso tivesse chegado um segundo depois. Ao menos era o que consegui ler de sua expressão dura, tensa.

Seu polegar, por outro lado, acariciava de forma inconsciente a área perto do pulso de Mari, que começava a amolecer em meus braços por conta da descarga de adrenalina que agora a deixava sonolenta.

— Obrigada — falei, no momento em que Frenchie se virou e seus olhos cruzaram com os meus.

Ele assentiu e soltou a mão dela, mas não sem hesitar por um instante, eu percebi.

— Acho que ela dormiu — disse ele, baixinho. Olhei para baixo e percebi que Mari, agora, ressonava tranquilamente. — Você se importa se eu a levar para o meu quarto? Seria bom ela descansar depois disso tudo e vai ficar mais confortável em uma cama.

Concordei com a cabeça e deixei que Frenchie a pegasse no colo, com todo o cuidado do mundo para não a acordar.

Fui atrás dele e em poucos passos estávamos em seu quarto, Mari aconchegada no colchão de casal.

— Posso dormir no outro quarto. Fica à vontade, Letícia. Se precisar de algo ou se tiver qualquer coisa que eu possa fazer...

— Você já fez tanto, Frenchie — lembrei e apertei seu braço. — Obrigada mesmo por cuidar dela.

Ele deu um meio sorriso e murmurou:

— Alguém deveria dar um arco e flecha pra essa garota. Quem sabe o instinto de Merida aflorasse.

Soltei uma risada baixa em concordância.

— Aí não teria pra ninguém — comentei, e ele assentiu.

— Vou deixar vocês — avisou, encarando Mari mais uma vez. Seus dedos se mexeram em direção à mecha de cabelo que caía no rosto adormecido e ele ajeitou os fios para trás em um movimento tão delicado que meu coração deu um pulinho.

Frenchie a faria muito feliz, no futuro.

Um futuro próximo, eu esperava.

Acordei com os raios de sol através da janela atingindo meu rosto e vi que Mari continuava em seu sono tranquilo. Durante a madrugada, minha amiga teve alguns pesadelos, que a deixaram suando frio. Abracei seu corpo e tentei passar o máximo de proteção e paz que consegui. Por fim, pareceu dar certo, pois já fazia horas que ela dormia tranquilamente.

Levantei com cuidado para não balançar muito o colchão. Ela merecia um pouco mais de descanso antes que eu a levasse para casa.

Abri a porta do quarto e senti o cheiro de torradas vindo da cozinha.

Frenchie já estava acordado e preparava o desjejum. Meu estômago roncou com o cheiro de café fresco.

Mas, antes de me juntar a ele e agradecer mais uma vez por tudo, achei que seria bom passar uma água no rosto. Eu me sentia uma morta-viva e meus olhos mal conseguiam se manter totalmente abertos.

Olhando para trás, vi a porta fechada no fim do corredor e imaginei que fosse o banheiro. Andei até lá entre um bocejo e outro e assim que toquei a maçaneta, a porta se abriu.

Se fosse o Hulk vestindo um tutu de bailarina ou talvez até mesmo o espírito do velho que deu meu poder, eu não tomaria tanto susto com o que apareceu diante de minha visão.

— Ai, cacete! — bradei, em susto e surpresa, vendo Thiago à minha frente. Os ombros largos e potentes, o peito liso e desnudo, com gotículas percorrendo sua extensão de pele até onde uma toalha branca e felpuda se encontrava amarrada à cintura.

Era de tirar o fôlego e de incendiar qualquer uma.

Um alarme soou em minha cabeça, um alarme alto e agudo, que fez minha mente girar.

Sentindo a respiração ofegar, coloquei as mãos nos olhos, me impedindo de continuar secando cada centímetro dele.

— O que diabos você tá fazendo? — perguntei, nervosa, tudo em mim queimando de dentro para fora. Por todas as casas de Hogwarts, aquele homem tinha sido esculpido por algum bruxo ou o quê?

— Bom dia pra você também — sua voz era divertida, mas com um fio de provocação que tentei ignorar. — Bom, eu tava tomando banho, mas acho que isso é meio óbvio.

Virei de costas, tentando focar em inspirar e expirar, inspirar e expirar.

— Quis dizer o que você tá fazendo *aqui* — expliquei.

— Hã... eu moro aqui?! — falou, como se fosse óbvio, e quase girei em meus tornozelos para encará-lo, confusa. Mas ele continuou — Frenchie me contou o que aconteceu. Como tá a sua amiga?

— Dormindo ainda — respondi.

— Que bom. Ainda bem que ele chegou a tempo e nada de ruim aconteceu. Nem imagino o susto que ela passou, tadinha. Assalto com faca é muito sério.

— Uhum — murmurei. A língua parecia grossa e pesada na minha boca.

— Acabei de chegar de viagem — ele explicou. — Peguei o primeiro ônibus da manhã.

Mexi a cabeça em concordância. Minha boca parecia seca ao lembrar que Thiago estava seminu bem atrás de mim.

— Voltei pra terminarmos o projeto do Canal Radical, já que minha mãe só vai ser operada na semana depois do evento do nosso cliente.

— Claro.

— Letícia? — chamou, a voz parecendo segurar uma risada.

— Hum?

— Você tá bem? — ele parecia querer rir.

— Aham — murmurei. Ele riu, um som baixo e grave reverberando em meus ouvidos.

— Um pensamento por outro — disse.

— Será que você pode se vestir? — pedi, quase numa súplica.

— Um pensamento por outro — insistiu.

— Estou pensando que é difícil falar com você... *assim*. — Era a verdade. Eu não conseguia simplesmente pensar com Thiago daquele jeito tão próximo.

O ar ficando pesado, minha respiração errática, minhas pernas desejando dar alguns passos para trás até que minhas costas batessem naquele tronco forte e largo.

Quem diria que a abstinência fosse me atingir tão forte depois de todo aquele tempo e me faria querer subir pelas paredes no melhor estilo Homem-Aranha?

Era uma sensação mais forte do que eu, um impulso quase selvagem, instintivo, quando me lembrava do corpo seminu de Thiago. Como se todo o meu corpo clamasse pelo dele, reivindicando algo que era meu, que me pertencia.

Não fazia sentido. Pelo menos, não para mim.

Ele soltou uma risada baixa.

— Eu tava pensando a mesma coisa — admitiu, e quase pude sentir aquele meio sorriso dele se esgueirando no rosto. — Mas, pra eu poder chegar até o meu quarto, eu teria duas opções. — Pude sentir o sorriso malicioso surgir em seus lábios antes de completar aquela linha de pensamento diabólica. — Ou eu teria que passar colado em você por causa do corredor estreito, ou te carregar comigo até chegar na minha porta. Não que eu fosse reclamar, longe disso. — Thiago piscou um olho, travesso. — E aí, o que você prefere?

Pulei no lugar, em parte atônita pela brincadeira, em parte pela vergonha por ter me imaginado com as pernas ao redor daquele tanquinho.

— Foi mal, foi mal! — bradei, tentando parar de pensar naquelas mãos grandes e fortes me segurando pela cintura e me carregando até seu quarto, e corri para a porta de Frenchie, dando passagem a ele.

— Bom, tinha essa opção também, o que é uma pena, inclusive — murmurou ele, claramente se divertindo com a minha cara. — Pode usar o banheiro, tá liberado. Te encontro na cozinha já já. — Fechou a própria porta e me deixou ali, sozinha, petrificada e sem entender porcaria nenhuma.

Ele não morava com Dominique?

CAPÍTULO 16

— Mas eu moro com o Dominique — Thiago avisou ao morder seu misto. — Esse é o nome verdadeiro do Frenchie.

— Frenchie? — repeti, não acreditando naquilo. O verdadeiro Dominique acenou da cozinha, enquanto servia-se de uma xícara de café.

— Filho de franceses, lembra? — Thiago disse, me encarando com curiosidade. — Mas por que levantou esse assunto do nada?

Na verdade, nem eu mesma sabia como tínhamos acabado naquela conversa. Depois de sair do banheiro, ainda com a imagem daquele homem seminu na cabeça, fui direto para a cozinha.

Por mais sem graça que eu estivesse, meu estômago rugia como um leão dentro de mim. Eu precisava ser alimentada. De preferência, antes que eu perdesse a cabeça e pudesse ser comparada a uma versão moderna do Chapeleiro Maluco. Enquanto ele só queria tomar seu chá, eu apenas desejava o sabor do café quente percorrendo minha língua e ativando meus neurônios.

Thiago estava sentado à mesa, se servindo. Quando me viu, me convidou a fazer o mesmo. Não me pergunte como ou por quê, mas, assim que me aconcheguei na cadeira de madeira, disparei a pergunta de um milhão de dólares: "Mas você não mora com Dominique?". E por aí foi.

— Ah, nada não — falei, sem graça, e meus lábios coçaram para que eu confirmasse que Thiago, então, era solteiro. Mas não o fiz. De alguma forma, parecia um questionamento muito invasivo.

Principalmente para ser abordado em pleno desjejum, com o amigo dele logo ao lado.

Se bem que, de repente, a imagem dele almoçando com aquela garota bonita surgiu em minhas lembranças. Talvez Flávia tenha entendido errado quanto a ele morar com uma suposta namorada, mas isso não queria dizer que Thiago não tivesse alguém em sua vida.

Murchei na cadeira inconscientemente.

— Aliás, como você sabe que esse é o nome dele? — Thiago semicerrou aqueles olhos verdes brilhantes, desconfiado.

— A Flávia comentou, na verdade. — Bom, não era total mentira, certo?

Thiago acenou com a cabeça, parecendo aceitar minha resposta.

— E me deixa adivinhar... — ele ergueu uma sobrancelha. — Ela achou que Dominique era uma mulher?

Assenti.

— Ela achou que era sua namorada.

Thiago riu baixinho, balançando a cabeça.

— Todo mundo confunde. Já perdi as contas de quantas vezes isso aconteceu.

— Imagino — sorri amarelo. — Eu achei também que você morava com uma garota, provavelmente sua namorada.

Thiago franziu o cenho.

— Você achou que eu namorava?

Dei de ombros.

— Achei.

— Nossa, não! Não tem ninguém. Ninguém mesmo desde a... Fabíola. — Sua expressão se retorceu e senti o impulso de perguntar mais. *Saber* mais.

Será que essa tal Fabíola era sua alma gêmea? A que já se foi?

Acho que Thiago conseguiu decifrar algo em minha expressão, pois sem que eu precisasse dizer qualquer coisa, ele continuou.

— Não deu certo. Ela escondia coisas de mim e... bem, acho que ninguém gosta de ficar no escuro quando se trata da própria namorada, certo? — Detectei mágoa em sua voz. Aquilo deveria tê-lo marcado de alguma forma, pois seus olhos ficaram levemente opacos e as sobrancelhas rígidas.

Merda, minha língua coçava dentro da boca. Conte mais, conte mais!

— Claro, faz total sentido. — Não pergunte, Letícia! Não pergunte! Isso claramente é algo pessoal!

Ele suspirou, levando a mão até a nuca e massageando o local.

— No final, descobri que os segredos dela envolviam outro cara. Sem namoradas para mim, desde então. — Ele tentou sorrir, mas saiu apenas um erguer de lábios torto e falso.

— Ah, sinto muito — falei. Devia ser barra pesada lidar com uma traição.

— Tudo bem, já é passado. — Deu de ombros. — E não vou cometer o mesmo erro de qualquer jeito. Honestidade é tudo pra mim e deveria ser essencial entre pessoas que se gostam.

Agora, seu sorriso era mais sincero e determinado.

Acenei com a cabeça, concordando, e acho que sorrindo de volta. Era um pouco difícil não sorrir quando *ele* sorria daquele jeito para mim.

Sua boca se abriu e Thiago parecia prestes a dizer mais alguma coisa quando Frenchie (ou Dominique, tanto faz) apareceu ao nosso lado e sugeriu:

— Não é melhor acordarmos a Marina para tomar café?

Vi as horas no celular e percebi que o ponteiro já marcava dez da manhã. Seria bom mesmo que ela comesse alguma coisa.

— Deixa que eu vou lá — avisei, me levantando e indo até o quarto.

Acordei Mari como se ela fosse uma princesa da Disney. Com cuidado e carinho, e, confesso, quase cantei como se estivesse em um filme da Cinderela, repleta de ratinhos que sabem costurar melhor do que eu.

Minha amiga se remexeu entre os lençóis e, lentamente, abriu as pálpebras. Os cílios piscando rápido conforme ela parecia se lembrar da noite anterior e de que não estava em casa.

Ela logo se sentou na cama, esfregando os olhos.

— Ei, tá tudo bem. Relaxa — apertei seu ombro.

— Ai, que vergonha, Lê — ela murmurou, se encolhendo.

— Vergonha de quê, garota?

— Nossa, dei *mó* trabalhão pro Frenchie!

— Dominique — corrigi.

Ela me olhou como se eu tivesse acabado de falar uma frase inteira em japonês.

Dei de ombros.

— Depois te explico. Mas relaxa, ele estava mesmo preocupado com você.

— Acabei roubando a cama dele e tudo. Ai, e ele ainda me ouviu vomitar — praguejou, balançando a cabeça. — Que constrangedor!

Acabei soltando uma risada sem querer.

— Não seja boba, Mari. Tenho certeza de que ele não se importou com nada disso.

Ela comprimiu a boca em uma linha fina.

— Mesmo assim, eu deveria fazer alguma coisa. E agradecer! Puta merda, preciso agradecer por tudo o que ele fez!

— Vamos pensar em algo legal depois, eu te ajudo. — Pisquei, já cheia de ideias pra juntar aqueles dois. — Nesse primeiro momento, você pode dizer "obrigada", enquanto tomamos café.

Mari suspirou cansada antes de assentir e se levantar, tentando inutilmente ajeitar as roupas amarrotadas.

Enquanto ela ia ao banheiro tentar não parecer algum tipo de inseto pisoteado — palavras dela, devo ressaltar –, retornei para a cozinha, para enfim tomar uma boa xícara de café.

Thiago ainda devorava seu desjejum, mas Frenchie mal parecia ter tocado na comida, enquanto olhava um pouco ansioso para o corredor atrás de mim.

Ele estava esperando Mari, preocupado com ela.

Na noite anterior, não pude deixar de me sentir tocada com a forma gentil e carinhosa que Frenchie tratara minha amiga. Se eu tinha qualquer receio sobre os dois juntos, ele se dissipou no instante em que aquele homem a carregara no colo até a cama.

Eles até podiam se tratar feito gato e rato, ou como o Burro e o Shrek, mas a verdade é que eu sabia que ambos se completariam de uma forma inimaginável e certeira. Eram feitos um para o outro, caras-metades.

Quando ela chegou, sorrindo com timidez, se acomodou ao meu lado e disse:

— Desculpa por toda a confusão de ontem. Mas, sério, obrigada por me salvar e... bem... me deixar ficar aqui e tudo mais. Foi muito legal mesmo da sua parte.

— Não foi nada — ele ergueu um ombro, como se realmente não tivesse sido nada. — Dormiu bem?

Mari assentiu e os lábios dele se ergueram em um sorriso torto.

— Ótimo. E o que quer comer, ruivinha?

Minha amiga corou, mas não admitiria nem em um milhão de anos.

Encarei Thiago, que também observava a interação dos dois, com Frenchie servindo Mari e ambos entrando no assunto de como ele desarmou o assaltante, prendendo os braços do homem às costas, com facilidade.

Pelo que entendi, ele fazia judô com Thiago desde que se conheceram, na escola. E ele também se mudou para a cidade grande em busca de uma nova vida, com aventuras e, bem, lugares abertos até depois das dez da noite.

O café da manhã se tornou divertido, conforme conversávamos sobre milhares de assuntos. Quando vimos, já passava das onze e Mari se ofereceu para lavar a louça. Frenchie se levantou imediatamente para ajudá-la.

Fitei Thiago, que fez um aceno rápido com a cabeça, sugerindo para que saíssemos da cozinha, deixando os dois a sós.

— Eu trouxe uma coisa pra você — comentou, virando os olhos em minha direção assim que chegamos na sala de estar. — Sei que acha que não preciso te agradecer pelos conselhos, mas eu discordo.

Ergueu um ombro, colocando a mão dentro do bolso da calça *jeans*, tirando de lá uma sacolinha de veludo.

Arregalei os olhos, surpresa.

Thiago pegou minha mão e colocou o objeto na palma.

Encarei aqueles olhos verdes e não pude controlar o sorriso que se expandia em meu rosto.

— Não precisava mesmo, mas agora tô curiosa pra saber o que é — confessei, soltando uma risada que me lembrou a infância.

— Então abra pra descobrir — sugeriu, divertido.

Segui seu conselho e derramei o conteúdo da sacolinha na mão, meus lábios se entreabrindo conforme identifiquei as cores azul, vermelha e dourada.

— Não acredito que você me deu um colar com o símbolo da Mulher--Maravilha! — bradei, entusiasmada. — É lindo, Thiago! Caraca, eu adorei, sério mesmo — fui sincera, tocando o pingente com a ponta dos dedos.

Ele pegou a correntinha da minha mão, sorrindo quando me virou de costas e fechou o colar em meu pescoço.

Voltei a ficar de frente para ele, revezando meu olhar entre Thiago e o cordão.

— Achei que combinava com você: uma super-heroína — deu de ombros, agora com apenas um erguer de lábios.

Meu coração disparou e precisei segurar o impulso de levar a mão ao peito. Uma força estranha me empurrou para perto dele, como um ímã, e, quando percebi, meus lábios já tocavam sua bochecha. Ainda que quisessem provar mesmo de sua boca.

— Obrigada — murmurei, me afastando e odiando impor um espaço entre nós. Um sentimento de vazio começou a crescer em mim.

Thiago deu um breve aceno de cabeça, a feição parecendo dura, como se estivesse contraída. Sua mão erguida no ar, como... como se fosse me tocar.

E eu queria que ele me tocasse. Queria que me envolvesse e tomasse tudo de mim. Não entendia o que era aquilo, aquela atração, o sentimento quente e confortável que me inundava com Thiago ali, tão perto, tão acessível.

Era algo novo, algo que eu nunca tinha experimentado. Ao mesmo tempo que parecia ser tão... familiar. Os olhos verdes dele demonstravam confusão, pareciam um pouco perdidos, e imaginei que os meus também estivessem da mesma forma. Sua boca era uma linha reta, o maxilar rígido. Seus lábios se separaram de repente e pensei que ele fosse falar algo.

Porém, Mari e Frenchie surgiram no cômodo e tudo voltou ao normal em um piscar de olhos.

Naquela segunda-feira, passei a maior parte do dia com a equipe de *marketing*, finalizando tudo para o evento do Canal Radical, que aconteceria no sábado daquela semana.

Flávia estava animada, principalmente quando o senhor Bittencourt elogiou nosso compromisso e nossa rapidez.

Meu estômago estava embrulhado conforme eu também ficava ansiosa pelo final de semana. Mas, vendo que tudo estava acontecendo nos conformes, me obriguei a relaxar. Tudo daria certo e o evento seria um sucesso.

Saí da Up com aquele pensamento otimista, desejando chegar em casa e dormir com a certeza de que não precisava me preocupar. Todos os canais de televisão já haviam confirmado presença e a empresa que contratáramos para a montagem do local estava com tudo a postos para iniciar na quarta-feira.

Suspirei fundo, em uma mistura de cansaço e alívio, quando cheguei à calçada, e me assustei quando uma sombra alta parou bem atrás de mim.

— Precisamos conversar — o senhor Tanaka avisou com seriedade.

Girei em meus calcanhares e dei de cara com aquela expressão austera e cheia de desconfiança.

— Você não atende minhas ligações — acusou e prendi o ar.

Desde que nos reencontramos na Clínica Boa Vida, eu tinha usado as maravilhas da tecnologia para bloquear o número dele após uma mensagem ameaçando chamar a polícia se descobrisse que eu estava atrás de seu pai para perguntar coisas estranhas sobre seu avô. Aquele homem me dava medo e eu não queria mais problemas do que os que já tinha. Por enquanto, era melhor me manter afastada daquela família para evitar qualquer mal-entendido.

Porém, meu plano não deu muito certo, pois lá estava o senhor Tanaka bem à minha frente.

Eu estava com medo de saber o motivo pelo qual ele me procurara. Por seu olhar nervoso e cheio de desconfiança daquele dia, sabia que boa coisa não era.

— Não quero problemas, senhor Tanaka, e não estou com tempo agora para conversar — avisei, me virando para ir embora.

Ele segurou meu punho, com força. O lugar latejou com seu aperto e ele me soltou bruscamente, sibilando um pedido de desculpas.

Massageei o local, um pouco dolorido, pensando que talvez fosse melhor correr. Aquele homem estava me assustando de verdade.

— Meu avô — murmurou, atraindo minha atenção. — Você disse que o viu.

Fiz um breve aceno com a cabeça, ainda ponderando se estava em perigo ou não.

— E você juntou meu pai com a dona Agnes — ele parecia estar falando consigo mesmo nesse momento.

Repeti o gesto com a cabeça, mesmo achando que não era necessário. Afinal, aquela não fora uma pergunta.

— Meu avô era um homem... sensitivo — torceu a boca com a escolha da palavra. — Tudo o que aprendi sobre as lendas orientais foi com ele. Ele era um historiador, assim como eu. Meu avô... ele... ele sempre dizia que meu pai tinha se casado com a mulher errada. Alguma baboseira sobre o destino, que sempre fingíamos não ouvir. Na noite anterior à sua morte, estávamos juntos, assistindo um filme qualquer. Eu me lembro que ele riu quando foi dito o nome da personagem principal e murmurou alguma coisa sobre a alma gêmea do meu pai.

— Agnes — deduzi, sentindo a garganta secar.

Ele assentiu.

Permaneci calada, apenas esperando que concluísse sua história.

— Eu ignorei naquela época, achei que era só o delírio de um velho. Mas agora... você... — me encarou nos olhos, um vinco se formando em sua testa. — Você os juntou e disse ter visto meu avô. Meu avô *morto*.

Engoli em seco, sentindo um ar pesado ao meu redor. Era bizarro demais ouvir aquilo em voz alta.

— Você tem algum segredo, alguma coisa... alguma coisa estranha. O que é? O que você tem com a minha família? Por que está se metendo na vida da gente? Por que está nos perseguindo?

— E-eu... — gaguejei, nervosa. Eram muitas perguntas e acusações para as quais eu não tinha resposta. Só podia ser coincidência ou sei lá. Eu não tinha nenhuma relação com a família Tanaka, nem nunca tivera. — Não estou! Não estou perseguindo ninguém. É sério!

Ele balançou a cabeça em negativa e passou a mão nervosa pelos cabelos negros.

— Qual é o seu objetivo com tudo isso, garota? O que exatamente você viu ou sabe sobre o meu avô? — Ele parou por um segundo, provavelmente avaliando minha feição assustada, de quem esconde um segredo obscuro. — O que exatamente você *vê*?

Seus olhos finos se semicerraram, quase desaparecendo no rosto intrigado. Ele sabia. Ou, se não sabia, estava perto de descobrir.

Meus sentidos me alertaram, eu estava em perigo. Se o senhor Tanaka descobrisse meu segredo, não sei o que ele poderia fazer com tal informação. Ele parecia nervoso demais para simplesmente entender o que estava acontecendo comigo e me ajudar de alguma forma.

Ele me via como uma intrometida, uma espiã, alguém espreitando sua vida e a de seus parentes.

Aquilo não era bom. Não era nada, nada bom.

— Vamos, garota. Desembucha!

Tentei me acalmar e pensar no que dizer para o homem nervoso à minha frente, mas não conseguia me sentir segura a ponto de contar meu segredo a ele. Porém, antes que eu pudesse chegar a uma conclusão definitiva, uma mão grande tocou meu ombro e minhas pernas quase cederam com o susto.

Vi Thiago atrás de mim, a mão agora em minha cintura, me sustentando em pé, conforme suportava o peso de meu corpo.

— Tá tudo bem aqui? — ele perguntou, sem me olhar, mas o aperto de seus dedos em minha carne denunciava sua preocupação.

Seus olhos verdes estavam cravados no senhor Tanaka, que agora parecia inspirar fundo, irritado por termos sido interrompidos.

— Tudo bem, sim. — Os olhos negros se voltaram para mim e o homem fez um gesto com a cabeça. — Estamos apenas discutindo uma questão pessoal, se puder nos dar licença.

— Não acho que seja assim que se conversa com uma pessoa. — Thiago franziu o cenho, o corpo parecendo rígido ao meu lado.

O senhor Tanaka bufou, consternado, mas pareceu perceber que Thiago não me deixaria a sós com ele de novo.

— Essa conversa ainda não acabou, Letícia. — Foi tudo o que disse antes de se virar e partir.

Uma mistura de alívio e aflição preencheu meu peito no segundo seguinte. Aquele homem me dava medo, principalmente com aquelas perguntas e ameaças. Mas, ao mesmo tempo, provavelmente era a única pessoa capaz de me dar as respostas de que precisava.

De fato, aquela conversa não havia acabado.

— Você tá bem? — Thiago perguntou, chamando minha atenção.

Assenti, forçando um pequeno sorriso.

— Esqueci a carteira lá em cima. Estava voltando pra pegar quando vi vocês conversando. Você parecia tensa e ele fora de si — explicou, parecendo receoso, tirando a mão de minha cintura. Senti um frio estranho no lugar onde sua mão estivera há meio segundo.

— Ele estava um pouco alterado mesmo — admiti. — Foi bom você ter aparecido.

Se eu precisava ter aquela conversa com o senhor Tanaka, que ao menos fosse em um lugar mais tranquilo. E não no meio da calçada, com qualquer um podendo ouvir e me rotular como uma louca de pedra.

— Achei que ele tava te importunando — Thiago estalou a língua, mas não prestei muita atenção.

Minha cabeça ainda estava um caos, uma mistura de pensamentos, enquanto eu tentava analisar cada palavra que aquele senhor dissera sobre o avô.

"Meu avô era um homem sensitivo."

O que isso significava? E como ele poderia saber a verdade sobre Agnes ser a alma gêmea de Isao? Quando eu os juntei, foi mera coincidência ele ser pai do senhor Tanaka ou algum dos jogos irônicos do destino?

Tinha algo a mais ali, algo que eu não conseguia ver ou entender.

Thiago, provavelmente percebendo meu estado abalada, determinou que me levaria para casa. Quando tentei dizer que não era necessário, ele lembrou que era caminho, o que me convenceu.

Ele buscou sua carteira na Up e pegamos um táxi na rua. Durante o caminho, Thiago contava sobre Frenchie ter comentado com ele que Mari o convidara para almoçar e o quanto ele parecia ansioso por isso.

Soltei uma risada baixa, me sentindo mais tranquila. O corpo sem nenhum resquício da tensão que eu sentira minutos antes. Tudo o que eu precisava fazer era continuar me concentrando na voz de Thiago e nos olhos verdes que volta e meia encontravam os meus.

De alguma forma, estar ao lado dele me trazia paz e segurança.

CAPÍTULO 17

Na sexta-feira de manhã, eu estava em pânico.

E olha que eu já tinha visto espíritos, ganhado um superpoder e quase sido descoberta. Mesmo assim, nada superava o nervosismo em que eu me encontrava naquele momento, apenas um dia antes do evento do Canal Radical. O projeto que levava meu nome, suor e sangue.

Thiago, com sua camiseta azul-marinho, a frase escrita em letras garrafais brancas "Suas definições de lindo foram atualizadas", percebera que eu estava uma pilha de nervos e me levou — quase arrastada — para almoçar. Falamos de tudo, apenas para distrair minha mente.

— *Harry Potter* ou *Senhor dos anéis*, vai!

Ele disse que um joguinho poderia me ajudar a relaxar, e começou a disparar milhares de perguntas para que eu respondesse.

— Harry Potter! — respondi, rápido. Ele fez uma careta de reprovação, mas continuei: — Você só pode estar brincando! Harry Potter é minha religião, Hogwarts, minha igreja.

Ele riu baixinho.

— Não me entenda mal, sou fanático por Harry Potter também — se defendeu, com as mãos para cima. — Mas eu teria ao menos ponderado entre os dois antes de responder assim, na lata.

Mordi o lábio inferior antes de admitir uma coisa que muito me envergonhava, mas infelizmente era a mais pura verdade.

— Eu dormi em *Senhor dos anéis*. Nunca terminei.

Eu vi, lentamente, a boca de Thiago se abrir em choque, sua pupila dilatando e os olhos se tornaram quase negros.

— Isso. É. Um. Ultraje! — sibilou cada palavrinha com uma pausa cheia de agonia.

Sorri amarelo, pois... Bom, era um ultraje mesmo e eu sabia disso. Desculpa mesmo, J. R. R. Tolkien, juro que não foi por mal!

— Primeiro *Friends*, agora isso... — Thiago bufou, balançando a cabeça. — Letícia, acho que não somos almas gêmeas.

Fiz minha melhor cara de culpada e pude ver o canto de sua boca tremer, segurando um riso. Mas Thiago manteve a expressão séria, apoiou os braços na mesa e se inclinou para mim.

— Esse é o teste final — avisou.

Assenti.

— O teste final para saber se podemos contornar essa situação caótica e praticamente sem esperanças.

Assenti mais uma vez, comprimindo a boca para não rir.

— *House* ou *Grey's Anatomy*? — disparou, arregalando os olhos.

— *House*! — bradei, sincera, me deixando levar pela diversão do momento.

Os olhos de Thiago brilharam, o sorriso saltou em seu rosto e ele praticamente gritou no restaurante:

— Podemos nos casar, então! — E me abraçou, mesmo com a mesa entre nós, rindo em meu ouvindo enquanto eu fazia o mesmo.

Meus pensamentos em momento algum foram para o dia seguinte ou para o Canal Radical.

Apenas eu e Thiago, rindo por coisas tão bobas que nem reparamos que o resto do restaurante aplaudia ao nosso redor. Só então percebemos que as pessoas achavam que ele tinha mesmo me pedido em casamento, e nossa gargalhada aumentou.

Ele não fez menção de desfazer a confusão, apenas acenou para todos e agradeceu, fazendo um tipo de reverência.

Sorri quando ele me olhou de forma cúmplice, e também não tive coragem de dizer que não era verdade, que ninguém ali tinha noivado.

A ideia, porém, fez meu estômago se revirar.

Noivar...

Será que faria isso de novo, algum dia?

Com Thiago, a ideia não parecia assim tão absurda.

Balancei a cabeça, mandando aquele pensamento para longe. Eu nem sequer sabia, com total certeza, se Thiago tinha alguém em sua vida ou não, e já estava pensando em casar com o cara.

Tudo bem que não o vira de novo com aquela garota de outro dia, mas eu o via constantemente trocando mensagens com alguém e, pela foto que vi de relance, definitivamente não era um cara e o tom de cabelo parecia bastante com o da menina do restaurante. Não achava que ele estaria em um relacionamento sério, caso contrário, prefiro acreditar que ele teria tocado no assunto. Mas, talvez, ele estivesse saindo com uma pessoa — ou praticando o famoso *sexting*, sei lá. Mas era o tipo de coisa que seria melhor saber antes de me permitir imaginar que algo aconteceria entre nós.

Com a dúvida pairando no ar, um lampejo de coragem deu as caras dentro de mim. Confirmar não custava nada, certo?

Por isso, o chamei no segundo seguinte em que saímos daquele ambiente alvoroçado.

— Ei, Thiago.

— Sim, minha querida futura esposa?

Thiago me encarou com um meio sorriso que poderia facilmente ter roubado todo o meu fôlego.

— Vi você almoçando com uma garota há algum tempo — comentei, dando de ombros.

— Quando?

— Naquela semana que você me contou da sua mãe.

Ele pareceu buscar no fundo da mente, até que disse:

— Ah, sim. Era minha irmã. Por quê? — perguntou, a sobrancelha grossa se arqueando.

Irmã... isso com certeza explicava a clara intimidade entre os dois.

Tive vontade de fazer uma dancinha idiota por puro alívio.

— Curiosidade, só.

Ergui um ombro.

— Ela precisou vir até a cidade e me procurou pra contar tudo, já que minha mãe não queria me ligar — explicou, e eu meneei a cabeça em positivo. — Não se preocupe, futura esposa, não tem nenhuma outra garota na minha vida. — Uma curva sugestiva moldou os lábios de Thiago. — Exceto você — ele disse, mas seu tom não parecia ser tão brincalhão quanto a piscadela que ele me dava.

Naquela noite, Mari surgiu lá em casa e abrimos um vinho para relaxar. Mas, aparentemente, isso era uma utopia.

Sem Thiago, eu voltava ao meu estado de ansiedade.

Mari não estava tão diferente de mim e, vendo seu pé se mexer sem parar em cima de seu joelho, perguntei:

— Como foi o almoço com o Frenchie?

Ah, e isso bastou.

Foi mais do que o suficiente para minha amiga me encarar, assustada, e dizer:

— Acho que tô gostando dele.

Acabei rindo, sem nenhum controle. O vinho balançando dentro da taça em minha mão que sacolejava junto com o corpo.

— Isso não é novidade, Mari.

Ela franziu o cenho, mas logo relaxou, derretendo no sofá com uma expressão meio tensa, meio contente.

— Você diz isso, mas eu não esperava gostar de alguém tão cedo. Não depois do idiota do Túlio. Do que ele fez... — ela suspirou.

— Quando acontecer, vai acontecer. Lembra? — Mari me encarou, confusa. — Foi o que *você* me disse da outra vez que falamos sobre esse assunto. Se você e o Frenchie estão se dando bem, isso é bom.

— Fico com medo — admitiu, mordendo o canto da boca. — Medo de me magoar de novo. Mas o Dominique... É tão difícil de explicar. Ele me faz rir e me sinto segura ao lado dele. A impressão que tenho é de que nos conhecemos há séculos, não é loucura?

Eu quis dizer que não. Que, na verdade, fazia todo sentido já que eles estavam destinados um para o outro. Suas almas eram metades de um todo.

— Tudo é loucura — acabei murmurando, bebendo um gole do vinho que desceu como seda em minha garganta. — A vida é inesperada. O destino, então, deve ser o maior zoeiro do mundo. Talvez tenha sido ele o responsável pela criação dos memes. — Um bico surgiu em meu rosto conforme eu pensava sobre essa teoria.

Mari soltou uma risada fraca, também provando da bebida.

— Não quer dizer que seja ruim — continuei, refletindo. — Acho que, quando conhecemos alguém que nos faz sentir bem, *viva*, isso só pode ser classificado como sorte, como algo bom.

Minha amiga assentiu, concordando.

— E isso não serve só pra mim, certo? — Encarei seu rosto, um sorriso sugestivo brotando em seus lábios. — Você deveria escutar melhor o que diz e aplicar em sua própria vida. — Minha testa se enrugou. — Você gosta do Thiago.

Engasguei, tossindo as tripas para fora, conforme Mari ria baixinho e batia em minhas costas.

— Ah, vai, você realmente acha que eu não percebo as coisas? Vocês *tavam* no maior clima de romance. Sem falar que, desde que ele apareceu na sua vida, vejo um brilho diferente nos seus olhos, amiga. — Ela me ofereceu um sorriso cauteloso. — Sei que você sempre foi fechada para romance desde o Alexandre, e também achava que jamais encontraria outra pessoa que fizesse seu mundo girar. Mas isso já não é mais verdade, é?

Prendi o lábio inferior entre os dentes, digerindo cada palavrinha que Mari dizia.

— Vamos, Lê. Ao menos admita que você sente vontade de lamber aquele corpo maravilhoso, centímetro por centímetro — riu, maliciosa.

Eu a acompanhei, soltando uma lufada de ar em seguida.

— Ele é muito gostoso, né? — perguntei, cúmplice, sentindo meu rosto esquentar.

Mari me deu um pequeno soco no ombro, um gesto de companheirismo e amizade, e, especialmente, de concordância.

— E ainda não acredito que você roubou um beijo dele — lembrei, balançando a cabeça ao me recordar do aniversário de Flávia.

Minha amiga me ofereceu um sorriso amarelo e cheio de culpa.

— Vamos dizer que errei o alvo naquela noite. Meus instintos queriam me levar para o Dominique, mas a bebida me deixou zonza o suficiente pra errar o caminho e beijar a boca errada — sorriu, travessa. — Mas eu conheço essa carinha aí — apontou para mim com o queixo. — O nome disso, minha querida amiga, é ci-ú-mes — sibilou em forma de provocação, me encarando em desafio.

Estalei a língua, virando o resto do líquido escuro de minha taça.

— Vamos lá, pelo menos admita que fica incomodada quando lembra disso. Te conheço como a palma da minha mão, garota! — Mari lembrou, imitando meu gesto e finalizando sua bebida.

Soltei o ar pela boca, recostando a cabeça no sofá, encarando o teto.

— Eu gosto dele — confessei, quase em um sussurro. — Como amigo e pessoa, especialmente. Assim como você disse, me divirto horrores com o Thiago e me sinto segura, e não dá pra ignorar o fato de que me sinto muito atraída por ele. E, bom... — um risinho bobo fugiu de minha boca — Acho que não dá mais pra negar que tô subindo pelas paredes, querendo arrancar aquelas camisetas *nerds* com a boca.

Minha amiga engasgou com minha confidência, assentindo em seguida.

— Então arranca a camiseta, a calça, a cueca. Arranca tudo, Lê! — incentivou, o que me fez rir. Se era por vergonha, pelo efeito do vinho ou pela vontade de realmente seguir a sugestão dela, eu não sabia.

— Ele me chamou pra jantar uma vez — contei. Os olhos de Mari se arregalaram e brilharam. — Eu recusei. — Ela me encarou com tédio e repreensão. Levantei uma mão à frente do meu corpo. — Achava que ele tinha namorada.

— Tudo bem. Justo — respondeu ela.

— Mas agora sei que ele não tem. — Mordisquei uma bochecha. Aqueles pensamentos estavam rondando minha mente desde aquela tarde.

— Vai arriscar e chamá-lo pra sair? — questionou, ansiosa, praticamente pulando no sofá.

— Não sei ainda — confessei. — É tudo muito estranho. Eu realmente não achava que fosse me interessar por algum cara de novo. Mas as coisas aconteceram e meio que fui obrigada a pensar sobre mim, sobre meu futuro, sobre o que quero da vida.

— E qual foi sua conclusão?

Torci a boca e encarei minhas mãos.

Vazias, como sempre.

Enquanto o laço vermelho no mindinho de Mari parecia reluzir à minha frente, quase como se me esnobasse, o meu destino era vazio e solitário.

— Eu nunca vou encontrar o amor verdadeiro de novo — murmurei, mais para mim mesma do que para minha amiga. Ela segurou minha mão e apertou com força em sinal de apoio e compreensão. — Mas não quero deixar de viver por isso. Não quero deixar a vida passar sem experiências, aventuras, entende?

Mari assentiu.

— Super entendo! E acho que você tá certíssima. Sabe, amiga, você não precisa se preocupar com sentimentos profundos ou relacionamentos agora. Se você tá a fim de transar, apenas transe. Com Thiago ou outro cara. Seja apenas uma vez ou por quantas noites você sentir vontade. Sexo casual é sempre muito bem-vindo — confessou, convicta.

Acabei colocando uma mão no rosto e esfregando a pele para baixo.

— Eu nem ao menos sei flertar — lembrei. — Imagine só fazer sexo casual.

O único homem para quem eu já havia me entregado tinha sido Alexandre. Nos conhecemos tão novos e tudo com ele foi tão rápido, fácil. Não houve joguinhos, flertes exagerados ou complicações.

— Ah, amiga, isso é instinto. Depois que o cara tiver com a língua na sua boca e te tocando nos lugares certos, você vai pegar o ritmo da coisa.

— Será, Mari? Confesso que fico meio nervosa com isso. E se... e se eu surtar ou... cacete, e se eu não for boa... você sabe, na *hora H*.

Ela soltou uma risada irônica.

— Você não é nenhuma virgem, amiga.

Meus lábios se torceram em uma careta.

— Muito menos uma *expert* em homens, né?

Mari suspirou e fez um leve carinho em meu braço antes de dizer:

— Sei que você não teve muitas experiências. Afinal, só dormiu com o Alexandre em todo esse tempo, mas acredite em mim quando digo que isso não faz diferença. Se você quiser transar com alguém, se sentir desejo por essa pessoa e se sentir-se à vontade com quem quer que seja, as coisas vão fluir naturalmente. Acho ótimo o fato de você ao menos pensar sobre isso, já que há poucos meses você ficava toda evasiva quando eu tocava no assunto.

— Eu sei — confessei, me lembrando de como a ideia de estar com outro homem parecia tão absurda, até então. Mas agora algo dentro de mim parecia ter mudado, estar diferente. Algo na forma que Thiago me olhava, me tratava, me fazia sentir.

— Esse ano foi difícil — Mari continuou. — Mas também acho que tá na hora de você sair desse casulo, dessa bolha de trabalho e castidade. Seja ousada, tome a iniciativa! Tenho certeza de que o Thiago vai te receber de braços abertos.

Concordei com um meneio de cabeça. Mari tinha razão, eu poderia fazer isso. Não tinha nada a perder, certo? Ainda que fôssemos para a cama uma ou algumas vezes, sabia que aquilo não estragaria minha amizade com Thiago. Eu não deixaria que isso acontecesse. Nem ele, eu gostava de acreditar.

Afinal, diferente de Mari e Dominique, eu e Thiago não estávamos destinados ou ligados um ao outro. Nossa conexão era simplesmente mundana, como duas pessoas solitárias em busca de companhia.

Ao menos era como eu nos via: ambos sem o maldito fio em nosso dedo, sem ninguém nos esperando pelo resto da vida.

— E você... — ela continuou, a voz com um tom sugestivo. — Vai recebê-lo de pernas abertas.

Joguei uma almofada na cara diabólica dela, acabamos em gargalhadas e rostos corados quando eu disse que ela também receberia Frenchie da mesma forma, na primeira oportunidade.

Ela nem sequer teve a decência de negar, o que nos fez rir ainda mais alto.

— No fim, eu tava certa — se glorificou com um sorriso arteiro. — Avisei que quando acontecesse, você não ia conseguir escapar.

Bufei, porque nunca é legal quando a pessoa joga na sua cara que ela estava certa e você errada.

— Quer que eu te chame de Gênio de Lâmpada, agora? — resmunguei.

— Os mais íntimos podem me chamar apenas de Gênio — retrucou, estufando o peito e imitando o personagem de *Aladdin*.

Soltei uma risada baixa.

— Ei, sabe o que eu acho? — comentou, aérea.

— O quê?

— Que aquele amuleto de amor que pegamos no santuário nos trouxe alguma sorte.

— É, foi um dia que... trouxe muitas coisas.

Acabei rindo mais uma vez, pois Mari não podia imaginar quantas coisas mais aquele dia me trouxera.

A conversa nos fez bem, percebi, quando terminamos quase deitadas no sofá, refletindo sobre os conselhos uma da outra. Parecia que uma expectativa nos sondava, uma energia eletrizante pairando no ar, com promessas de novas emoções e histórias para contar.

Estava verdadeiramente feliz com o fato de as coisas terem dado certo com Mari e Frenchie. Estava escrito nas estrelas, no destino dos dois. Agora, ambos estavam no rumo que deveriam seguir, juntos, o laço entre eles se tornando cada vez mais próximo, único e real.

Como eles tinham sorte!

Imaginei quantas pessoas ainda precisavam se encontrar para descobrir o amor verdadeiro e quantas outras deixaram a oportunidade escapar por qualquer motivo que fosse. Senti pena delas, meu coração se apertando com a ideia de almas gêmeas que se desencontraram por conta de decisões ou desvios de caminho.

Agnes e Isao, por exemplo, demoraram a vida inteira para se encontrar. Não que Isao não tivesse sido feliz com sua primeira mulher. Isso, na verdade, eu jamais saberia. Mas, se ele tivesse estado com Agnes desde sempre, será que sua vida não teria sido melhor? Mais alegre, quem sabe?

Isso era algo que eu, volta e meia, questionava. Principalmente depois de ver os dois tão contentes, dividindo sorrisos e carícias naquele dia, no retiro.

Uma vida inteira para se encontrarem, para chegarem àquela felicidade.

Não parecia justo. Nem um pouco.

E quantas pessoas mais passariam pela mesma coisa? Isso, claro, se tivessem a sorte de encontrar sua cara-metade, mesmo que depois de mais velhos.

Lembrei a mim mesma de que eu poderia ajudar ao menos algumas delas e isso me trouxe um sentimento reconfortante, como se o recipiente — agora já um pouco mais cheio — se contorcesse em aprovação dentro do meu âmago. Prometi a mim mesma que, no dia seguinte, juntaria mais um casal, ou ao menos tentaria. Depois, tudo dependeria da Lei do Livre-Arbítrio.

Quando a garrafa de vinho terminou e nossos pensamentos já começavam a se dispersar, Mari e eu decidimos dar uma nova chance para *O Senhor dos anéis*. Aparentemente, Frenchie também a tinha repreendido por nunca ter terminado a trilogia.

Assistimos o primeiro, mas caímos no sono na metade do segundo.

De novo.

É, os meninos ficariam furiosos com a gente.

CAPÍTULO 18

Acordei antes de o despertador tocar, naquela manhã de sábado. Tomei um bom banho e coloquei uma calça *jeans* e uma blusa branca estilo cigana. O dia estava morno quando saí de casa e o céu, sem nuvens. Graças à nossa querida Tempestade — ou Ororo, para os mais íntimos, como é o meu caso —, já que passei a madrugada em preces para que o tempo acordasse bom.

O evento do Canal Radical aconteceria no maior parque da cidade e eu já me encaminhava para lá, ainda que faltassem três horas para que de fato começasse.

Chegando ao local, conferi que tudo estava nos conformes. A equipe de montagem dava os últimos retoques, nada de mais. Estava tudo como eu imaginara: impecável.

Com o tempo livre, acabei focando em meu outro trabalho. Aquele não remunerado. Ou, pelo menos, não com dinheiro, e sim com algo muito mais importante: retalhos do que eu sou. Da minha alma, mais especificamente.

Meu alvo foi um cara que cuidava do equipamento de som e luz. Caminhei até ele como quem não quer nada e perguntei:

— Tudo certinho aí? Precisando de alguma ajuda?

Não que eu realmente fosse muito útil, já que não entendia nada daqueles aparelhos imensos em que ele mexia, mas não custava oferecer.

O homem de pele marrom e sorriso largo me fitou:

— Opa, tudo sim, chefa. Pode ficar tranquila, tá tudo nos eixos.

Sorri de volta. Ele parecia ser uma pessoa simpática, o que apenas me deu mais vontade de ajudá-lo.

Foquei minha atenção em seu dedo mindinho, encarando aquele fio vermelho intenso e lá estava: a dor de cabeça, a tonteira e o rosto de um jovem lindo, com cabelos escuros presos em um coque bem-feito. Mas ele estava longe, em outro estado, na real. Aparentemente morava lá, pois estava com o avental de uma cafeteria local.

Mordi uma bochecha. Droga, isso seria um pouco mais difícil do que das outras vezes! Porém, como se uma lâmpada surgisse em cima da minha cabeça, comentei:

— Aquele feriadão tá chegando, né? Não vejo a hora!

— Pô, nem me fala! — Ele enxugou o suor da testa com o antebraço. — Tava mesmo precisando de um descanso.

— E tá pretendendo viajar? — disparei.

— Até tava, mas como não tô podendo gastar muito, não sei pra onde posso ir ainda.

— Já me disseram que ir para Gramado não é tão caro e tem vários pontos turísticos legais pra conhecer. — Tentei buscar na lembrança de segundos antes o nome da cafeteria. — Tem um lugar que é superconhecido, se chama Casa da Velha Bruxa. Falam que tem os melhores *waffles* do país; ouvi dizer até que o David Guetta já foi lá — menti, mas era para o bem do cara.

— O David Guetta? — Seus olhos brilharam e soube que tinha acertado em cheio.

— Pois é, ele mesmo! Irado, né?

— Demais! Vou ver certinho. Parece um destino bacana.

Concordei com a cabeça e, com o objetivo de dar algumas informações reais da cidade, comecei a mostrar para ele outros pontos de visitação, que, para a minha surpresa, o deixaram bastante animado. Especialmente as cachoeiras magníficas que nosso Pai Todo-Poderoso, Google, nos mostrava.

Acabamos nos despedindo alguns minutos depois, o homem com um sorriso decidido no rosto e eu me sentindo um pouco mais viva e satisfeita do que quando acordara, torcendo para que eles se encontrassem e mais um casal tivesse o seu "felizes para sempre".

Então, o evento começou.

E, puta merda, o pedaço de parque que tínhamos conseguido reservar parecia pequeno demais para tanta gente!

A ideia principal era separar o terreno em três atividades esportivas: judô (sugestão do Thiago, claro), futebol e vôlei.

Convidamos todos os clubes de esportes das escolas da cidade e todas aderiram à ideia, se comprometendo a levar seus alunos e pais. Porém, com a divulgação na mídia, centenas de outras famílias também apareceram.

A ideia consistia em uma troca de lugares. Quem daria as aulas seriam as próprias crianças, enquanto os pais e outros adultos que se interessassem em participar deveriam aprender os golpes e passes.

No campo do judô, a criançada começava explicando os princípios básicos da arte marcial, passando pela ideia de máxima eficiência com o mínimo esforço e indo até a parte do respeito ao mestre, à disciplina e a um esporte que também servia como autodefesa.

Os pais — e Thiago, que avistei no meio dos adultos — agora, após toda a parte explicativa, precisavam imitar os filhos nas posições.

Era uma cena engraçada de ver, mas muito estimulante também. Principalmente quando os pequenos obrigaram os homens a pagar flexões e alguns deles ainda se sentavam nas costas dos pais para dificultar o treino.

Thiago, no entanto, não demonstrava nenhum sinal de cansaço. Pelo contrário: riu quando duas crianças montaram nele e continuou suas flexões como se não houvesse nenhum peso extra em suas costas.

Ele tinha um sorriso tão sincero e espontâneo que um igual se formou em meu rosto. Thiago parecia se encaixar bem ali, em meio ao esforço de seu corpo, a expressão de concentração se tornando um pouco mais severa quando uma das crianças dobrou a meta das flexões.

Meus olhos se fixaram naquelas escápulas fortes, subindo e descendo, com o apoio dos braços musculosos na medida certa, cobertos por uma camiseta verde-água, exatamente do tom de seus olhos.

— Vai ficar aí babando o dia inteiro, Letícia? — Flávia perguntou, me fazendo levar a mão ao peito quando o coração disparou.

Ela riu e me deu um tapinha nas costas.

— Desculpa, eu já tava indo ver os outros campos.

Me preparei para caminhar até onde acontecia uma partida amistosa de futebol.

— Não precisa, acabei de sair de lá. Tá tudo indo muito bem. — Ela percebeu minha atenção no jogo. — As crianças tão arrebentando! Os pais não têm nem chance contra elas. Tá 3 x 0, já.

Abri a boca e a fechei em seguida, surpresa.

— Quem diria, né? — comentei, comprimindo os lábios em uma linha reta.

— O Marcus tinha razão mesmo — encarei minha chefe, confusa. — O senhor Bittencourt — ela explicou, e eu fiz um "ah" em resposta. — Ele disse que fez um estudo com escolas do país todo e percebeu que os pais cada vez mais estavam deixando os esportes dos filhos de lado. Permitiam que eles ficassem imersos na tecnologia, redes sociais e por aí vai. Acho que esse evento vai mostrar a importância de se exercitar e explicar como os princípios dos esportes influenciam na formação de uma pessoa.

— A dedicação, o respeito, a importância de saber ganhar, perder, trabalhar em equipe — complementei, e Flávia assentiu, um pequeno erguer de lábios emoldurando seu rosto.

— Você fez um ótimo trabalho, Letícia.

— Obrigada — segurei o sorriso largo que queria pular para fora de meu rosto.

— Agora, que tal você ir lá falar um pouco com a imprensa? — sugeriu e, num olhar cheio de astúcia, se virou para mim. — Tenho certeza de que o Thiago não vai a lugar nenhum. Ele parece estar se divertindo, mostrando seus dotes entre os pequenos.

Corei dos pés à cabeça, mas me obriguei a sorrir amarelo e fazer um aceno com a mão.

— Não tava olhando pra ele, não — menti.

— Claro. E meu cabelo amanhece com os cachinhos perfeitos todo os dias. — Ora, e eu achava mesmo que sim. — Agradeço o seu olhar de surpresa. — Ela riu baixinho. — Mas agora vai lá, tem vários jornalistas querendo uma entrevista.

Acenei com a cabeça e fui até onde um grupo de homens e mulheres faziam entrevistas com pais, crianças e até algumas pessoas famosas que apareceram para dar seu apoio ao evento e estímulo ao esporte.

Fui bombardeada de perguntas assim que me apresentei.

Dei algumas informações sobre o projeto, a ideia por trás e como a Up Marketing e o Canal Radical esperavam que aquilo, de alguma forma, abrisse os olhos das pessoas para os hábitos da nova geração. A mensagem era clara: o amadurecimento do nosso corpo e do nosso espírito vinha através das atividades que fazíamos. O exercício era importante, essencial, e não deveria ser deixado de lado, em hipótese alguma.

Pais ofegantes, que mal conseguiam se deslocar pelos campos de futebol e de vôlei, enquanto outros pareciam desfalecer com apenas dez flexões na área do judô, eram a maior prova de que nosso condicionamento físico tem piorado nos últimos anos. Não podemos deixar que aconteça o mesmo com as crianças de hoje.

Os jornalistas pareceram bastante satisfeitos com minhas respostas e agradeceram antes de continuarem a cobertura do evento. Tudo seria transmitido nos canais de todo o país e esperávamos que servisse como uma mensagem de conscientização geral.

— Você parece orgulhosa — Thiago disse ao se aproximar.

— Acho que é porque estou — sorri, e o encarei de cima a baixo. — Você, por outro lado, parece destruído.

Ele soltou uma risada baixa.

— É porque estou — admitiu, enchendo os pulmões de ar e soltando pela boca. — Vamos tomar alguma coisa? Eu daria minha vida por algo gelado, agora.

Concordei com a cabeça e fomos para a área onde algumas barraquinhas estavam dispostas, oferecendo água e sucos para os participantes do evento.

Thiago tomou um copo inteiro de uma só vez, revelando sua exaustão e sede.

— Falei com o Mauro mais cedo — começou. — Ele disse que tava marcando com a galera de ir comemorar num barzinho aqui perto, quando terminarmos.

— Parece bom.

— Contanto que você não pare no hospital, acho que vai ser uma boa comemoração — provocou, me encarando de soslaio.

Minha resposta foi simples, mostrei minha língua, sem saber que aquele gesto inocente se transformaria em chamas percorrendo todo o meu corpo quando Thiago se virou e aproximou o rosto do meu.

Sua respiração tocava minha bochecha e engoli em seco, a garganta pinicando e as mãos começando a suar por causa de sua aproximação.

— Cuidado, Letícia — murmurou, como um felino. As íris verdes chispando naqueles olhos profundos em que eu desejava mergulhar, um olhar predatório em minha direção. — Já me disseram que quem mostra língua pede beijo.

Sua voz era um ronronar baixo que acariciava meus ouvidos. O sorriso malicioso que surgiu em seu rosto era de pura provocação, misturado à uma promessa muda.

Ofeguei e senti minha pele atingir o tom máximo do vermelho. O sangue reagindo em todos os meus membros e se instalando em minhas bochechas, conforme eu tentava pensar em qualquer palavra para retrucar.

Uma vontade louca, descontrolada, de beijar Thiago tomou conta de mim. Ali mesmo, naquele exato segundo. E que o resto se danasse!

Mas ele se afastou, os lábios erguidos em um sorriso sensual demais para que minhas pernas continuassem firmes no chão. Pensei que derreteria, como sorvete sob o sol.

— Aí estão vocês — Raissa surgiu, animada. — O fotógrafo quer tirar uma foto com a equipe toda, vamos.

Thiago começou a seguir nossa amiga, mas não sem antes me encarar sobre o ombro, claramente se divertindo com meu estado imóvel, duro como pedra.

Eu provavelmente precisaria de uma bruxa nível Hermione para me tirar daquele *Petrificus Totalus* vergonhoso. Porque só podia ser isso: eu fora enfeitiçada.

E aquilo devia ser magia negra, meus amigos, porque era como se o fogo do inferno se alastrasse por cada uma de minhas células.

Suspirei, desejando um banho de água fria. Com gelo, se possível!

— Vem logo ou eu vou te jogar sobre meu ombro como um saco de batatas — brincou ele, com aquele sorriso encantador de menino.

Sorri amarelo e acabei forçando meus pés a se mexerem, por mais que parecessem um bloco de cimento.

Chegamos até o local onde um painel enorme com a logo do Canal Radical estava disposto e nos juntamos aos outros, em frente a ele. Eu sorri, fiz pose, ergui os braços e abracei as meninas da minha equipe.

Mas, no fundo, tudo o que eu queria era um beijo.

Um beijo dele.

CAPÍTULO 19

Àquela altura, Mauro e Flávia tinham pedido sei lá quantos baldes de cerveja, tudo por conta da Up, o que apenas deixou todos mais animados.

A galera brindava a cada novo copo, em clima de alegria e festa. Uma verdadeira comemoração, principalmente depois do evento ter sido um sucesso absoluto — para o meu alívio.

Os diretores disseram que, naquela tarde mesmo, receberam várias ligações de outras empresas, buscando uma agência para suas ações. A Up realmente estava alavancando e isso me trazia um orgulho sem igual.

Thiago, ao meu lado no bar, conversava com Raissa e Doutor Guedes, que brincavam com ele sobre seu jeito com crianças, dizendo que ele daria um bom pai, algum dia. Poderia ter sido só impressão, mas senti seu olhar se esgueirando para mim nesse momento, o que fez um frio percorrer toda a minha espinha e eu entrar em uma conversa com uma menina do meu outro lado.

Minha cerveja havia acabado e, como já bebera uns quatro copos, achei que seria bom parar. Levantei a mão para chamar a garçonete do balcão e foi impossível não reparar quando seus olhos cor de chocolate se chocaram com os meus. Um brilho tão triste dentro daquelas íris, conforme ela enxugava uma lágrima antes mesmo que ela fosse derramada.

Assim que chegou à mesa, ela me ofereceu um sorriso gentil:

— Deseja alguma coisa?

— Queria uma água sem gás, por favor — respondi, ainda focada em seus olhos.

Algo tinha acontecido com ela e claro que eu não sabia o que era, mas uma voz dentro de mim gritou "olhe" e minha atenção foi para o fio vermelho em seu dedo mindinho.

A visão mais estranha me atingiu conforme a garota assentia e se afastava para pegar meu pedido.

Um homem de cabelos avermelhados, encarando a foto deles dois no celular. Ela estava naquela foto, um brilho de felicidade em seus olhos, bem diferente do que eu via agora, à minha frente.

Pendurado na porta, atrás do homem ruivo, consegui identificar um terno exposto. Pelo colete e a gravata borboleta, deduzi que era o noivo e as peças logo se encaixaram.

Ele iria se casar.

E provavelmente não seria com ela.

Ofeguei, a dor aguda perfurando meu crânio.

Esfreguei a mão na testa com força, sentindo o mundo girar.

— Ei — Thiago chamou, passando o braço por meus ombros, a voz bem próxima à minha bochecha. — Tá se sentindo mal?

— Enxaqueca — consegui dizer, respirando fundo e acalmando os efeitos que a visão tinha sobre mim. — Mas já pedi água, vou tomar um remédio.

— Quer que eu te leve pra casa? — ofereceu, seus dedos fazendo uma leve carícia em meu braço abaixo do ombro esquerdo.

Neguei com a cabeça, mas não o encarei. Estava procurando a garçonete. Eu precisava ajudá-la, precisava dizer para que ela fosse atrás dele, que impedisse aquele casamento.

Como?

De repente, ela surgiu, colocando o copo com gelo e a garrafinha de água na mesa. Eu ainda não sabia o que dizer. Ou fazer.

Aquilo era mais difícil do que apenas dizer onde a pessoa deveria ir para encontrar sua alma gêmea. Aquele era um casal que estava se separando.

E poderia ser para sempre.

— Se precisar de mais alguma coisa, é só me chamar — ela sorriu de novo, ainda que o sorriso não chegasse aos olhos.

Droga!, praguejei dentro de minha mente e não pensei muito bem quando segurei o pulso dela.

— Ele não me quer, sabia? — balbuciei, recebendo um olhar confuso.

Apontei para Thiago ao meu lado com o polegar e fiz minha melhor cara de triste.

— Ele não me quer — repeti, e Thiago engasgou com a cerveja. Nem sequer tive coragem de olhar para ele ou para Raissa ou para quem quer que estivesse me ouvindo. — Você acha que eu deveria desistir?

A garçonete me encarou, nos avaliando por um segundo, um olhar misturado de pena, tristeza e, por fim, a compreensão tomou seu rosto.

— Ele tem alguém na vida dele? — perguntou, a voz quase falha.

Ambos negamos com a cabeça.

— Então, não desista — declarou ela. — Se gosta dele, não desista.

Pude sentir todos os olhares em cima de mim, o silêncio reinando enquanto prestavam atenção à minha conversa com a mulher. E, assim que aquilo acabasse, eu me enfiaria dentro de um buraco como um avestruz, e jamais veria a luz do sol de novo.

— Acho que você tem razão — sibilei, tentando pensar nas próximas palavras. — Mas mesmo que ele tivesse alguém, eu não desistiria — minha voz saiu com tanta firmeza que pude sentir o pulso da garçonete disparar contra meus dedos que ainda a seguravam.

Soltei-a assim que percebi.

— Quando a gente sabe que é certo, que aquela pessoa foi feita pra você... quando há uma conexão inexplicável, isso só pode ser o destino — minha garganta secava e meu próprio coração martelava contra o peito. Eu estava nervosa e, por um momento, senti como se estivesse contando a todos o meu segredo. — Se você ama alguém, se existe uma pessoa que te completa e que traz à tona o seu melhor, *você não pode desistir*, certo?

Ela engoliu seco e seus olhos marejaram.

— Mesmo quando ele está prestes a se casar com outra?

Aí estava, a brecha de que eu precisava.

— Mesmo assim — avisei. — Homens e mulheres se casam com as pessoas erradas o tempo todo. Se você sabe que é um erro e que deveria ser você naquele altar, então vá e diga isso pra ele. Talvez seja isso que ele esteja esperando.

As lágrimas finalmente começaram a rolar por seu rosto, fazendo um caminho até o maxilar, onde as gotas caíam e se dissolviam no chão.

Tentei dar meu sorriso mais convincente, mais cheio de força para que ela tomasse a decisão que mudaria sua vida e que a colocaria novamente no caminho de seu destino.

— Ela tem toda razão — Thiago declarou, me fazendo encará-lo. Mas ele olhava unicamente para a mulher de olhos cor de chocolate. — Às vezes, o cara só está esperando alguma resposta, algum indício de que a garota também o quer. Sabe... — ele riu, envergonhado, massageando a nuca com a mão livre. A outra continuava acariciando a minha pele, percebi. Minha respiração começou a falhar. — Nós somos cabeças-ocas e inseguros na maior parte do tempo. É verdade.

— Mesmo? — a garçonete perguntou, mordendo o lábio inferior em uma tentativa de controlar os soluços.

— Ah, sim, sério mesmo! Você pode ver pelo nosso exemplo aqui — Thiago riu baixinho, aproximando ainda mais o meu corpo contra o dele. — Ela me queria, mas nunca falou. Como é que eu iria saber?

A garçonete acompanhou com uma risada baixa e assentiu, um olhar determinado tomando conta dos olhos que já não demonstravam mais tristeza.

— Obrigada — sussurrou ela, sorrindo.

No segundo seguinte, ela correu até o gerente do estabelecimento e entregou o avental para ele, correndo pela rua até encontrar o primeiro táxi que viu.

Missão cumprida!, dizia a voz dentro de mim, meu recipiente se remexendo em felicidade e meu coração tão quente quanto lava.

— Bom, seja lá o que tenha sido isso — Raissa disse, revezando o dedo indicador para mim e Thiago, um sorriso suspeito em seus lábios fartos. — Acho que vocês acabaram de dar uma de cupido com aquela mulher.

Thiago riu, concordando com a cabeça.

— Não sabia que a Letícia era vingativa, mas não é que fizemos uma coisa boa? — Ele parecia orgulhoso de si.

— Vingativa? — Foi Luana, a menina do financeiro, quem perguntou, e Thiago começou a explicar que ele era quem começara a brincadeira do "ela não me quer", pois, aparentemente, minha cara de vergonha era impagável demais para ele resistir.

Luana suspirou aliviada. Não sei se os outros também repararam.

Todos, para minha sorte, entenderam que tudo aquilo não passava de uma piada. Um tipo de vingança pessoal com intuito de brincadeira.

E foi a brecha para Flávia se levantar e dizer:

— Bom, aproveitando esse momento de descontração, vocês devem saber que o aniversário da Up está chegando e decidimos alugar um sítio pra um churrasco de dia inteiro, no próximo feriado.

A galera foi à loucura. Urros de aprovação e canecas batendo por cima da mesa fizeram com que Thiago retirasse o braço de meus ombros para se servir e brindar com os demais. E só então pude respirar direito, sem o toque quente dele contra minha pele.

Thiago fazia com que eu me sentisse prestes a explodir, cheia de expectativas e vontades. Meus pulmões e coração pareciam entender isso e se rebelavam quando ele se aproximava demais, me tocava ou dizia aquelas provocações ferinas, diabólicas, sensuais.

Percebi que talvez, só talvez, aquela brincadeira tinha algum fundo de verdade.

Cansada, com os pés doendo e a mente um pouco confusa pelos acontecimentos do dia, me despedi de todos para ir embora. Flávia havia desaparecido pouco tempo depois do anúncio, quando seu telefone tocou e um sorriso pleno emoldurou seu rosto.

Não a vimos mais e pensei que tivesse ido para casa.

Thiago se espreguiçou na cadeira, avisou que também estava na sua hora e sugeriu que dividíssemos o táxi.

— Tem um ponto ali na frente — avisou ele, apontando com o queixo para a esquina seguinte.

— Beleza — respondi, sentindo agora dificuldade para respirar.

Deduzi que se dava pelo fato de estarmos sozinhos, a rua deserta e eu me perguntando o que ele faria se eu lhe mostrasse a língua mais uma vez.

Um puxão em minha cintura bastou para que meus pensamentos dissipassem e o nervosismo tomasse conta de mim.

— Que foi? Que foi? — perguntei, alarmada.

Thiago colocou a mão na minha boca e girou meu corpo contra o dele, minhas costas batendo em seu peito largo.

A boca se aproximou de meu ouvido e ele sussurrou, travesso:

— Olha ali — tirou a mão que cobria meus lábios e apontou para um canto na esquina. — É a Flávia, não é?

Semicerrei os olhos e arfei quando concluí que sim, era ela.

— Com o senhor Bittencourt! — murmurei, entusiasmada.

Os dois se beijavam contra uma parede de tijolos que parecia ser uma barbearia retrô.

— Vem, vamos dar privacidade pra eles — Thiago me puxou pela mão, de volta ao caminho até o ponto de táxi. Sua palma era quente contra a minha e senti vontade de entrelaçar nossos dedos. Porém, não o fiz. Nem ele. — No aniversário dela percebi um climinha entre os dois — comentou, pensativo. — Mas não sabia que estavam de fato se pegando.

Tive vontade de falar "sabe de nada, inocente", mas preferi apenas concordar com a cabeça.

— Pelo visto estão se dando bem desde o início da parceria — falei, tentando esconder a alegria que pulava dentro do meu peito.

Juntos, enfim!, a voz dentro de minha cabeça dizia.

— E o que você acha disso?

— Disso o quê?

— Colegas de trabalho se envolverem — deu de ombros, mas percebi que seu maxilar parecia contraído.

— Bom, teoricamente eles não são colegas de trabalho — comentei, pensativa.

Chegamos ao ponto de táxi e Thiago abriu a porta para que eu entrasse. Demos nossos endereços e me recostei no banco traseiro.

Thiago continuou:

— Talvez eu não estivesse me referindo a eles.

Olhei para o lado. Para ele, mais especificamente. Seu rosto estava virado para frente, mas ele por fim me encarou. Os olhos verdes como um mar tranquilo em meio à escuridão da noite, como águas claras sob a luz do luar.

Abri e fechei a boca, pois não sabia o que responder.

— Pensa no assunto e me fala depois — disse, com um sorriso travesso surgindo em sua face antes de voltar sua atenção para frente.

O resto do caminho foi silencioso e em poucos minutos o carro já parava em frente ao meu prédio.

Antes de me despedir, os conselhos de Mari do outro dia me acertaram como um trovão e eu o encarei, tomando coragem.

Thiago, pelo visto, percebeu, pois desafiou:

— Um pensamento por outro.

— Estou pensando se aquele convite pra jantar ainda tá de pé.

Ele sorriu tão abertamente que perdi o ar.

CAPÍTULO 20

Na manhã seguinte àquele domingo morno, Thiago retornaria à sua cidade natal, onde, em dois dias, a mãe faria a cirurgia.

Nosso jantar seria no sábado, considerando que tudo corresse bem e se ele já estivesse de volta no final de semana. Aparentemente, os pais de Thiago não queriam que a doença atrapalhasse a vida do filho e sempre diziam que não era necessário ele ficar fazendo esse bate e volta toda hora.

Ele, no entanto, não se importava nem um pouco. Principalmente agora, que sua mãe precisava de todo apoio possível.

Mauro não fez nenhuma oposição às faltas de Thiago. Eram amigos antes de começarem a trabalhar juntos e o *designer* sempre entregava suas demandas no prazo, sendo assim, para a Up, não tinha problema algum se ele passasse um tempo fora.

Na terça à noite, suspirei aliviada quando recebi uma mensagem sua dizendo que a cirurgia fora um sucesso. Imaginei que um peso tivesse saído dos ombros dele também, pois, depois disso, as mensagens foram constantes, engraçadas e algumas até mesmo provocativas.

Thiago estava me tirando o sono todas as noites e eu imaginava como seria quando eu fizesse o mesmo com ele, deixando-o acordado por toda a madrugada, minhas mãos passando por seus ombros largos e o peito exposto, nossas peles suadas e coladas.

Eu, com certeza, não me importaria nem um pouquinho.

O despertador tocou, a manhã de sábado tinha chegado! Meus pulmões pararam de funcionar no instante em que me dei conta disso.

Apenas Mari — e provavelmente Frenchie — sabiam que eu e Thiago teríamos um encontro mais tarde. Minha amiga, inclusive, parecia estar mais nervosa do que eu.

Se é que isso era possível.

Engraçado pensar que aquele seria meu primeiro encontro de verdade. Com Alexandre, não tivemos isso. Mal tínhamos dinheiro para o cinema, quanto mais sair para um jantar que não fosse *fast food*.

Nosso primeiro beijo foi escondido, na escola. Bem rápido, para que nenhum funcionário nos pegasse.

Ele me pediu em namoro no segundo em que nossas bocas se desgrudaram e eu aceitei. Foi assim pelos anos seguintes. Éramos melhores amigos, imaginei que por isso não tivesse tido o famoso frio na barriga. Com ele, era fácil, simples.

Agora eu sairia com um cara pela primeira vez. Iríamos jantar, rir juntos, falar da comida ou do dia a dia. Haveria flerte, eu sabia que sim, e depois...

Bom, depois eu não sabia.

Tentei não colocar minhas expectativas nas alturas e percebi que precisava de uma distração com urgência.

Fui até a cozinha, constatando que a geladeira começava a ficar vazia. Uma visita ao supermercado pareceu a solução para os meus problemas, por isso tomei uma ducha e saí.

Com a cesta azul em mãos, escolhendo alguns legumes, precisei pedir licença a uma garota de uns 20 anos para alcançar as cenouras. Ela me pediu desculpas, sem graça por estar no caminho, completamente alheia à sua volta enquanto lia o que parecia ser um folheto sobre intercâmbio.

Algo pulsou dentro de mim. Um sentimento que eu já conhecia como a palma da minha mão.

Tudo bem, vamos lá!, pensei comigo mesma antes de apoiar uma mão na beirada da ilha onde estavam os legumes e focar no fio vermelho que pendia no mindinho da menina.

A visão do homem forte, cabelos cor de fogo e lábios fartos surgiu no mesmo instante em que minha cabeça latejou e perdi o equilíbrio.

Durou apenas um segundo antes que meu corpo se estabilizasse e eu pudesse enxergar melhor a revista nas mãos da garota.

— Tá pensando em fazer um intercâmbio? — perguntei, como quem não quer nada, fingindo avaliar uma cenoura nas mãos.

— Sim, no ano que vem — ela respondeu, um sorriso indeciso nos lábios.

— E pra onde quer ir?

A menina soltou um longo suspiro.

— Aí é que tá — falou. — Não sei ainda. Todo mundo fala pra ir pra Londres ou Nova York, mas acho que gostaria de algum lugar diferente.

— Ah, diferente é legal! — bradei, mas logo contive minha voz e escondi meu interesse. — Sabe um lugar bacana? A Escócia — sugeri, erguendo um ombro e colocando algumas cenouras no saco plástico antes de jogá-las na minha cesta de compras.

— Escócia? — ela torceu a boca. — Mas o que é que tem lá de bom?

Droga! Eu nunca tinha ido pra Escócia. Nem mesmo pensado na possibilidade de ir um dia.

— Hã... Ah! Você já viu *Outlander*? — Bendita seja a pessoa que criou as séries. Obrigada, Deus!

— Já ouvi falar, mas nunca assisti — confessou.

— Menina, chegue em casa e comece a ver. Uma das melhores séries de todos os tempos e você vai se apaixonar pela Escócia com aqueles campos verdes e os castelos.

O rosto dela pareceu ponderar a ideia, o que já era um ponto a meu favor.

— E tenho certeza que depois que você conhecer o Jamie... — Pisquei, sorrateira. — Maior *crush* da vida, só dizendo.

Dei de ombros e ouvi uma risada baixa saindo de sua boca.

— Um *crush* novo cairia bem — disparou ela, os olhos divertidos.

— Então, confie em mim que você não vai se arrepender. Os escoceses são gatos de verdade, especialmente se você gosta de ruivos.

Ela concordou com a cabeça, um pouco tímida agora.

— Além disso, quem sabe — dei de ombros —, a Escócia pode ter vários mistérios e aventuras aguardando por você. Talvez alguém. O homem da sua vida, para ser mais específica. Olha que coincidência, né?

A menina assentiu, parecendo animada com a ideia, e logo se juntou à mãe, que a chamava na fila do caixa.

Continuei minha busca por legumes com uma sensação boa no peito, como se mais um curativo fosse colocado dentro de mim, me refazendo.

Estendi a mão para pegar mais um saco plástico, dessa vez para as batatas, quando uma mão o estendeu para mim.

— Pronto — falou a voz.

Uma voz conhecida.

Encarei o homem à minha frente e minha mão recuou até meu corpo.

— O que você tá fazendo aqui? — perguntei ao senhor Tanaka. Seus olhos escuros me avaliavam com atenção.

— Você costuma distribuir conselhos para pessoas desconhecidas todos os dias? — indagou ele, o que fez minha respiração se tornar pesada.

— Isso não é da sua conta — disparei, me virando.

— Espera — ele pediu. — Eu vi também... — pigarreou. — Naquele dia, no bar. Com a garçonete — explicou.

Girei em meus calcanhares e o encarei, dessa vez com minha feição mais irritada.

— Você tá me seguindo, por acaso?

Ele não negou, o que apenas me deixou mais assustada, tudo em mim apitando num aviso de perigo.

— Perdão — sussurrou, passando os dedos na testa e esfregando a pele lisa com gotículas de suor, parecendo nervoso. — Queria me desculpar pela forma que te abordei outro dia e também pelas acusações e ameaças. Sou um tanto impulsivo, às vezes.

Bom, eu esperava mais alguns questionamentos. Talvez uma recriminação ou outra. Mas um pedido de desculpas? Aquilo me pegou desprevenida.

Mordisquei a bochecha, tentando avaliar se seu pedido era sincero ou apenas algum tipo de armadilha. Ele poderia muito bem tentar me pegar à força e começar a fazer um novo interrogatório.

— Sei que você esconde algo. Acho que tem a ver com algum tipo de sensibilidade — sibilou ele, pensativo. — Talvez por isso tenha conseguido, não sei como, ver meu avô, como você mesma disse.

Engoli em seco me lembrando do fato de que, sim, eu vira a alma penada do avô dele. Mais de uma vez, inclusive.

— Mas sei que não vai me contar nada se não confiar em mim — continuou.

Acenei com a cabeça, esperando que chegasse até onde eu queria. Claro que sabia que ele provavelmente era o único capaz de me dar algumas explicações, porém, não confiava naquele homem e não me sentia segura com ele para contar a verdade, o que era essencial.

— Tenho tido sonhos — confessou. — E algo me diz que você está atrelada à minha família de alguma forma. — Crispei as sobrancelhas, nervosa, e ele fez um gesto com a mão no ar. — Não sei como exatamente, e só vou poder descobrir com a sua ajuda, mas não vou insistir. Não hoje, pelo menos — ele avisou, sério. — Vou esperar até que decida me contar o que esconde, porque sei que tem algum segredo grande por trás desses conselhos que você dá às pessoas. Ainda desconfio de algumas coisas a seu respeito, não vou negar, tudo isso é muito suspeito pra mim, mas peço que considere conversarmos de forma civilizada.

— E se forem apenas coincidências? — murmurei, hesitante.

— Não acredito em coincidências, Letícia. Me ligue quando estiver pronta pra tocar no assunto — disse, se virando para partir e me deixando na dúvida se deveria chamá-lo de volta ou deixá-lo ir.

No fim, o senhor Tanaka desapareceu na esquina antes que eu pudesse tomar uma decisão.

CAPÍTULO 21

Mari apareceu em casa algumas horas depois e precisei esconder minha cara de quem se encontrava em um grande dilema. Coloquei meu melhor sorriso no rosto enquanto ela avaliava minhas roupas no armário, jogando todas as peças de que gostava em cima da cama.

— O que acha desse?

Seus dedos finos estenderam uma saia de cintura alta, preta e justa.

— Acho que prefiro ir um pouco mais confortável, considerando que vamos comer — confessei.

— Ah, sim, vão comer. Comer muito, comer de tudo!

Ela deu uma risadinha maléfica e esquisita.

— Você parece um Minion engasgando — observei, vendo Mari estender agora um vestido vermelho liso, sem mangas e que costumava cair bem em meu corpo.

— É esse — ela disse, ignorando o que eu dissera antes e colocando o vestido em minha frente, com aqueles olhos azuis em pura análise. — Vai ficar perfeito!

Avaliei a peça de roupa e concordei. Era uma escolha. Nada tão chique, mas casual e arrumado.

O que era ótimo, já que eu não tinha ideia de onde Thiago me levaria. Ele decidiu que fazer surpresa era melhor e minhas insistências em fazê-lo revelar o nome do restaurante não deram em absolutamente nada.

Nada além de expectativa borbulhando dentro de mim, claro.

— Aqui, com esses brincos vai ficar ótimo — Mari disse ao abrir minha caixinha de joias em cima da cômoda branca em frente à cama.

Peguei um par de brincos em ouro branco longo, que quase atingia a altura dos meus ombros.

Minha amiga observou meu rosto por alguns segundos, torcendo a boca, antes de falar:

— Melhor não exagerar muito na *make*, senão vai borrar tudo e vocês dois vão ficar pintados como palhaços.

— Porra! — exclamei. — Pra isso ele teria que esfregar a cara contra a minha, amiga!

— Exatamente — ela riu, travessa, enquanto eu arregalava os olhos.

— Também não é pra tanto — avisei, enquanto ela me empurrava em direção ao banheiro. Estava na hora de tomar banho e começar a me arrumar.

— Se ele te chamar pra casa dele, o que você vai responder?

— Não sei — fui sincera e encarei Mari pelo ombro, dando um sorriso amarelo para a careta que se formou em seu rosto. — O Frenchie vai estar lá?

Mari tossiu. Não, engasgou!

E quem engasga com a própria saliva assim, do nada, é porque está devendo algo.

Parei subitamente no corredor, me virando para ela com os braços cruzados sobre o peito.

— Explique-se — exigi, vendo as bochechas de minha amiga corarem.

— Ah — ela ofegou e depois sorriu, sem graça. — Combinamos de jantar também e depois ver *O senhor dos anéis*. Ele... — pigarreou. — Ele ainda não aceitou o fato de que eu dormi no segundo filme.

— Jantar e ver o filme onde? — semicerrei os olhos.

— Lá... lá em casa... — ela desviou o olhar, encarando o chão.

Não contive minha vontade de abraçá-la forte e pular, tirando Mari no chão e compartilhando meu entusiasmo com ela.

Rapidamente ela gargalhou e me acompanhou nos pulos e giros pelo corredor, até que o vizinho de baixo bateu com a vassoura e o som ecoou por todo o piso abaixo de nós.

Sabe aquele velho que mora embaixo da Mônica e da Rachel, em *Friends*, nas primeiras temporadas? Pois é, depois que saiu da série, ele se aposentou e veio morar no apartamento abaixo do meu.

Huumm, talvez esse seja um dos motivos de eu preferir *How I Met Your Mother*. Estava aí uma teoria para compartilhar com Thiago.

Mari e eu nos encaramos, divertidas e culpadas.

— Tá ansiosa? — perguntei.

Ela acenou com a cabeça e colocou as mãos no rosto, cobrindo-o por completo.

— E você?

Um sorriso largo, de orelha a orelha, tomava todo o seu rosto.

— Uhum.

Mordi o canto da boca em seguida, e isso não passou despercebido por ela.

— Que foi?

— Tô ansiosa, sim, mas...

— Tá com medo?

Acenei com a cabeça.

— É meu primeiro encontro — lembrei. — Não sei o que fazer, como agir, o que esperar. Não sei se quero esperar algo...

— Apenas seja você mesma, Lê. Não tem erro. E quanto a esperar algo, acho que isso é o tipo de coisa que você vai sentindo no momento, durante o encontro. Se quiser ou não acabar a noite com ele, é uma decisão que só cabe a você mesma.

— É, eu sei — suspirei fundo. — Tudo bem, tudo bem! Vamos ver como vai ser. Um passo de cada vez, né?

— Isso. Primeiro, foca no jantar. Não fica remoendo o que pode ou não acontecer depois.

— Certo — concordei, me virando mais uma vez em direção ao banheiro. Mas encarei Mari novamente e perguntei: — Você também faz assim? — Ela me encarou, confusa. Então, expliquei: — Um passo de cada vez, sem pensar no que vai ser do final da noite?

Aquela risada de Minion morrendo ecoou mais uma vez por meus ouvidos.

— Já até escolhi minha lingerie, amiga!

Aquilo era resposta o suficiente para a minha pergunta.

— Só deixa rolar, Lê. Não fica se atormentando por antecedência, não. O que tiver que ser será!

Fiz um aceno com a cabeça e comprimi os lábios antes de entrar no banheiro e fechar a porta.

Mari sabia o que queria, estava preparada para aquilo. Ela não tinha medo ou receios a impedindo de fazer o quê, com quem e onde quisesse.

E eu ali, pensando se conseguiria terminar a noite com um beijo.

Um *beijo.*

Ri, sem humor algum.

Talvez eu devesse ter passado em uma loja de roupa íntima...

CAPÍTULO 22

Thiago me esperava no portão do prédio na hora exata que havíamos combinado. Enquanto saía da portaria, tive alguns segundos para vê-lo, de costas. A camisa social cinza, a calça *jeans* escura e os cabelos molhados cor de mel.

Quando me aproximei, o cheiro de perfume masculino e pós-barba me deixaram inebriada e acho que posso ter suspirado em resposta, pois ele se virou um segundo depois e sorriu.

Seus olhos verdes percorreram meu corpo de cima a baixo. Um brilho diferente chispando naquelas íris cristalinas indicava algo como... fome.

— Você almoçou? — perguntei.

Ele levantou o rosto me encarando nos olhos e assentiu, lentamente, como se ainda estivesse digerindo minha pergunta.

— Por quê?

Dei de ombros.

— Você parecia meio faminto agora, como se não tivesse comido nada o dia todo.

Ele soltou uma risada angustiada em resposta.

— É, podemos dizer que estou faminto, então. — Havia algo parecido com desespero em seu tom, mas achei melhor não comentar nada. Thiago apenas me ofereceu um sorriso ladino e disparou — Você tá linda, sabia?

Meu rosto aqueceu. O corpo também.

Era comum os homens elogiarem as mulheres quando elas se produziam para sair com eles, certo? Era só um comentário gentil, lisonjeiro, o esperado de um cara como ele. Thiago sempre fora muito atencioso, de fato.

Ainda assim, tentei controlar a vontade de puxá-lo pela gola e colar minha boca à dele, além do rebuliço que surgia em meu estômago e da coceira em minha garganta.

— Sem camisetas engraçadas hoje? — disparei, tentando puxar qualquer assunto que não me fizesse enlouquecer.

Ele negou com a cabeça.

— Hoje não.

Assenti, forçando um sorriso.

Droga, eu não sabia o que falar, como agir. Eu era, oficialmente, um fracasso nessa coisa de encontro.

"Apenas seja você mesma." As palavras de Mari ressoaram em meus ouvidos. Certo, eu poderia fazer isso.

— Você tá muito arrumado — fiz uma careta desconfiada. — Pra onde vamos? Será que eu deveria trocar de roupa? — Encarei meu vestido, passando as mãos pelo quadril.

— Eu te proíbo de mudar qualquer coisa em você — disparou ele, a voz um pouco rouca. — Melhor irmos pra não perdermos a reserva. — Ele se aproximou, colocando a mão na base da minha coluna conforme me acompanhava até a calçada.

— Reserva? — repeti, entrando no Uber.

Os cantos dos lábios dele se ergueram em um sorriso malicioso, com aquela covinha adorável.

— Surpresa — respondeu, sem me dar margem para perguntar mais nada.

O carro disparou pelas ruas escuras conforme Thiago contava sobre a cirurgia da mãe. Ela ainda estava internada, mas apenas para observação, e iria para casa em alguns dias.

— Acho que nunca fiquei tão nervoso na vida como nas horas durante a cirurgia dela — confessou, passando a mão pelos cabelos.

— Nem consigo imaginar — comentei, e era verdade. A angústia de uma cirurgia dessas deve ser inexplicável. — Mas que bom que ela tá bem. Seu pai e sua irmã ficaram com ela?

— Sim. Passei os últimos dias dormindo no hospital, agora eles vão se revezar. Me senti como na época da faculdade de novo, quando eu dormia no sofá dos amigos. A única diferença é que, na época, eu não acordava tão quebrado — brincou, me fazendo soltar uma risada baixa. — Tô ficando velho.

Abri a boca para responder, mas Thiago se ajeitou no banco, pegando a carteira. O motorista parara em frente ao que parecia ser um bistrô, pintado de azul e branco, com luzes por toda a parte.

Ele pagou o taxista sem que eu percebesse. Estava encantada com aquela dança de luzes e cores.

— Vamos? — Thiago disse, atraindo minha atenção.

Saímos do veículo e tudo o que senti foi a mão quente dele contra minhas costas, me guiando até a entrada. Tudo, até mesmo as árvores próximas, estavam decoradas com pequenas luminárias, como pequenos sóis dentro de vidros de compota.

Ao redor, tudo era penumbra, como se até mesmo os postes de luz fossem mais amenos naquela rua, só para acentuar o clima íntimo do pequeno restaurante.

— Eu sei o que você tá pensando — murmurou ele, perto demais do meu ouvido.

Minha respiração pesou e a boca ficou seca.

— O quê? — consegui perguntar em um sibilo.

— Que estamos no céu, em uma galáxia muito, muito distante!

Sua mão roçou em minha pele por cima do vestido que agora parecia um tecido muito fino, pois eu sentia o calor de sua palma irradiando por mim.

— E você encontrou esse lugar enquanto pilotava a Falcon sem rumo, por acaso? — comentei, tentando me distrair.

Ele riu baixinho.

— Queria dizer que sim, mas a verdade é que esse bistrô pertence ao tio do Frenchie — explicou. — Sabe o que isso significa? — Sua sobrancelha se arqueou.

— Que teremos desconto pra família? — sondei.

— Também — ele soltou uma risada baixa e grave. — Mas que vamos comer *escargot* de verdade.

Se antes eu estava pensando em terminar a noite com um beijo, agora definitivamente essa ideia ia pelos ares.

Meu rosto se contorceu com uma mistura de nojo e nervoso.

Thiago apenas segurou uma gargalhada com a mão, antes de dizer.

— Sabia que você nunca tinha experimentado, mas não esperava essa careta horrenda.

Ah, agora ele estava zombando de mim!

— Isso porque há menos de meia hora você disse que eu estava linda — provoquei, estalando a língua.

No segundo seguinte, seus lábios apenas se ergueram em um sorriso charmoso, sensual e cheio de cinismo.

— Você é linda até fazendo careta, Letícia — declarou, virando o rosto antes que eu pudesse dizer qualquer coisa, pois começava a pedir a mesa reservada para a moça da recepção.

Não reclamei. De jeito nenhum.

Afinal, em meu cérebro eu só conseguia imaginar palavras gaguejadas saindo de minha boca. Foi melhor ficar quieta.

Só então percebi a enorme fila que se amontoava na parte de fora do restaurante, quase virando a esquina. A mesma pela qual passamos direto.

Meu Deus, aquilo parecia muito com as filas dos parques da Disney em alta temporada!

Fomos levados diretamente até uma mesa nos fundos do bistrô, recostada em um vidro que se estendia até o teto.

A vista dava para um pequeno jardim igualmente iluminado, com as pequenas lâmpadas dentro de potes como chamas enclausuradas, uma fonte de pedra jorrando água na parte de fora e um banco de madeira com flores por toda parte.

— Devo deduzir que você gostou? — Thiago perguntou, a voz baixa e tranquila.

Acenei com a cabeça, ainda absorvendo cada detalhe daquele lugar. Parecia mágico com sua atmosfera intimista e delicada. Virei o rosto para o interior do restaurante, atenta para cada pedacinho das paredes azuis com detalhes brancos, o que me lembravam o fundo do mar. A decoração rústica muito me recordava um navio.

Minha atenção, de repente, parou em uma foto um pouco à frente.

Precisei semicerrar os olhos para enxergá-la melhor, e assim que a vi com nitidez, um sorriso escapuliu.

— É você! — observei.

— Sou eu — Thiago concordou. — E Frenchie.

Os dois usavam seus quimonos de judô, ambos com faixas cinzas amarradas em seu tronco.

— Tínhamos 13 anos e essa foi nossa primeira mudança de faixa — explicou.

Eles se abraçavam pelos ombros na foto. Dois amigos.

Não: dois irmãos!

— Me *avisarrram* que você tinha chegado, *garrroto.* — O forte sotaque francês nos surpreendeu. Um homem baixo, de barriga roliça e avental branco, com bigodes longos e finos se aproximou. Seu sorriso era aberto quando Thiago se levantou pra abraçá-lo.

— Valeu por conseguir uma mesa pra gente, tio Louis.

— É a *prrrimeirrra* vez que você vem com uma *garrrota*, como eu *poderrria* negar seu pedido? — Piscou. Na cara dura mesmo.

Talvez existisse um motivo para que o beijo tenha surgido na França. Eles não tinham papas na língua.

Thiago resmungou alguma coisa sobre o comentário desnecessário e eu sorri, sem graça, enquanto tentava lembrar de onde eu reconhecia aquele homem. Ele era tão familiar.

— Não vai me *aprrrresentar*, não? — Cutucou as costelas de Thiago, que praguejou.

— Essa é a Letícia. Ela... trabalha comigo.

— Muito prazer. Seu restaurante é lindo! — Fui honesta.

— Ah, é mesmo. — O homem se empertigou e passou as pontas dos dedos pelo bigode. — Mas *obrrrigado* pelo elogio. É *semprrre* um *prrrazer* ouvi-lo.

Sorri assentindo, ainda tentando me lembrar com quem aquele cara se parecia.

— Bom, fiquem à vontade e *aprrroveitem*. Foi um *prazerrr, mademoiselle*. Vou *trrrazer* tudo do *melhorrr parrra* vocês — avisou, se virando para onde imaginei ser a direção da cozinha.

Um estalo ecoou em meu cérebro.

— *A pequena sereia*! — bradei, satisfeita, ao me sentar.

Thiago me olhou como se eu fosse louca.

— Seu tio parecia alguém e eu não tava lembrando quem, mas agora lembrei.

Ele franziu o cenho, confuso, antes de dizer.

— E desde quando ele é ruivo e tem uma cauda? Bom, ele até canta de vez em quando, mas não acho que possamos compará-lo a uma princesa da Disney — comentou, pensativo.

Ri, balançando a cabeça.

— Na verdade, eu tava pensando no cozinheiro do príncipe Eric.

Thiago abriu a boca, fingindo espanto.

— O matador de caranguejos? — Balançou a cabeça em negativa. — Pobre tio Louis.

— Quem diria — comecei, impressionada —, não sabia que você era um grande conhecedor dos personagens dos filmes da Disney.

— Minha irmã é mais velha — disse, com pesar. — Então ela tomava conta do controle remoto. Eu já vi mais filmes de princesa do que sou capaz de contar — soltou uma lufada de ar pela boca. — E o pior é que você tem razão. Sobre o tio Louis, eu quero dizer — explicou, quando minha cabeça pendeu para o lado. — Ele lembra mesmo o cozinheiro do filme. Acho que você acabou de estragar minha relação com ele pra sempre.

Fiz minha melhor cara de "sinto muito" e Thiago suspirou fundo.

— Bom, talvez eu consiga convencê-lo de fazer *cosplay* em algum evento. Vai que ele ganha, né? Eu poderia ficar com uma parte do prêmio — ponderou.

— E gastar com mais camisetas *nerds*? — brinquei, apreciando a conversa descontraída.

Seu olhar, porém, se tornou felino e ele apoiou o cotovelo na pequena mesa redonda que nos separava. O punho estava meio fechado e os dedos longos faziam movimentos lentos e leves contra o próprio queixo.

— Que foi? — me arrependi no instante em que proferi aquelas duas palavras.

— Eu acho que gastaria tudo com você.

Meu pulso acelerou e os pulmões esqueceram de como funcionar.

Thiago continuava me olhando, atento, sua pupila dilatando enquanto percorria todo o meu rosto, até que um corpo masculino se projetou ao nosso lado e pude engolir em seco sem que ele percebesse.

O *maître*, com seus trajes formais em branco e preto, sugeriu alguns vinhos e assenti para qualquer que fosse a opção que ele nos dava. Por dentro, eu estava completamente desconcertada.

— Você parece nervosa — Thiago brincou, assim que o homem saiu.

Tentei sorrir, mas aparentemente não deu muito certo, pois ele ficou ainda mais desconfiado, soltou uma risada tão baixa e curta que, se eu não estivesse olhando para ele, passaria despercebida.

— Assim até parece que esse é o seu primeiro encontro, Letícia.

Fodeu.

Eu senti os músculos do meu rosto se contraírem e a respiração travar. Ele percebeu e quase pude ver sua feição tranquila se desfazer.

— Foi mal — disse ele, meio rápido demais. — Desculpa, não quis parecer insensível. — Agora era ele quem parecia nervoso. — Esquece o que eu falei, podemos considerar apenas como um jantar entre amigos. Pra te agradecer pela ajuda com a parada da minha mãe. Sério, sem pressão ou expectativas. Prometo.

Seus olhos pareciam ansiosos, a boca fina, agora, estava contraída e pude imaginar ele se xingando.

— Mas isso é um encontro, não é? — perguntei, tentando não parecer muito ansiosa.

Thiago me encarou por um tempo antes de responder.

— Isso é o que *você* quiser que seja.

Um meio sorriso surgiu em meu rosto.

Ele era sempre tão gentil, atencioso. Queria que me sentisse à vontade, queria que eu aproveitasse a noite, sua companhia.

— O que você falou era verdade — confessei, mas precisei parar por um momento, pois o *maître* surgiu ao nosso lado e encheu nossas taças.

Um garçom veio em seguida e colocou um prato preto um pouco fundo à nossa frente. Dentro dele, tinha seis caracóis.

O tal *escargot*.

Foi impossível não fazer careta ao ver aquela casca fina e sólida.

Por baixo, uma alta camada de sal grosso parecia ser um tipo de colchão de pedregulhos desconfortáveis para os caramujos. Na entrada do casulo, havia algo parecido com um tipo de tempero verde. Como se tentasse esconder o que havia ali dentro, o que eu deveria colocar para dentro do meu estômago como se fosse carne, peixe ou frango.

Meu estômago embrulhou.

— Qual parte? — Thiago perguntou, assim que ficamos sozinhos de novo.

Eu o encarei, um pouco perdida.

— Qual parte do que eu disse era verdade? — perguntou de novo; meu rosto aqueceu e eu enchi um pouco os pulmões conforme cutucava a casca do caracol com um garfo, uma mera distração para o que eu iria revelar.

— Que esse é o meu primeiro encontro.

Eu vi a expressão de assombro no rosto de Thiago, assim que me permiti encará-lo.

Ah, maravilha! Agora ele deveria estar achando que eu era uma freira ou algo assim.

— Não é... — Arranhei a garganta quando a voz saiu tremida. — Não é que eu nunca tenha tido nenhum relacionamento ou algo assim — tentei explicar, mas não sabia bem *como* fazer isso.

Voltei a me distrair cutucando o prato.

— Você não precisa me contar se não quiser — sua voz era tão quente e compreensiva que relaxei.

— Mas eu gostaria, se estiver tudo bem por você.

Olhei para ele. Thiago estava sério, com o maxilar rígido e a boca comprimida em uma linha fina e determinada.

— Quero te conhecer melhor, Lê. Contanto que você se sinta à vontade.

Me senti exatamente como o Neo em *Matrix*. Eu tinha duas opções: escolher a pílula azul e deixá-lo ver apenas minha superfície, ou a pílula vermelha e abrir uma porta que nos levaria a um outro nível de relação, uma relação de confiança, de sinceridade, de conhecimento.

Mordi o lábio inferior, tentando me decidir entre qual das opções escolher. Meus olhos percorreram a mesa e chegaram até sua mão. Nenhum fio. Assim como a minha.

Eu não sabia quem ele tinha perdido, nem muita coisa sobre seu passado. Da mesma forma que ele não conhecia o meu.

Percebi que gostaria de perguntar a ele muitas coisas, saber mais sobre sua vida. Por isso, a decisão veio no segundo seguinte.

— Eu perdi meu noivo em um acidente com um ônibus, ano passado.

Thiago me ofereceu um sorriso triste e acho que minha própria feição era tão amargurada que ele sentiu necessidade de segurar minha mão, fazendo carícias circulares e lentas em meu dorso.

— Você não parece surpreso — comentei, tentando usar um tom mais descontraído.

— O Mauro já tinha comentado sobre isso comigo, uma vez. Na verdade, foi há muito tempo, um pouco depois do acidente, quando fomos tomar uma cerveja juntos pra colocar o papo em dia, eu ainda nem pensava em trabalhar com ele — explicou, aumentando o toque de seu polegar contra minha pele. — Na época, eu só sabia que você trabalhava na Up, que tinha perdido o noivo e que meu amigo estava preocupado com você, porque recusou o afastamento e continuou trabalhando sem parar.

Assenti, pensativa.

Ele sabia, então. E nunca me perguntara. Nunca nem mesmo mencionara o assunto.

Como se lesse meus pensamentos, ele avisou.

— Nunca falei nada disso com você porque não queria ser intrometido. Acho que é o tipo de coisa que a pessoa precisa se sentir à vontade pra desabafar. Não posso negar que fiquei um pouco contente por você ter me contado, acho que significa que confia em mim o bastante pra compartilhar esse pedaço seu.

— Confio. — E era verdade.

Thiago me passava uma sensação de confiança, conforto, proteção. Eu queria conhecê-lo melhor e queria que ele *me* conhecesse melhor.

Seus dedos se entrelaçaram aos meus e ele me ofereceu um pequeno sorriso, deixando que eu decidisse o que mais gostaria de falar.

Enchi os pulmões e continuei.

— Foi de repente. Ele estava lá em casa e disse que ia no mercado comprar algo pra fazermos o jantar. O mercado era perto, mas passou uma hora e ele não voltou. Achei estranho quando não atendeu o celular. Acabei trocando de roupa e saindo pela rua, na direção que ele teria seguido. — Engoli em seco, minha respiração se tornou pesada como chumbo. — Quando cheguei na rua principal, eu vi... e então soube, na mesma hora. — admiti, mordendo forte o lábio inferior. — Havia dois corpos estirados no chão, ambos cobertos por lençóis brancos. O mundo todo girou, minhas pernas começaram a tremer — balancei a cabeça, pois lembrar daquele dia ainda doía. Doía muito. — Fui aos tropeços até um dos policiais que averiguavam o acidente e ele me mostrou o rosto do Alexandre. — Uma lágrima caiu sem eu perceber. — Ele estava tão branco, a boca roxa. Sem vida.

Thiago puxou minha mão e deu um beijo cálido em cada um dos meus dedos.

— Eu sinto muito. Sinto muito mesmo — disse, sincero, sofrendo comigo. Seus olhos estavam opacos, cheios de angústia e aflição.

Acenei com a cabeça em agradecimento, limpando com a mão livre a lágrima solitária.

Uma risada amarga ecoou em minha garganta. Me senti tão pequena...

— Desculpa pelo assunto pesado — pedi, sem graça.

Ele negou com a cabeça.

— Eu quero que você fale comigo sempre que quiser, sempre que precisar.

Suspirei fundo, deixando que aquela dor se dissipasse.

— Não me lembro direito das palavras do policial. Recordo dele falando algo sobre o Alexandre ter tentado ajudar um cara que atravessava fora da faixa de pedestre e o ônibus atingiu os dois. Depois disso, é tudo um borrão. Quando dei por mim, estava em casa com a Mari. Acho que alguém deve ter ligado pra ela, não sei bem. Só me lembro de fragmentos daquela noite.

— Dizem que é normal — murmurou, cauteloso. — O cérebro costuma apagar lembranças traumatizantes, às vezes.

— Mari diz a mesma coisa — comentei. — Só queria que ele me fizesse esquecer o pouco de que me lembro também.

Thiago beijou minha mão mais uma vez, em sinal de compreensão, luto e a clara mensagem de que estava ali, comigo, do meu lado.

Perguntei a mim mesma se ele me entendia. Se já passara pela mesma dor.

A ausência do fio em sua mão...

— Você já perdeu alguém? — perguntei, um pouco ansiosa. Aquele era um mistério que me deixava atordoada desde o dia em que nos conhecemos, mas, para minha surpresa, ele respondeu.

— Tirando meus avós, não.

— Ah — comprimi os lábios e assenti.

Eu sabia que ele estava sendo sincero. O que só me restava deduzir que ele perdera sua alma gêmea sem nem mesmo ter a chance de conhecê-la.

Naquele momento, senti muito por ele. Alexandre se fora, mas vivemos ótimos anos juntos.

Ainda que a dor de sua perda tenha me dilacerado mil vezes, eu ainda a preferia do que nunca tê-lo conhecido.

— Mas, resumindo, nunca tive um primeiro encontro de verdade — uma risada baixa e um pouco tímida saiu de minha boca. — Éramos novos quando nos conhecemos, não tínhamos muito dinheiro pra sair. E depois, quando começamos a trabalhar, não íamos em lugares assim. Eu gostei muito daqui, Thiago, de verdade. Acho que deve ser um dos restaurantes mais lindos do mundo.

Ele me deu um sorriso caloroso.

— Preciso dizer que me sinto honrado por ser o seu primeiro encontro. Isso é muito idiota da minha parte?

Ri, balançando a cabeça.

— Também fico feliz que seja você — admiti, sentindo um rebuliço no estômago e enfim percebendo que nossas mãos ainda estavam entrelaçadas.

Sua palma era quente, com uma sensação de familiaridade. De casa.

— E então esse é o famoso *escargot* que você falou? — mudei de assunto, sorrindo.

Ele assentiu.

— Eu sei que *parece* nojento — Thiago ficou pensativo antes de continuar. — Na verdade, é nojento, sim — sorriu, sarcástico. — Mas é bom, confia em mim. Prova um e vê o que acha.

Encarei mais uma vez aquelas cascas dentro do prato escuro. A camada de sal grosso deixava a apresentação mais fina, agora que eu observava com atenção.

Tentei controlar o embrulho no estômago quando peguei um com a mão. Thiago imitou meu movimento, parecendo satisfeito.

— E agora? — perguntei.

— Faz assim, ó. — Enfiou os dentes do garfo dentro da casca, puxando dali o caramujo.

Juro que olhei em direção ao banheiro, caso eu precisasse colocar as tripas para fora.

Ele colocou tudo na boca de uma vez, sorrindo em desafio para que eu fizesse o mesmo.

Bom, não era todo dia que eu poderia experimentar uma iguaria exótica daquelas, não é? E Thiago me olhava com tanta expectativa, que algo em mim me estimulou a provar, a tentar algo novo.

Então, tirei a criatura miúda da casca e joguei na boca em um movimento rápido, para que não tivesse tempo de hesitar.

A textura era estranha, algo que me lembrava um pouco aquelas balas de alga cheias de corante. Porém, era surpreendentemente saboroso.

Talvez devido às ervas aromáticas, não sei. Mas sim, era bom. Suculento, quente, macio.

Arregalei os olhos e fitei Thiago. Ele sorria em aprovação, pescando mais uma casca do prato.

— Eu fiz esta mesma cara de nojo que você, da primeira vez que o Frenchie me fez provar — confessou. — Também procurei o banheiro mais próximo pra colocar tudo pra fora, caso precisasse. — Uma risada baixa e grave ressoou em sua garganta.

Percebi o quanto ele estava atento a cada movimento, a cada desvio de olhar. O que mais será que ele conseguia ver em mim? Através de mim...

Aquilo me deixou com a boca seca e tomei alguns goles do vinho.

— Preciso admitir — falei, separando a taça dos lábios. — É meio nojento, mas é bom mesmo!

Comi mais um, me permitindo saborear mais dessa vez. Sem pensar o que era, sem lembrar o que exatamente estava ali, dançando em minha língua.

— Às vezes, tentar algo novo é bom — comentou ele. — Sair da nossa zona de conforto, sabe? — Ergueu um ombro e comeu seu último *escargot*.

— Tipo, sair para um encontro pela primeira vez, com quase 25 anos? — brinquei, e ele assentiu, sorrindo.

Thiago pegou sua taça e brindou com a minha.

— Que esse encontro seja bom o bastante pra você me dar um beijo de boa-noite, depois. — E bebeu um gole com um canto da boca erguido, os olhos verdes cravados nos meus.

Minha boca estava escancarada e as pálpebras arregaladas.

Como ele conseguia dizer coisas tão diretas, assim, em voz alta?

Acabei com todo o líquido do copo no segundo seguinte. Thiago gargalhou. O maldito parecia se divertir de verdade ao me deixar sem graça.

— Eu não resisto — explicou, como se fosse capaz de ler meus pensamentos. — Você faz as melhores caras, Letícia!

Ah, ele estava só me zoando.

— Idiota — resmunguei e ele riu.

E o garçom surgiu mais uma vez, agora com dois pratos fumegantes que pousaram com graciosidade à nossa frente.

— *Magret de canard à l'orange et purée de pommes de terre* — disse o homem, antes de acenar com a cabeça e se retirar.

— Como é que é?

Meus olhos foram do prato a Thiago em seguida. Seus lábios mostravam um sorriso contido.

— Peito de pato com molho de laranja e purê de batata — explicou.

Abri a boca, mas não emiti som nenhum. Apenas concordei com a cabeça, encarando a comida. O peito de pato parecia muito macio e o cheiro cítrico fazia meu estômago querer roncar.

Peguei os talheres e juntei a carne com o purê no garfo antes de levar à boca. Uma explosão de sabores e sensações me atingiu e pensei que aquela era a melhor refeição que eu já fizera na vida.

Se estivéssemos em um desenho animado, minha língua pularia da boca e dançaria a Macarena de tão feliz.

— Cacete — murmurei quando bebi mais um pouco do vinho que o garçom nos servira antes de se retirar.

— Eu sei — foi tudo o que Thiago disse antes de sorrir e começar a comer. Não perdi tempo e parti para a segunda garfada. — O Frenchie comentou que ia obrigar a Marina a assistir a trilogia inteira de *O senhor dos anéis*, hoje — comentou, atraindo minha atenção.

— Se ele conseguir, merece ganhar um prêmio Nobel — respondi, travessa.

— E se eu conseguir fazer com que você assista os três filmes sem dormir, o que eu ganho? — retrucou, com um tom tão provocativo que fez os cabelos de minha nuca se arrepiarem.

Algo formigou dentro do meu baixo ventre, imaginando como ele poderia me manter acordada por nove longas e tortuosas horas.

— Quem sabe — dei de ombros, me obrigando a conter os pensamentos sórdidos que martelavam contra o fundo do meu cérebro. — Acho que só tentando pra descobrir.

Thiago sorriu, satisfeito.

Era como se estivéssemos em um jogo de gato e rato. Flertes, provocações, insinuações. Tudo isso nos rodeava e eu estava gostando. Aquilo me fazia sentir viva, uma chama me incendiando aos poucos até que chegasse a hora de nos queimar por inteiro.

E algo dentro de mim pareceu se contrair. Eu gostava daquela sensação do frio da barriga, da expectativa do que poderia acontecer entre nós. Era uma sensação nova, diferente e excitante.

Thiago também era um espírito sem rumo, sem direção até outra metade. Ninguém o esperava. Ele não esperava ninguém. Seu destino pertencia apenas a ele próprio.

E o meu a mim.

Eu poderia viver, dia após dia. Aproveitar as companhias e os prazeres como bem entendesse.

Foi por isso que, quando terminamos a refeição e a sobremesa — *macarons* de todas as cores e sabores —, sugeri que fôssemos até o jardim nos fundos.

Passei os dedos pela fonte de pedra, sentindo a aspereza contra minha pele. As luzes que nos rodeavam deixavam o lugar sedutor, íntimo e envolvente.

— Eu gostei muito de hoje — falei, a voz mal passando de um sussurro.

— Nada poderia me deixar mais feliz do que ouvir isso — ele respondeu, com um tom tão amável que fez meu coração acelerar.

Virei para ele e dei os dois passos que nos separavam.

Thiago enrijeceu no lugar, sua respiração se tornou forte, contida, e eu a sentia contra minha bochecha.

Umedeci os lábios. Ele fez o mesmo.

Seus olhos brilhavam, como duas pedras de esmeralda pura.

— Letícia — ele sussurrou meu nome com tanta intensidade que pensei que o chão poderia se desfazer abaixo de nossos pés. — Eu...

E então ele praguejou. As narinas se dilataram e ele tirou o celular do bolso da calça. Encarou a tela e fechou os olhos com força, como se amaldiçoasse todos os deuses do universo.

Vi ali, no visor, o nome da irmã dele.

— Atende — falei, mas ele pareceu hesitar. — Pode ser importante.

Ele soltou o ar pela boca, me encarou com um claro pedido de desculpas e atendeu.

Caminhei pelo jardim, me afastando para que ele tivesse mais privacidade. Toquei as flores e os bancos, sentindo uma ansiedade crescer em mim, quando percebi o que eu estava prestes a fazer.

Se o telefone não tivesse tocado, eu teria grudado minha boca na dele e só pensaria nas consequências depois. Aquela noite tinha sido incrível, mágica, acolhedora. Thiago pensou em cada detalhe e se mostrou uma pessoa ainda mais carinhosa e atenciosa do que eu já achava antes. Compartilhamos risadas, compreensão e conversas de forma tão natural que apenas denunciava o quanto nos dávamos bem.

Se ele estava brincando ou não sobre o encontro ser bom o suficiente para terminar em um beijo, eu não sabia ao certo. Mas ele merecia e eu queria dar-lhe aquilo, e a mim também.

Meu coração parecia concordar conforme as batidas se tornavam mais fortes contra as costelas no instante em que diminuí aquela pequena distância entre nós, segundos antes.

Agora, ele estava distante. Mais ao canto do jardim, enquanto desligava a chamada.

Ele me encarou com uma expressão rígida. Estava tenso.

— O que houve? — perguntei, um pouco afobada.

— Minha mãe teve uma reação alérgica aos medicamentos do hospital. Eles não souberam explicar ao certo o que aconteceu, mas ela acaba de passar muito mal. — ele passou a mão na testa, esfregando com força. Parecia exausto e preocupado.

— Vai — falei, segurando seu braço. — Vai pra lá, fica com ela. Sua família precisa de você.

Thiago me encarou, os lábios comprimidos, os olhos enevoados.

— Se for agora pra rodoviária, ainda dá tempo de pegar o último ônibus. Em menos de duas horas você chega no hospital.

— Mas você... — ele tentou retrucar, mas soltou uma lufada de ar.

Ele sabia que eu estava certa, mas vi em seu semblante que hesitava em partir. Não queria me deixar sozinha, não queria estragar aquela noite e, bem ou mal, o que ela significava.

— Só vai — exigi. — Eu peço um carro pra casa. Sua mãe precisa de você agora e eu vou estar aqui quando voltar.

Thiago me encarou com tanta intensidade que perdi o ar. Suas íris brilharam e ele tomou sua decisão. Pegou minha mão, aquela que segurava seu braço e beijou os nós dos meus dedos, assim como fizera dentro do restaurante, enquanto eu me abria para ele.

— Desculpa — pediu, sincero e atormentado.

— Não se preocupa com isso. — Com a minha mão livre, empurrei seu peito. — Vai logo, senão vai perder o ônibus.

Ele assentiu e soltou meus dedos, virando para a saída do jardim e correndo para fora.

Suspirei, tentando controlar o misto de emoções que sentia.

Nem mesmo percebi quando ele retornou correndo, encaixou as mãos no meu rosto e selou nossos lábios em um beijo firme e quente, breve demais para o meu gosto.

Arfei, surpresa, assim que ele se afastou. O rosto tão próximo do meu. Thiago deu um daqueles sorrisos de canto, roçou o nariz contra o meu e sussurrou.

— Eu queria fazer isso desde o dia em que te conheci.

Minha boca se abriu, perplexa, em choque. Por dentro, uma felicidade estranha irradiava em cada pedacinho de meu ser.

— Me espera. Eu vou voltar assim que puder pra gente terminar isso — avisou, acariciando minha bochecha com o polegar como uma promessa muda e correndo de volta em direção à rua.

Recostei o quadril na fonte atrás de mim, tocando meus lábios com as pontas dos dedos, como se eu pudesse, de alguma forma, guardar a sensação quente daquele beijo por mais alguns segundos antes que o frio da noite a dissipasse.

CAPÍTULO 23

Embaixo das cobertas, as últimas horas pareciam ter sido apenas um sonho. Minha cama parecia grande demais, fria demais, vazia demais...

Toquei mais uma vez os lábios com os dedos.

Apesar de querer beijar Thiago antes da noite acabar, depois que ele recebeu aquela ligação, já nem me lembrava da minha vontade inicial. Nada seria tão importante quanto ele ficar com a mãe, com a família.

Mas, quando ele voltou e colou a boca na minha, meu mundo girou. Eu saí do eixo da Terra e encontrei o meu próprio.

Lembrei daquela sensação que Mari comentava com os olhos azuis sonhadores: o pulso acelerado, as mãos suadas, o coração retumbando contra o peito como se quisesse se libertar. A adrenalina tomando conta daquele momento, milhões de estrelas explodindo em minha barriga, peito e garganta.

Eu senti.

Senti tudo isso quando ele me beijou.

Com apenas um roçar de lábios e uma promessa.

Imaginei o que sentiria se tivéssemos mais tempo. Será que uma paixão poderia se tornar algo mais? Ainda que não tivesse qualquer ligação com o destino. Talvez fosse uma das consequências do tal livre-arbítrio: o ser humano ser capaz de se apaixonar inúmeras vezes e de formas diferentes.

Precisei deixar os pensamentos de lado quando meu celular vibrou em cima da cômoda. Era uma mensagem de Thiago perguntando se eu tinha chegado bem em casa.

Respondi que sim e perguntei se conseguira pegar o ônibus. Ele avisou que já estava a caminho da cidade no interior, agradecendo por não ser tão distante assim. Em pouco mais de uma hora estaria com os pais e a irmã.

Na mensagem seguinte, ele sugeriu:

Thiago: Um pensamento por outro.

Sorri, me afundando no travesseiro. Comecei a digitar, com uma dose de adrenalina percorrendo minhas veias.

Letícia: Estou pensando que gostei muito de hoje.

Ele começou a escrever.

Parou.

Começou de novo.

E então:

Thiago: Estou pensando que gostaria muito de te beijar de novo.

Passei grande parte do domingo encarando o celular, lendo e relendo a mensagem de Thiago, que veio com um boa-noite em seguida. Fiquei me perguntando se ele não me dera brecha para responder por saber que eu estava da cor de um tomate maduro, ou se apenas teve medo do que eu pudesse responder.

No fim da tarde, Mari bateu em casa dizendo que estava na hora de trocarmos figurinhas. De início, encarei suas mãos procurando algum daqueles álbuns de banca e ela me encarou como se eu fosse de outro mundo. Só entendi o que ela quis dizer quando se jogou no meu sofá e começou a contar sobre o encontro com Frenchie.

Pelo visto, os dois estavam se dando realmente bem.

Bom, se passar a madrugada inteira se embolando nos lençóis não era um indicativo disso, então eu já não sabia mais nada sobre o mundo.

Ah, e vale apontar que eles não foram capazes de terminar o primeiro filme de *O senhor dos anéis* antes da pegação. Isso significava que eu continuava não sendo a única pessoa do planeta a não ter visto a trilogia completa.

Depois do fim da história, minha amiga me fez contar sobre o *meu* encontro e pensei que ela fosse explodir como um vulcão quando contei do beijo.

Mari literalmente pulava no sofá e ri com a cena.

— E já marcaram de sair de novo? — perguntou, quando voltou a se sentar.

Seus olhos azuis brilhavam como estrelas no céu escuro.

— Ainda não — expliquei. — Mal tivemos tempo de conversar depois da ligação da irmã dele.

— Bom — Mari coçou o queixo. — Vamos esperar pra ver como vai ser quando ele voltar. Só não façam sexo no escritório, pelo amor de Deus. Quer dizer... — me olhou, sugestiva. — Se não tiver ninguém por lá, quem sabe.

Joguei uma almofada na cara dela, que riu e revidou:

— Tô morrendo de fome. O que acha de comermos em algum lugar?

— Pode ser. Onde quer ir?

Mari torceu a boca e sorriu, um pouco envergonhada.

— Na verdade, eu queria ir lá naquele bairro japonês. O Dominique viu o amuleto que compramos lá, lembra? — Assenti, atenta. — Ele gostou tanto que pensei em comprar um pra ele. Até sonhei com isso, acredita? Doideira, né?

— É, doideira — me controlei para não franzir o cenho.

Por algum motivo estranho, senti que aquilo não era coincidência, mas achei melhor deixar para lá. A última coisa que faltava na minha vida era me tornar uma paranoica completa.

— Então — Mari continuou —, lá tem aquelas lojinhas de presentes e tal. Podíamos passar rapidinho em uma delas e depois comer por ali. Um japinha ia bem.

— Pode ser — dei de ombros, me levantando. Não era como se eu tivesse muito o que fazer, de qualquer forma. E, de fato, um *japinha* ia bem. Sempre.

Marina demorou quase meia hora para escolher o maldito amuleto. Por fim, se decidiu por um que prometia sorte e fortuna e, agora, caminhávamos pelo bairro japonês em busca de um restaurante para jantar.

Não tive notícias de Thiago o dia inteiro, mesmo depois de eu ter enviado uma mensagem perguntando se tinha chegado bem. Provavelmente estava acalmando a família ou apenas estava preocupado demais para tocar no celular. Eu nem podia imaginar o terror que ele estaria passando. Descobrir que a mãe tem câncer e vê-la passar por uma cirurgia às pressas para poder começar a quimioterapia. Era de surtar qualquer um mesmo.

— Procurando um lugar para jantar, senhoritas? — Uma moça de cabelos escuros e curtos, com os olhos estreitos, nos abordou em frente a um restaurante. — Ah, você é aquela menina — disse, me encarando com um pequeno sorriso apreensivo.

Encarei-a, tentando me lembrar de onde nos conhecíamos. Seu rosto era familiar, mas não sabia de onde.

— Nos encontramos no santuário há algumas semanas. Te dei o telefone de uma pessoa que entende das lendas orientais. — Ela parecia um pouco nervosa, retorcendo as mãos na camiseta florida.

— Aaah, verdade! — Lembrei. Ela era a moça que tinha me dado o telefone do senhor Tanaka.

— Espero que tenha sido de alguma ajuda — falou, gentil, mas havia algo de estranho nela.

Um impulso ressoou dentro de mim. Aquela mesma sensação que eu tinha quando via a pessoa do outro lado do fio vermelho, porém mais intensa. Me puxando. Não, me empurrando até ela.

— Claro. Obrigada pela ajuda — respondi, sentindo a cabeça nublar um pouco e uma pontada aguda invadir meu cérebro. Massageei as têmporas em busca de alívio e respondi à sua primeira pergunta. — Estamos procurando um lugar pra comer, sim. — Ela pareceu abrir um sorriso, dessa vez sincero.

— Estamos com uma promoção, caso queiram dar uma olhada.

— Opa, promoção? Já quero! — Mari disse, pegando o cardápio e conferindo os pratos. — E aí, Lê? Parece bom pra mim.

Quase não ouvi minha amiga. Minha mente parecia aérea, tentando entender aquela sensação esquisita na boca do meu estômago.

Então, um barulho.

Na verdade, um ronco.

Dele. Do meu estômago traiçoeiro.

— Pelo visto, parece bom pra você também — Mari comentou, segurando uma gargalhada.

Olhei minha amiga, sentindo meu rosto corar de vergonha. Sorri amarelo, esquecendo a linha de raciocínio de agora há pouco.

Talvez eu estivesse apenas pensando demais.

— Não almocei — falei, sorrindo com vergonha e apertando a nuca. — Preciso de alimento.

Mari não demorou para devolver o cardápio para a mulher de cabelos negros como a noite e pedir uma mesa para dois.

Yoko — pois é, a japonesa tinha o nome da esposa do John Lennon; nem podia imaginar o *bullying* que ela sofria, tadinha — nos levou até nossos lugares e pediu licença assim que fizemos os pedidos.

O restaurante era pequeno, mas acolhedor. Tudo era em preto e vermelho e nas paredes havia uma decoração com leques coloridos, pinturas e quadros de templos, montes e árvores de cerejeira.

Ao fundo, uma música ambiente suave, cantada em japonês.

Mari começou a falar sobre seu trabalho e outros assuntos mais banais conforme nos entupíamos de *rolls*, *sushis* e *yakisoba*, até que ambas realmente parecessem triplicar de tamanho.

Por muito pouco não abri o botão da minha calça, confesso.

Após retirar os nossos pratos e limpar a mesa, Yoko trouxe a conta. Depois de paga, ela se aproximou com um sorriso gentil e nos ofereceu dois biscoitos da sorte como presente da casa.

Minha amiga ficou feliz e abriu seu biscoito, ansiosa pela mensagem que haveria ali dentro.

Aquele impulso forte me acertou mais uma vez e quase perdi o ar. Yoko me encarou e acho que perguntou se eu estava bem e me ofereceu um copo com água, mas não tive muita certeza, pois meus olhos praticamente voaram até sua mão.

A linha vermelha ali, me pedindo para olhá-la, para desvendá-la. Como a sedução silenciosa de uma cobra, sussurrando em meus ouvidos: *Veja, ajude, faça o que precisa fazer.*

E, assim que cravei minha atenção naquele fio, eu vi.

Eu vi a pessoa mais improvável do mundo: o senhor Tanaka.

Levei a mão até a testa e esfreguei com força. Vozes de mulheres — provavelmente Mari e Yoko — me chamavam, mas não passavam de um murmúrio desconexo.

Eu o via! Tão perfeitamente que consegui sentir sua presença. Ele parecia estar ali por perto, pois ao seu redor identifiquei o bairro japonês.

O senhor Tanaka estava ali. Em algum lugar. Talvez lá fora!

Me observando, só podia ser.

Ou será que...

Observando Yoko?

Será que ele sabia que ela era sua cara-metade, sua alma gêmea?

A visão se dissipou como fumaça em frente aos meus olhos.

— Ei, Letícia! Que foi? — Mari perguntou, apreensiva, sua mão tocando meu pulso.

Pisquei algumas vezes, tentando focar minha atenção em seu rosto.

— Nossa, senti uma moleza bizarra! — não era uma mentira completa, de certa forma. — Acho que comi demais. — Sorri, sem jeito, como um pedido de desculpas.

— Que susto, garota — ela brincou, me dando um beliscão.

Olhei ao nosso redor. Yoko não estava mais ali, porém, a vi se aproximar com água, o rosto ainda mais pálido.

— Obrigada — agradeci assim que ela estendeu o copo.

Bebi alguns goles antes de pousá-lo na mesa. Nesses segundos, tentava decidir o que fazer. Minha missão era clara; deveria juntá-la com o senhor Tanaka. Mas algo como um aperto dentro da minha alma me incomodou. Eu não poderia ignorar, não é mesmo?

Então, suspirei fundo.

— Esse restaurante é seu, Yoko? — perguntei, tentando puxar assunto.

Ela pareceu mais tranquila e fez um aceno positivo com a cabeça.

— Meu e... — Ela parecia na dúvida de como dizer, mas por fim se decidiu. — E do meu ex-marido.

Assenti, pensando em como abordá-la.

— Sinto muito — falei, sincera. Ela abriu um pequeno sorriso que não lhe chegou aos olhos. — É recente?

Mari me encarou com repreensão. Provavelmente por eu estar perguntando algo tão íntimo.

— Na verdade, não — Yoko retorceu as mãos na camiseta. — O Akira ainda não assinou o divórcio, mas...

— Akira — repeti, sentindo cada sílaba estalando no céu da minha boca.

Era o nome do senhor Tanaka. O nome pelo qual Isao o chamara no dia em que nos encontramos na clínica.

Yoko pareceu estranhar algo no meu rosto e percebi que ela entraria em estado de defesa. Sabia disso porque eu mesma já estive na defensiva por muito tempo.

— O telefone que você me passou naquele dia era do senhor Akira Tanaka, não é? — disparei, e ela fez um gesto rápido com a cabeça. — Então, ele era seu marido.

Ignorei quando minha canela foi chutada por Mari.

— Sim — Yoko murmurou.

Aquela era minha deixa. Eles já tinham se conhecido, se apaixonado e se casado. O que quer que tivesse acontecido depois disso para que chegassem àquele ponto, não me importava. Eu precisava uni-los novamente de alguma forma, fazer com que se aproximassem e se dessem mais uma chance.

— Conversamos algumas vezes. Ele comentou que era casado e o quanto amava sua esposa. Não imaginava que se referia a você. Que mundo pequeno, né? — comentei, sentindo o pulso acelerar.

Aquilo era mentira, ele não me falara nada, em momento algum. Mas uma sensação quente e estimulante dentro de mim me dizia que as palavras que saíram de minha boca eram verdadeiras, apaziguando a culpa por me meter tão diretamente na vida dos dois.

— Ele disse isso? — Algo pareceu brilhar nos olhos escuros.

— Disse! — Droga, odiava estar naquela situação. — Não sei o que aconteceu entre vocês, mas tenho certeza de que uma conversa franca pode ajudar a resolver as coisas. Se for algo que você queira, é claro. Se não for, apenas me ignore, por favor.

Yoko comprimiu os lábios e os torceu para o lado, como se ponderasse o que queria de verdade.

Um sorriso tímido tomou sua boca e ela abaixou a cabeça em minha direção.

— Obrigada — falou, com intensidade.

Balancei a mãos no ar, sem graça, e respondi:

— Que isso! Não foi nada.

— É melhor irmos — Mari se intrometeu, parecendo um pouco confusa e perdida.

Concordei com um aceno e nos despedimos de Yoko, saindo do restaurante e chegando até a calçada.

Do outro lado da rua, eu o vi. O senhor Tanaka, bem ali, me encarando surpreso e revezando seu olhar entre mim e o restaurante. Pelo visto, ele não estava mesmo me observando naquela noite, mas a sua esposa.

Aquela sensação incontrolável de ajudar duas almas gêmeas vibrou por todo o meu corpo e soube que não poderia simplesmente deixar aquilo de lado. Desde nossa última conversa, o senhor Tanaka me deu tempo e espaço para que me sentisse à vontade para tocar no assunto da minha missão. E, mesmo que tivéssemos começado com o pé esquerdo, sabia que ele não era um homem mau. Sabia também que, se ele e Yoko se amavam da forma como eu imaginava, então isso significava que os dois mereciam uma segunda chance. Todos nós merecemos.

Por isso, apontei com o polegar discretamente para o restaurante atrás de mim e acenei com a cabeça, incentivando-o de entrar no local e conversar com a esposa.

Pude ver que sua respiração se tornou pesada e sem ritmo. Refiz o gesto, dessa vez com mais convicção.

Ele encheu os pulmões de ar antes de assentir, parecendo determinado dessa vez. No mesmo instante em que eu e Mari entramos num táxi para ir para casa, o vi atravessando a rua em direção ao restaurante. Nossos olhares se encontraram por um segundo e identifiquei em seu rosto uma expressão que misturava tensão e agradecimento. Então, o motorista acelerou e o perdi de vista.

No carro, desabei no banco traseiro, tentando digerir o que tinha acabado de acontecer.

Mari bocejou e se remexeu ao meu lado, atirando em meu colo um pacotinho branco.

— Você quase esqueceu seu biscoito da sorte — comentou, lendo seu próprio papel. — O meu diz pra eu não fazer nenhum investimento no momento. — Sua feição se tornou triste e entediada. — E o seu?

Rasguei a embalagem e quebrei o biscoito ao meio, pegando o papelzinho de dentro.

— E aí? — Mari perguntou.

— Nada acontece por acaso — li em voz alta. — O destino sempre conspira a favor do que já estava previsto, ainda que não possamos entender.

E então eu segurei uma gargalhada, pois aquilo só podia ser uma piada de muito, muito mau gosto.

CAPÍTULO 24

Já era quase hora do almoço naquela segunda-feira e Thiago não tinha visto minha mensagem do dia anterior, muito menos respondido. Se eu dissesse que não estava preocupada, estaria mentindo.

Passei o dia esperando qualquer sinal de vida.

E nada.

Tentei me convencer de que ele estava apenas ocupado e fui para casa pensando em me distrair com uma série ou um filme, mas, ao chegar na portaria do meu prédio, o porteiro me entregou uma carta antes que eu entrasse no elevador.

Para minha surpresa, era do senhor Tanaka.

Abri o envelope branco conforme caminhava pelo corredor do meu andar e me acomodei no sofá logo que entrei no apartamento, todas as minhas células vibrando de curiosidade sobre o conteúdo ali dentro.

Prendi o lábio inferior nos dentes, enchi os pulmões e me deparei, enfim, com a caligrafia desajeitada de Akira:

Letícia,

Não sabia se você receberia minhas mensagens, então optei por uma maneira mais certeira de te agradecer pela conversa que teve com Yoko.

Não sei exatamente o que você disse, mas resolvemos

alguns de nossos problemas e ela aceitou me dar uma nova chance para ser o homem que ela merece. Decidimos fazer uma viagem juntos por alguns dias a fim de nos reconectarmos como marido e mulher, e isso foi graças a você. Por isso, obrigado.

Meu avô sempre disse que éramos metades de uma alma, destinados a ficar juntos. Se minhas suposições estiverem corretas, acho que talvez isso tenha um significado maior para você do que para mim.

Gostaria de poder ajudá-la, assim como ajudou a mim e ao meu pai.

Será que podemos conversar melhor sobre isso quando eu retornar?

Você tem o meu número.

Akira Tanaka

Soltei o ar em uma lufada, sentindo um alívio percorrer minha espinha. Ele parecia estar sendo sincero e eu queria mesmo uma resposta sobre aquele mistério, e se alguém teria qualquer informação que pudesse me ajudar, seria o senhor Tanaka.

Eu já havia desbloqueado o número dele desde nosso último encontro, então apenas busquei seu nome nos meus contatos e respondi:

Letícia: Recebi sua carta e fico feliz que tenham se resolvido. Sendo sincera, gostaria muito que pudéssemos conversar sobre seu avô. Tenho algumas perguntas. Muitas, na verdade.

Ele respondeu rapidamente, agradecendo o meu retorno e avisando que entraria em contato assim que voltasse para a cidade, prometendo tirar quaisquer dúvidas que eu tivesse.

Um enorme alívio me invadiu, e me permiti repousar a cabeça no encosto do sofá, porém, antes que pudesse ficar mais confortável, a campainha tocou, me surpreendendo. Eu não estava esperando ninguém.

Fui até a porta e encaixei o rosto para checar pelo olho mágico quem era. Meus pulmões pararam de funcionar e meu pulso disparou quando reconheci Thiago do outro lado.

Pigarreei, nervosa, e abri a porta.

— Oi — falou, oferecendo um sorriso sem graça. — Desculpa aparecer assim do nada.

— Não sabia que tinha voltado — falei, abrindo passagem para ele entrar.

Thiago pediu licença assim que passou por mim e explicou:

— Voltei agora há pouco. Peguei o ônibus no final da tarde, mas quando cheguei na esquina de casa, vi o Frenchie e a sua amiga entrando no prédio e eles mal conseguiam esperar entrar no portão pra se pegar — soltou uma risada baixa e cúmplice que acompanhei. — Achei uma boa ideia dar privacidade para os dois. Fui fazer hora e, quando percebi, tava aqui perto. Te vi entrar no portão e... aqui estou. O porteiro me deixou entrar. Foi mal não ligar ou mandar mensagem antes — ergueu um canto da boca, contido. — Mas minha tela quebrou.

Thiago tirou o celular do bolso, mostrando o visor completamente rachado e torcendo o rosto em uma careta.

— Caraca, que merda! — Analisei o estrago. Agora fazia sentido ele não ter respondido minha mensagem. — O que aconteceu?

— Caiu no chão — deu de ombros.

O clima, de repente, ficou um pouco estranho. Ao menos para mim.

Principalmente, porque eu começava a me dar conta de que Thiago estava na minha casa. Eu e ele. A sós.

Depois de nos beijarmos e de ele ter falado que gostaria de uma reprise. E eu também, não posso negar.

Acho que ofeguei, sem querer, com o pensamento, mas logo me recompus e pedi para que ele se sentasse, apontando o sofá no centro da sala. Ofereci um copo de água e ele aceitou ao se acomodar.

— Como foi com a sua mãe? — perguntei.

Aquele era um bom assunto. Neutro, sério. E eu estava mesmo querendo saber como ela estava.

Estendi o copo para ele assim que me aproximei. Seus dedos se resvalaram nos meus. O suficiente para que ondas elétricas fizessem meu corpo inteiro formigar.

Precisei segurar a vontade de praguejar.

Thiago pareceu não perceber, pois recostou a cabeça no sofá e fechou os olhos por um segundo antes de me encarar mais uma vez:

— Exaustivo — confessou, e pude ver as olheiras escuras que deixavam suas íris verdes menos... vivas. — Mas deu tudo certo depois que trocaram alguns dos medicamentos. Ela ficará em observação por uns dias e vai começar a quimio em breve.

— Que bom que ela está bem, pelo menos — comentei, mordiscando o lábio inferior. Thiago assentiu, tomando alguns goles da água. — Você parece cansado mesmo.

— Tô morto. Não dormi nada esses dias.

— Quer um café? — perguntei.

— Não seria muito incômodo? — falou, com um meio sorriso divertido, imitando o professor Girafales, do *Chaves*. Minha infância toda retornou com apenas uma frase.

Ri e toda a estranheza de tê-lo ali se dissipou. As coisas com Thiago eram sempre leves e divertidas. Com ou sem beijo, com ou sem tensão no ar. Ele simplesmente fazia com que eu me sentisse à vontade e relaxada ao seu lado. Quase como um dom.

Gostava disso nele. Gostava... muito.

— Ai, de maneira alguma! — Dei meu melhor para fazer a voz doce e envergonhada da dona Florinda, mas torci a boca em seguida. — Eu deveria te convidar para entrar, mas você já entrou — observei, fazendo uma feição decepcionada.

Ele riu. Uma risada baixa, rouca e sincera.

— Bom, e eu, teoricamente, deveria te trazer flores como um humilde presente. Então, estamos quites. — Piscou, travesso.

Sorri, rindo baixinho.

— Fica à vontade. Eu já volto — avisei, me virando para a cozinha.

Meus joelhos pareciam ser feitos de gelatina enquanto eu preparava a bebida quente. A simples percepção de que Thiago estava ali, no meio da minha sala de estar, fazia surgir um formigamento lá embaixo, onde eu gostaria que ele me tocasse desesperadamente. Meu corpo parecia ter tanta necessidade do dele que aquilo me assustava. Era como se tudo nele me atraísse.

Franzi a testa e logo aliviei a tensão no rosto, espantando aqueles pensamentos antes que se transformassem no desejo imenso de tirar a roupa dele, percorrer minha língua por aqueles gominhos, pelo peito largo, pela mandíbula delineada e aquela boca... Ah, sim, aquela boca!

Merda! Tarde demais...

Suspirei fundo e engoli em seco; me servi de um copo com água bem gelada e virei de uma vez. Não foi o suficiente para esfriar o corpo e nem a mente.

Talvez nada seria.

O cheiro de café tomou todo o ambiente e servi o líquido fumegante em uma caneca de *How I Met Your Mother*, apenas para provocá-lo um pouquinho. Segurei um risinho bobo, esperando para ver a reação dele, mas, para a minha surpresa, Thiago não viu nada. Nem mesmo veria. Seus olhos estavam fechados, a respiração tranquila e o corpo imenso esparramado no meu sofá. Dormindo como um bebê.

Foi impossível não prender a respiração com medo de que qualquer mínimo ruído pudesse acordá-lo. Bom, aquilo fez meu corpo esfriar rapidinho, preciso admitir. Porém, não me importei nem um pouquinho.

Ele dormia tão profundamente, tão calmo, que um sorriso involuntário tomou minha boca. Thiago estava mesmo cansado depois desses dias complicados. Ainda assim, deu privacidade para Frenchie e Mari e abriu mão da própria cama, de um descanso adequado.

Era um bom amigo. Uma boa pessoa. Um bom homem.

Pousei a caneca na mesinha baixa de centro e não pude evitar o impulso de me aproximar.

Queria, de alguma forma, memorizar cada linha, cada traço do seu rosto.

Como podia ser tão bonito?

De repente, eu quis tocá-lo. Só um pouquinho. Não faria mal, certo?

Ele não acordaria apenas com um simples toque. Eu poderia fazer isso. Apenas para sentir a barba que começava a nascer em seu rosto, para ver se sua temperatura estava normal, para me certificar de que sua respiração estava regular.

Prendi meu lábio inferior entre os dentes. Uma guerra acontecia dentro de mim entre tocá-lo ou não, atender minha vontade ou me forçar a ignorá-la.

As pontas dos meus dedos coçavam. Minha mão se ergueu sozinha.

No segundo seguinte, eu sentia sua pele. O rosto um pouco áspero pela barba que começava a nascer.

De novo: como podia ser tão bonito?

Senti todo o meu corpo amolecer ao seu lado, meus dedos fazendo um leve carinho em seu maxilar, com todo o cuidado do mundo.

Thiago se mexeu. Estaquei no lugar como uma estátua.

Droga, droga, droga!, ralhei comigo mesma, e não tive tempo para mais nada. Absolutamente nada.

Seus braços me puxaram e eu caí inteira em cima dele. Corpo colado com corpo. Cada parte minha sentindo cada parte dele.

Seu rosto estava encaixado em meu pescoço, sua respiração fazendo cócegas ali. Os braços ao redor da minha cintura me apertavam um pouco mais.

Eu não conseguia me mexer, não conseguia sequer *pensar*. Meus pulmões não respondiam meu cérebro, meu sangue era lava pura percorrendo as veias e meu pulso disparava enlouquecido.

Thiago inspirou fundo e todo meu mundo congelou. Seus braços me apertando forte, dando indícios de que não pretendiam me soltar tão cedo.

— Você tem um cheiro incrível, sabia? — sua voz baixa e rouca reverberou em meu ouvido, fazendo todos os pelos dos meus braços arrepiarem.

Senti o toque de seus lábios no ponto bem abaixo de minha orelha e arfei com o contato me afastando um pouco. Fazia muito tempo que ninguém me beijava daquele jeito e todo o meu corpo estava em alerta, um incêndio tomando espaço dentro de mim.

Nossos olhos se encontraram e quase perdi o fôlego com a intensidade com que Thiago me fitava. Uma de suas mãos tocou minha bochecha com carinho e se encaixou em meu rosto. Entreabri os lábios e deixei que o ar preso saísse. Estávamos tão perto um do outro que parecia que o resto do mundo havia desaparecido.

Estremeci quando seu polegar tocou meus lábios e inconscientemente aproximei minha boca da sua. Thiago sorriu. Eu sorri. E, de repente, nossas respirações se tornaram pesadas. O clima entre nós se transformando em algo urgente, desesperador.

Um rosnado ficou preso em sua garganta. Então, sua mão segurou minha nuca e me puxou contra ele.

O beijo que Thiago me deu não era calmo, gentil ou paciente. Pelo contrário, seus lábios tomavam os meus com ansiedade, fúria e desejo conforme eu o retribuía na mesma intensidade.

Seu gosto na minha língua era viciante, as mãos firmes agora rodeando minhas costas me deixavam em ponto de ebulição. Aquela química entre a gente parecia ser de outro mundo, uma necessidade selvagem, crua e nua que me atingiu em cheio no instante em que seus dedos me tocaram por debaixo da roupa.

Ainda deitada sobre ele, Thiago ergueu o corpo e nos colocou sentados no sofá. Um sorrisinho ardiloso surgindo em seu rosto. Com um único impulso, ele me puxou pelas coxas, enquanto minhas pernas se atracaram à sua cintura, sentindo cada centímetro meu colado à cada centímetro dele. Nossos sexos roçaram com o movimento e um grunhido se prendeu em sua garganta. Uma pontada aguda de urgência atingiu meu baixo ventre.

Ele levantou, segurando meu corpo contra o dele. Em poucos passos, ainda com as bocas grudadas, chegamos ao meu quarto.

Suas mãos apertaram meu traseiro, fincando os dedos na carne antes de me deitar na cama. Um gemido baixo escapuliu de minha boca e Thiago sorriu, travesso, diabólico e em aprovação. Os lábios famintos percorreram meu queixo, pescoço e colo em beijos molhados e quentes antes que ele me colocasse na cama: seu corpo por cima do meu, enquanto nossas línguas voltavam a reivindicar uma à outra.

O calor dentro daquele cômodo beirava o insuportável. A quantidade de roupas entre nós se tornava um incômodo cada vez maior.

Ofeguei quando Thiago mordiscou meu queixo e chupou o lóbulo de minha orelha, demoradamente.

E, como se eu não fosse mais capaz de aguentar a chama que crescia dentro de mim e tomava minhas veias, membros e cabeça, eu o empurrei para longe e, em apenas um movimento rápido e certeiro, o virei na cama, montando em cima dele mais uma vez.

Os olhos verdes chispavam em surpresa e excitação, desejo e deleite, conforme suas mãos se encaixavam em minha lateral e ele me impulsionava para baixo, conforme impulsionava o próprio quadril para cima.

Gememos e semicerramos as pálpebras juntos, e então rebolei. Meu corpo rebolou por si só, na verdade, na ânsia de senti-lo mais, de roçar contra o membro rígido debaixo daquela maldita calça *jeans*.

— Roupa — ofeguei, o fogo se alastrando até minha garganta. — Muita roupa.

Thiago me encarou de cima a baixo, as íris quase pretas de tão escuras, faiscando em fome, quando uma de suas mãos apertou meu seio direito por cima da blusa.

Minhas costas se arquearam com o contato, pedindo, implorando por mais. Ele pareceu gostar, pois seu aperto se intensificou e seu polegar roçou contra a área central.

— Muita roupa — ele concordou, mordendo o lábio inferior conforme puxava a barra da minha camiseta para cima.

Ele a jogou para longe e suas mãos agora deslizavam por meus braços, de forma lenta demais para meu gosto, até chegar aos ombros e correr para minhas costas, abrindo o fecho do sutiã branco de renda, que foi atirado em seguida para algum lugar do chão do quarto.

Suas palmas acomodaram meus seios e seus polegares fizeram círculos sobre meus mamilos. Meu quadril se mexeu em um rebolado que o fez grunhir e me virar de novo na cama.

Thiago me beijou, voraz, selvagem. Enrosquei minhas pernas em seu tronco e ele ondulou sua excitação contra a minha, provocando choques elétricos por todo o meu corpo.

Sua língua percorreu o canto da minha boca, descendo por meu pescoço, clavícula e parando em meu seio, onde ele abocanhou o bico de uma só vez, com vontade. O outro era acariciado por sua mão, que logo desceu até minha barriga.

— Linda — ouvi-o sussurrar contra minha pele, e então ele assoprou meu mamilo, me fazendo perder o ar pela sensação de excitação. — Você é linda demais.

Meu corpo tentou reagir, se contorcer, o que fosse, mas ele não permitiu.

Sua mão espalmada contra minha barriga me mantinha presa contra a cama, sem conseguir me mexer, enquanto ele me provocava, me estimulava, me matava pouco a pouco de vontade de montar em cima dele até que eu estivesse completamente satisfeita.

Ele continuou lambendo, chupando e assoprando meus seios, se revezando entre eles. Se deliciando com eles. Comigo.

A visão de como ele parecia gostar do que fazia apenas aumentava meu desejo e minha urgência.

— Thiago — consegui murmurar, a respiração pesada. — Para de me provocar assim — pedi, fechando os olhos quando seus dentes roçaram contra o mamilo, numa carícia áspera e cuidadosa.

— Não consigo — respondeu, circulando o local com a ponta da língua. — Eu já não te disse? — Sua boca subiu para meu rosto, colando nossos lábios em um selinho demorado. — Não consigo resistir. É uma delícia, Letícia.

E, como que para provar o que dizia, ele me beijou daquele jeito selvagem, impiedoso, devastador. Tomando tudo de mim, me dando tudo dele.

Sua boca desceu mais uma vez, deixando um rastro de fogo por cada pedacinho de pele que tocava. Thiago ergueu o tronco e suas mãos desabotoaram minha calça, os dedos longos fincando no cós do *jeans* em minhas laterais.

O sorriso ardiloso que surgiu em seu rosto me fez perder o ar. Ele deu um beijo em minha barriga e ergui o quadril quando ele começou a retirar o resto das minhas roupas. Devagar, como uma tortura lenta.

Não vi para onde minha calça ou calcinha foram. Tudo o que conseguia enxergar naquele quarto à meia-luz eram os olhos dele. Tão verdes, tão brilhantes, tão cheios de fogo. Assim como eu imaginava os meus.

Seus dedos percorreram minhas coxas, até que as palmas apertassem a carne da parte interna, abrindo-as para ele. Não tentei impedi-lo em momento algum. Fazia tanto tempo que não me sentia desejada assim, que tudo parecia mais pungente e vital.

Thiago esticou as mãos em meu tronco, passando pelos meus seios e descendo até minha barriga, até se encaixar entre minhas pernas e sorrir, cheio de malícia.

Arfei quando sua respiração se chocou contra minha intimidade úmida. Ele aprovou a reação, pois um grunhido baixo vindo dele reverberou por meus ossos e, no segundo seguinte, sua língua perversa tocou meu ponto mais sensível.

Minhas costas arquearam do colchão, mas seus dedos estavam firmes, fincados na carne de meu quadril. Ainda assim, consegui mexê-lo um pouco, em um rebolar arrastado, conforme Thiago sugava todo o resto de razão que eu ainda tinha.

Sua boca trabalhava com afinco, alternando entre beijos, lambidas e chupadas deliciosas.

Meus sentidos se perdiam naquela nuvem de prazer que me rodeava por completo. Tudo o que eu conseguia pensar era que não queria que ele parasse, que acabasse. Queria fazer sexo com ele todos os dias, todas as noites. Queria aquela língua diabólica percorrendo cada milímetro do meu corpo e depois retribuir, beijando cada pedaço dele.

O aperto em minha lateral se intensificou e Thiago aumentou o ritmo do que fazia no centro do meu prazer.

Foi o suficiente para meu corpo se contorcer e um gemido escapar de minha garganta. As pernas tremeram, meus ombros se enrijeceram e, de repente, tudo era alívio e libertação.

— Eu queria fazer isso há muito tempo — disse, baixinho. — Provar seu gosto direto na minha boca, provar você inteira, Letícia.

Uma onda elétrica percorreu minha coluna e arrepiou minha nuca e meus braços.

Com a respiração ofegante e os olhos cerrados, só pude me focar no movimento do colchão. Thiago se ajoelhava na cama, as pontas dos dedos ainda brincando com meu ponto sensível, passando mais uma vez pelas minhas coxas, quadril, barriga e seios. Subindo e subindo, até que sua mão se espalmasse em minha bochecha.

O sorriso que ele esbanjava era uma mistura de glória, presunção e sofreguidão. Ele se aproximou para me beijar e, no instante em que sua boca tocou a minha com carinho, tudo em mim se acendeu de novo.

Minhas mãos apertaram seus ombros e odiei sentir aquele tecido sobre elas. Eu queria pele!

— Muita roupa! Por que ainda está de roupa? — falei mais uma vez.

Thiago soltou uma risada baixa e se afastou, levantando os braços como uma permissão muda. Meus sentidos pareciam tremer quando me ajoelhei no colchão e segurei a barra de sua camisa, puxando para cima até que seu peitoral estivesse completamente nu.

Toquei-o com os dedos, em seguida, espalmei minhas mãos, decorando cada pedacinho dele. Minha palma parou na altura de seu coração, batendo tão forte como um tambor.

A mão dele se colocou por cima da minha e nossos olhos se encontraram por um breve segundo de intimidade que fez meu coração martelar contra as costelas. O suficiente para achar que meu mundo iria ruir embaixo de mim, que toda a minha existência servira apenas para aquele momento, para chegar até ele.

Thiago mexia com minhas estruturas, derrubava qualquer muro erguido e me fazia querê-lo cada vez mais.

Estávamos ambos entregues, desejando aquilo mais do qualquer outra coisa no mundo. Tinha vontade de senti-lo dentro de mim, ocupando cada pedacinho que ainda restava da minha consciência, me fazendo empurrá-lo contra o colchão em busca do que eu mais ansiava.

Thiago não fez qualquer resistência. Deixou que eu tomasse o controle. Seus olhos pareciam ansiosos para ver o que eu faria.

Comecei beijando o canto de sua boca, descendo pelo maxilar, pescoço, mordendo o lóbulo de sua orelha até que ele agarrou meu traseiro e rosnou baixinho em resposta.

Sorri contra sua pele, entendendo que aquele era um ponto sensível.

Dei mais um beijo no local, me deliciando com suas reações.

— Olha só, não é que você tinha razão? — brinquei em um sussurro. O aperto dos dedos dele se intensificou. — É uma delícia te provocar também.

— Letícia.

Meu nome saiu como um aviso de que estava se esforçando para se manter quieto.

Achei graça e me afastei apenas o suficiente para passar a língua por seu lábio inferior. Os olhos verdes estavam escuros, nublados pela tentação, pelo desejo que também faiscava por todo o meu corpo.

Ainda assim, ele me deixou continuar e fiz uma trilha de beijos por seu tronco largo, forte, todo meu. Passei as unhas pelos ombros imponentes, como uma carícia lenta e desafiadora.

Beijei até onde o cós de sua calça estava e precisei segurar minha inquietação na hora de abrir o botão e descer o zíper até o fim. Meus olhos encarando os dele em uma expectativa muda. Os olhos dele me comendo por inteiro, prometendo coisas que eu mal conseguia imaginar.

Então, eu o toquei. Por cima da cueca branca. Minha mão sentiu aquele membro tão duro e ereto, pulsando por baixo do tecido fino.

Thiago grunhiu e seu quadril se remexeu. Um pequeno sorriso escapuliu de meu rosto. Era bom estar no controle, agora.

Abaixei, enfim, sua calça e ele a retirou às pressas. Abaixei sua cueca e deixei que seu sexo pulasse para fora. Majestoso, perfeito, pronto para se afundar em mim.

Umedeci os lábios e me abaixei, ouvindo um rugido rouco ecoar pelo quarto quando minha língua o tocou e eu o abocanhei de uma só vez.

Chupei toda sua extensão, passando as mãos pelo abdômen esculpido, contraído pelo prazer que eu lhe oferecia. Concentrei minha atenção na respiração ofegante de Thiago, que se tornava cada vez mais difícil, tensa, desesperada.

Sua mão, então, segurou um punhado de cabelo meu e levantou meu rosto com cuidado.

— Não aguento mais — admitiu, seu rosto parecendo tão selvagem quanto um leão.

Eu entendi o recado e me ajoelhei sobre a cama, apenas o suficiente para que suas mãos me puxassem e nos virasse no colchão.

Agora, tínhamos pele contra pele. Ambos febris, imersos no desejo, na vontade nua e crua um do outro.

Thiago me beijou e seu joelho separou minhas pernas. Mal vi quando ele se esticou para pegar a carteira e colocar a camisinha. O que durou apenas um segundo, pois, no momento seguinte, ele se encaixava em minha entrada.

Sussurrei seu nome em um pedido quase mudo, nada mais do que uma súplica na ponta da minha língua.

Seus lábios se juntaram aos meus. E então ele me invadiu.

Forte, arrebatador, delicioso.

A primeira estocada foi rápida, firme, certeira. Mas as seguintes foram lentas, presunçosas, cheias de provocação.

Minha mente girava e meu interior se contorcia. Prendi seu quadril com minhas coxas, finquei meus dedos em suas costas e o trouxe mais para perto, colando cada pedacinho de pele possível, rebolando, em uma urgência primitiva de senti-lo mais, de recebê-lo mais.

Thiago rosnou quando meu quadril se mexeu e sua boca mordiscou a minha, conforme ele aumentava o ritmo. Rápido, forte, insaciável.

As mãos grandes foram para o meu traseiro, erguendo meu quadril para facilitar a entrada. Ele foi fundo, em um ritmo frenético e potente. Tudo em mim vibrando, explodindo, suplicando.

Queria que ele mergulhasse em mim até que nossos corpos e almas se unissem em um só. A sensação dele me invadindo não era nada com o que eu pudesse comparar. Parecia certo. Como se ele também fosse feito para mim. O mesmo molde.

Meu sexo o recebia em sua totalidade, adorando sentir cada centímetro dele me penetrando. Seu prazer se alastrava para dentro de mim, entrando e saindo com potência, rigidez e autoridade. Até que não restasse nenhuma outra linha de pensamento, além de desejá-lo mais ardentemente.

Eu me desfazia a cada vez que ele se afundava em minha intimidade, sussurrando meu nome como uma prece fervorosa, como se eu fosse seu mundo.

Ao nosso redor, ouvia-se apenas os choques de nossos sexos, a respirações erráticas e os gemidos perdidos no ar.

— Letícia, Letícia — ele dizia entre palavras desconexas, aumentando o ritmo de seus impulsos contra mim.

— Mais — era tudo o que eu conseguia pedir. — Por favor, *mais*!

Ele rosnou quando tomei seu lábio inferior entre meus dentes e remexi meu quadril em uma exigência para que ele não parasse ou diminuísse a velocidade.

Seus músculos trabalhavam com determinação, os braços fortes me segurando, apalpando, apertando nos lugares certos, a pressão perfeita. Não havia razão ou consequências, apenas ele se afundando em mim, alcançando minha alma de um jeito que eu não entendia. Como se seu toque, seu beijo, me remendassem de alguma forma, me tornassem completa de novo.

Saboreei a sensação de sua pele contra a minha, o corpo grande e forte pesando sobre o meu, até que a mente girou e senti tudo vibrar. Os sons e gostos eram mais vivos, mais marcantes, conforme eu atingia minha libertação e tudo em mim se desfazia em prazer.

Thiago rugiu quando encontrou o próprio ápice, o tronco rígido enquanto ele dava as últimas três estocadas para dentro de mim. Determinadas, certeiras, poderosas.

A expressão de puro prazer tomando seu rosto e o deixando ainda mais irresistível, se é que isso era possível. Ele, então, desabou sobre meu corpo, suado, ofegante. Abracei suas costas. Ainda estávamos ligados. Éramos apenas um.

Seu rosto se ergueu um pouco, apenas para que nossos olhos se encontrassem. Sua respiração se misturava com a minha. Ambos com os lábios entreabertos, buscando ar, buscando algum sentido na vida.

E, assim, ele sorriu.

Nada de malícia ali. Apenas um sorriso de menino, um sorriso carinhoso.

Meus lábios se esticaram inconscientemente e seu nariz roçou contra o meu, conforme Thiago unia nossas bocas em um selinho quente e demorado.

Passei os dedos pelas costas e ombros, adorando sentir aqueles músculos fortes. Ele beijou minha testa e se jogou para o lado, puxando meu corpo para grudar ao dele. A ponta de seus dedos fazendo carícias preguiçosas nas minhas costas.

— Letícia — chamou, encarando o teto e parecendo um pouco tímido.

— Hum?

Me acomodei ainda mais em seu peito, desenhando círculos preguiçosos em seu ombro.

— Espero que esteja tudo bem se eu dormir aqui, porque não pretendo te largar tão cedo — comentou, ainda sem me olhar.

Soltei uma risada baixa e contente.

Céus, há quanto tempo não me sentia tão... feliz?

Beijei seu maxilar e voltei a me deitar enroscada nele, antes de dizer:

— Ótimo, porque não vou deixar você ir pra lugar nenhum agora.

Thiago sorriu, concordando com a cabeça, antes de fechar os olhos satisfeito.

Completamente presa e aninhada naquele abraço, deixei que meu corpo se acomodasse melhor ao dele, percebendo que nos encaixávamos com perfeição. Apoiei meu rosto em seu peito, ouvindo as batidas, agora calmas, de seu coração, imaginando se o meu estava pulsando na mesma sintonia.

Por um segundo, quis pedir para que ele não me largasse nunca mais.

CAPÍTULO 25

Meus braços e pernas se espreguiçaram conforme minha mente despertava. Soltei um gemido preguiçoso enquanto tomava conta de todo o colchão, me sentindo como nova, como se tivesse tido o sono mais profundo da minha vida.

Até que percebi onde estava. No meu quarto, deitada na minha cama.

Levantei-me de súbito, descabelada e com os olhos arregalados ao relembrar da noite anterior.

— Um sonho? — murmurei, confusa, encarando o resto do cômodo vazio.

Nenhum sinal de Thiago.

Passei a mãos nos fios rebeldes, tentando desfazer os emaranhados. Olhei para baixo e vi que estava sem roupa alguma.

— Certo, não foi um sonho — murmurei, sentindo o rosto esquentar.

Desperta, logo o cheiro de café fresco e algo que parecia muito com pão tostado atingiu meus sentidos. Passos no corredor me deixaram atenta e prendi o ar por puro instinto quando a maçaneta do quarto girou.

— Bom dia, dorminhoca — Thiago disse, sorrindo, ao entrar no quarto. — Já tava vindo te acordar. — Ele se aproximou e beijou meus lábios, roçando o polegar em minha bochecha. — Dormiu bem?

— Dormi, e você?

— Mais do que bem — piscou um olho e sorriu mais ainda. Acho que meu coração pode precisar de um médico. — Fiz café. Espero que goste de torrada com requeijão e queijo.

Concordei com a cabeça, mais rápido do que pretendia. Ele soltou uma risada baixa.

— Que bom. Preciso ir pra casa tomar banho e trocar de roupa antes de ir pra Up. Te encontro lá?

Concordei com a cabeça, comprimindo os lábios em uma linha fina.

Thiago se virou para partir, mas parou de repente no lugar. Vi seus ombros enrijecerem e, antes que pudesse perguntar se estava tudo bem, ele se virou e se aproximou de mim, ajoelhando no chão e segurando meu rosto entre as mãos.

— Letícia... — a voz rouca fez minha garganta coçar. Os olhos verdes brilhavam contra os meus, me fazendo mergulhar naquelas íris intensas e profundas. — A noite passada foi uma das melhores da minha vida.

E, antes que meu cérebro pudesse absorver suas palavras, sua boca se juntou à minha e me desmanchei por completo quando sua língua abriu meus lábios e seu gosto misturado ao café me invadiu. Instantaneamente, aquele se tornou meu sabor favorito. Delicioso. Capaz de fazer minhas pernas amolecerem e meu pulso disparar em alta velocidade.

Com as mãos ávidas, segurei sua nuca, enfiando meus dedos em seus cabelos macios, desejando aprofundar ainda mais aquele contato. Um gemido de aprovação fez a garganta de Thiago vibrar, fazendo tudo em mim se contorcer de excitação.

Quando o beijo pareceu insuficiente, Thiago mordiscou meu lábio inferior e se afastou, ofegante, lindo e *sexy*.

Puta merda, sexy *demais!*

Nossas testas estavam coladas e seus olhos cerrados, conforme ele tentava controlar a respiração. Eu não estava muito diferente.

— Por mais que eu quisesse continuar isso, não posso me atrasar hoje ou o Mauro vai ficar puto — falou, a voz rouca e baixa.

Não vou negar minha frustração, porque queria mesmo é agarrá-lo pelo pescoço, colar minha boca na dele de novo e puxá-lo para cama para repetir tudo o que fizemos na noite anterior. Poderíamos ficar ali o resto do dia. Talvez o resto da vida.

Porém, Thiago tinha razão e não podíamos nos esquecer dos nossos compromissos. Por isso, e só por isso, assenti em concordância.

Thiago ergueu o canto da boca em um sorriso ladino, me dando um vislumbre daquela covinha linda:

— Nos vemos depois?

Acenei com a cabeça, tentando conter o sorriso bobo que queria escapar.

Ele me deu um selinho e foi embora a passos rápidos, como se, caso não saísse o quanto antes do meu apartamento, acabaria mudando de ideia e continuando do ponto onde paramos.

O que não seria nem um pouco ruim.

Nem um pouco mesmo!

CAPÍTULO 26

Na terça e na quarta-feira, precisei ficar até bem tarde no escritório. Após o sucesso com os projetos da Clínica Boa Vida e do Canal Radical, choveram marcas solicitando propostas para a Up.

Aparentemente, a agência havia se tornado a mais concorrida do país e, em reconhecimento ao meu trabalho e dedicação, Flávia me promoveu à coordenadora de *marketing*.

Foi necessária uma boa dose de autocontrole para não voltar à minha mesa dançando.

Mas, diante do ritmo frenético dos últimos dois dias, mal tive tempo de conversar com Thiago, que praticamente tinha todas as suas horas monopolizadas por Mauro. Claro que, como dois adultos supermaduros e responsáveis que éramos, conseguimos dar uma ou duas escapulidas para uma sessão de pegação frenética no banheiro, que incluía beijos famintos e mãos afoitas.

Durante o almoço de quarta, enquanto Flávia e Mauro não paravam de falar sobre trabalho, Thiago se virou para mim e se gabou do celular novinho em folha, agora com a tela consertada.

— Tive que ir lá na gráfica. Lembra do João? — Assenti. — Então, você não vai acreditar! Ele tá namorando a menina da loja de eletrônicos do outro lado da rua. — Bom, aquilo não era bem uma novidade, mas sorri em resposta mesmo assim. — Ele me levou lá e a garota trocou a tela pra mim. Ainda me deu desconto.

— Que maravilha, hein?! Agora você não está mais exilado da sociedade virtual — brinquei, e ele sorriu orgulhoso.

— É bom estar de volta. — Tirou um papel do bolso, estendendo a mim. — Ele pediu pra eu te dar isso, como forma de agradecimento.

Desdobrei o que era um *voucher* de 30% de desconto em toda a loja de eletrônicos.

— Agradecimento?

Thiago assentiu.

— Engraçado, né? — comentou ele, parecendo pensativo. — Eles se conheceram naquele dia que você falou pra ele da promoção, que não existia, na verdade.

— Devo ter visto errado — expliquei, nervosa.

Os pulmões já começavam a ameaçar descompassar a respiração.

Ele deu de ombros:

— De qualquer forma, foi graças a você que eles se conheceram e queriam retribuir de alguma forma.

— Muito legal da parte deles — sorri, comovida.

— É — murmurou, coçando o queixo. — Mas fiquei pensando sobre o assunto no caminho pra cá e achei uma coisa curiosa.

Humm... Aquilo não parecia ser coisa boa e acabei mordendo uma bochecha mais forte do que pretendia, enquanto ouvia sua teoria:

— Já percebeu que você juntou muitos casais? Só dos que eu sei, tem o João e a garota, aqueles velhinhos do retiro, o taxista gente boa daquela vez. — Ele levantou um dedo para cada um dos três. — Ah, teve a moça do bar também! Você deu uma de conselheira amorosa com ela. — Levantou mais um. — E, bem ou mal, foi graças ao seu desmaio que a Raissa conheceu o Doutor Guedes.

Levei a mão ao peito, contente por lembrar que eles puderam encontrar suas almas gêmeas. O recipiente dentro de mim chacoalhando conforme algo se enchia de alegria e satisfação.

— Nossa!

Foi tudo o que consegui falar, pois só agora, com Thiago pontuando alguns dos casais que pude ajudar, que percebi o quanto me sentia grata por aquela oportunidade. A oportunidade de trazer o verdadeiro amor à vida daquelas pessoas.

— Talvez você tenha algum tipo de superpoder — provocou, piscando.

Tentei ao máximo não gargalhar, porque Thiago nem imaginava o quanto ele estava certo em relação à sua teoria.

— Talvez eu devesse vestir uma capa e ser chamada de Cupido Humano — respondi no mesmo tom de brincadeira.

Ele sorriu, concordando com a cabeça:

— Mulher-Cupido combina melhor com você. E um *collant*. — Seus olhos verdes me analisaram dos pés à cabeça, seus lábios repuxados em um sorriso claramente malicioso que fizeram minhas pernas tremerem. — Definitivamente um *collant*.

Mauro surgiu no segundo seguinte, pedindo a ajuda de Thiago para ajeitar uma foto que ele queria colocar no aplicativo de encontros.

Ele acenou para mim e piscou um olho antes de acompanhar o amigo e chefe para o outro lado do escritório.

Soltei o ar em uma lufada lenta e em seguida me peguei pensando se seria fácil achar uma fantasia de heroína customizável na internet.

CAPÍTULO 27

Não tem nada melhor do que feriado na quinta. Isso já foi comprovado, principalmente quando você trabalha numa empresa legal que emenda com a sexta-feira.

Mas o que pode ser ainda melhor do que uma folga no fim da semana? Churrasco, é claro!

Conforme Flávia avisou, todos os funcionários deveriam se encontrar na Up às nove horas para pegarmos a *van* que nos levaria até o sítio alugado. Ninguém atrasou. Simplesmente porque ninguém é doido de perder a oportunidade de curtir um dia de sol com piscina, comida e bebida de graça.

Virginiana, fui a primeira a chegar, como sempre. Como o dia estava quente, coloquei um *short jeans* e uma camisa branca de gola V, onde prendi os óculos escuros. Por baixo, um biquíni preto, simples.

Raissa não parava de falar sobre um maiô novo que comprara, enquanto minha diretora parecia ansiosa para sairmos logo. Assim que Mauro e Thiago enfim chegaram, todos se acomodaram na *van*.

A galera estava tão animada que, quando vi, já tinha sido empurrada para dentro do veículo. Raissa me colocou na janela e se sentou ao meu lado. Thiago acabou lá atrás, com Mauro e os outros meninos. Nem tivemos a chance de nos cumprimentar além de uma piscadela marota que Thiago me lançou ao entrar no veículo.

Entre "Quem roubou pão na casa do João" e alguns *funks* antigos, daqueles que eram melosos e sem palavrões, chegamos no tal sítio e, assim que saí do veículo, Raissa passou o braço em meus ombros, animada:

— Olha só esse lugar! — falou.

E eu olhei.

Alguns metros à frente tinha uma casa grande, de paredes brancas e detalhes em madeira. Em frente a ela, uma enorme piscina com uma cascata de pedra. Mesas, cadeiras e espreguiçadeiras brancas por todos os lados. Na lateral, mais ao fundo, dois homens já trabalhavam na churrasqueira e o cheiro de pão de alho, linguiça e carne fez meu estômago roncar. Em outro canto, havia uma pequena tenda, onde dois *bartenders* colocavam as travessas de frutas na mesa para os drinques.

Flávia chamou nossa atenção e nos reunimos em uma roda. Todos com feições famintas de quem quer enfiar a cara na churrasqueira, se encharcar de caipirinha e depois se jogar na água. Ainda assim, o pessoal ouviu com atenção quando a diretora explicou que ficaríamos até às oito da noite, que tinha um campo de futebol atrás da casa para quem quisesse e que os quartos estavam trancados e, por isso, devíamos deixar nossas mochilas na sala. Os banheiros estavam à nossa disposição para banho, é claro.

Assim que liberados, largamos nossas tralhas nos grandes sofás e voltamos para a parte externa. Raissa me arrastou para pegar a primeira caipirinha. Pedi uma de abacaxi e, nossa, tava boa demais! Tentei ignorar o fato de ainda ser de manhã. Era um churrasco, afinal.

Com a bebida na mão, foi a minha vez de levar a garota para o que interessava: a travessa de pão de alho quentinho que começava a sair.

Sem querer, meus olhos buscaram por Thiago, mas não o vi.

— Que foi? — Raissa perguntou.

— Nada não — sorri amarelo. — Só vendo o lugar mesmo.

— Muito legal aqui — ela comentou, e assenti, concordando. — Será que a Luana vai conseguir se dar bem hoje?

Meu cenho se franziu automaticamente, sem entender.

— Como assim?

Raissa se aproximou, falando baixinho para que apenas eu ouvisse:

— Ela tá doida pra pegar o Thiago e tava falando que ia tentar a sorte. Com bebida no meio, vai que rola, né?

Ela soltou um risinho cúmplice, do qual eu não compartilhei.

Tentei ignorar o embrulho que senti e o fato de ter, de repente, perdido a fome. Tudo bem que ninguém sabia sobre... bom, o que quer que estivesse rolando entre mim e o Thiago, mas aquele era um assunto que eu não queria discutir com Raissa ou qualquer outra pessoa por enquanto. Não que tivéssemos de fato alguma coisa séria ou exclusiva, mas dormimos juntos e era óbvio que ambos queríamos muito repetir a dose.

Não achava que ele fosse topar algo com Luana, mas só a ideia de vê-la se jogando em cima dele e acreditando que poderia se dar bem, fazia uma acidez se formar em minha garganta.

— Ah, olha os garotos ali — Raissa falou, apontando com o dedo.

Thiago e os outros carregavam caixas de som para o jardim.

No segundo seguinte, a garota puxava meu pulso para que nos juntássemos ao grupo.

Raissa rapidamente se meteu no meio para que colocassem alguma música que ela estava doida para ouvir. Foi o suficiente para Thiago se afastar e surgir do meu lado.

— Oi — ele disse, me encarando com a prévia de um sorriso.

— Oi — respondi, observando sua camiseta branca onde o Chewbacca erguia uma caneca grande de cerveja.

Como se lesse meus pensamentos, Thiago encarou minha mão perguntou:

— Tá bebendo o quê?

Em vez de responder, apenas ofereci a bebida em um pedido mudo para que provasse. Ele tomou um gole e fez careta.

— Não sei como vocês gostam dessas coisas.

Acabei soltando uma risada breve:

— É melhor do que cerveja — dei de ombros.

— *Nada* é melhor do que cerveja em um dia quente desses — falou, convicto. — Inclusive, tô precisando muito de uma. Carregar esses trambolhos acabou comigo.

E, assim, num piscar de olhos, o desgraçado tirou a camiseta.

Bem ali, na minha frente, sem se importar se eu poderia ter taquicardia ou não.

Thiago ajeitou a camisa no ombro e esticou o tronco. Meus olhos correram para aquele peito largo, o abdômen definido, mas sem exageros. Apenas perfeito, com os músculos do tamanho certo nos lugares corretos. Minhas mãos coçando para tocá-lo mais uma vez, como fiz na outra noite. A boca seca desejando beijá-lo novamente em cada centímetro de pele exposta.

Cacete, esse homem é um vício e acho que estou entrando em abstinência!

— Vamos lá comigo? — pediu, ainda se esticando.

Eu o encarei como se fosse de outro planeta. Ainda estava me controlando para não babar sem querer.

Ele me olhou com malícia e um sorriso de escárnio tomou os lábios finos.

— Pegar algo pra beber, sabe? Você parece estar com *muita* sede. Ou será que é fome? — comentou, de uma forma lenta e divertida.

Thiago não era idiota e sabia muito bem que sua provocação estava dando mais do que certo. A umidade entre as minhas pernas não me permitia negar.

— Aproveita e pega mais uma pra mim também, por favor, Lê — Raissa falou, de repente, e só então percebemos que ela estava perto demais de nós.

Controlei a vontade de mexer a cabeça de forma frenética por conta do pequeno susto e peguei o copo da mão dela, indo com Thiago até onde as bebidas eram preparadas e servidas.

Quando chegamos até a tenda, encontramos Luana.

Ah, que ótimo!, pensei, tentando não praguejar.

— Já vai começar os trabalhos, Luana? — Thiago disse, em tom brincalhão.

Ela corou.

Argh...

— Tava morrendo de sede, tá bem quente hoje — comentou ela, sorrindo e piscando demais para o meu gosto.

— Nem me fala. Já vou cair na piscina.

— É, percebi — ela respondeu, cravando os olhos no tronco nu dele.

Aaaaah, desgraçada!

Meu sangue já estava borbulhando nas veias, como se pudesse entrar em erupção a qualquer instante. Que menina cara de pau, gente! Secando Thiago daquela forma tão descarada. Só falta um babador com uma lagosta sorridente!

Tá... tudo bem que eu não podia falar muita coisa, mas... enfim...

— Posso ajudar? — o *bartender* perguntou na minha direção, enquanto os outros dois entravam em alguma conversa que fiz questão de ignorar.

Pedi a caipirinha da Raissa e mais uma para mim, vendo que a minha já estava quase acabando.

Com as bebidas na mão, vi Raissa me chamar com o braço levantado. Caminhei até onde ela estava e entreguei seu copo. Um sorriso agradecido surgiu em seu rosto, mas que foi logo substituído por um olhar cheio de desconfiança.

Percebi que seus olhos agora estavam vidrados atrás de mim, de onde a voz de Thiago surgiu:

— Poxa, nem pra me esperar, Lê.

Ele não estava chateado, de fato. O sorriso torto e fingido fazia questão de denunciar isso.

Encarei-o sobre os ombros e dei um gole na caipirinha.

Raissa revezou seu olhar entre nós dois e podia jurar que era capaz de enxergar nossa alma quando disse:

— Vou lá pedir mais cachaça nisso aqui, tá bem fraquinha.

Ambos assentimos e ela partiu, nos deixando a sós.

— Foi mal. A Raissa tava esperando a bebida e achei melhor não atrapalhar — respondi, afastando o copo da boca.

Ele pendeu a cabeça para o lado, parecendo confuso.

— Atrapalhar o quê?

— Sua conversa, ué — fiz um aceno com o queixo para onde ele e Luana conversavam há poucos segundos.

Um sorriso muito, muito presunçoso tomou conta do rosto dele.

— Na minha terra, isso se chama ciúmes — provocou, a boca próxima demais do meu ouvido para que ninguém mais escutasse.

Segurei a vontade de engolir em seco e apenas bebi mais um pouco da caipirinha. De repente, eu parecia precisar muito daquela bebida. E de mais algumas, provavelmente.

— Ainda bem que não estamos na sua terra, né?! — retruquei, piscando um olho de forma marota.

A verdade é que eu não queria dar o braço a torcer, porque... bem, sim, eu estava mesmo com ciúmes. Dá licença?

Thiago soltou uma risada baixa e rouca antes de me puxar e beijar meus cabelos. Derreti com o gesto na mesma hora.

Os meninos se aproximaram logo depois e o chamaram para jogar um pouco de futebol. Ele bateu a garrafa da cerveja no meu copo e falou, antes de sair com o grupo:

— Te vejo depois?

Assenti, recebendo o maior sorriso do mundo em resposta.

Raissa e as outras meninas se aproximaram e começaram a se despir, ficando apenas com as roupas de banho. Nos acomodamos nas espreguiçadeiras e ficamos bebendo, enquanto conversávamos sobre assuntos aleatórios e tomávamos um solzinho.

Viva a vitamina D!

— Ei, Lê — Raissa chamou, baixinho.

Virei meu rosto para encará-la e um sorrisinho travesso se ergueu no canto de sua boca.

— Você e o Thiago...?

Ela deixou a pergunta subentendida e fiz a mesma coisa com a resposta quando dei de ombros, tentando segurar que meus próprios lábios não se erguessem mais do que deveriam.

Vi Raissa comprimir a boca, claramente segurando algum gritinho agudo. Com a mão estendida para mim, me ofereceu um *high five* em aprovação. Toquei minha palma com a dela sem fazer barulho para não atrair atenção indesejada.

Em seguida, ela se recostou novamente em sua espreguiçadeira, colocando os braços atrás da nuca e disse:

— É bom te ver seguindo em frente. Talvez não pra Luana, mas ela vai superar.

— Valeu — foi tudo o que consegui dizer, porque na minha mente as palavras "seguir em frente" se repetiam infinitas vezes até eu entender que, sim, era isso mesmo o que eu estava fazendo.

Seguir em frente parecia... bom.

Fechei os olhos, focando naquele sentimento cheio de esperança e me permiti relaxar como há muito tempo não fazia. O clima era agradável e adorei quando o churrasqueiro nos trouxe uma travessa cheia de carne, linguiça e queijo coalho.

Bem que a Up Marketing poderia, sei lá, fazer aniversário todo mês, né?

Não sei quanto tempo se passou, mas meu corpo já estava suado pelo calor e minha coluna pedia para que eu saísse daquela espreguiçadeira e a alongasse.

Levantei com preguiça e elevei os braços no ar, sentindo tudo estalar e uma sensação de alívio percorrer meus nervos.

Os urros e as reclamações dos meninos soaram na mesma hora,

enquanto eles se aproximavam. Meus olhos encontraram os do Thiago sem querer. Ele sorria de orelha a orelha. Provavelmente estava no time vencedor da partida.

Seus cabelos e todo o corpo estavam completamente suados, brilhando com os raios solares que batiam em sua pele. A respiração parecia ofegante, mas ele não diminuía o passo. Foi se aproximando cada vez mais, com um sorriso que identifiquei como zombeteiro e que fazia uma voz gritar dentro de mim: "corra enquanto ainda há tempo!".

Mas eu a ignorei. Não fui nada esperta.

E quando ele já estava perto o suficiente para que eu entendesse o que pretendia fazer... ah, já era tarde demais.

Thiago encaixou aqueles braços fortes ao redor do meu tronco, ignorando meu arregalar de olhos e o grito de desespero que reverberou por minha garganta. Minhas unhas se fincaram em seus ombros e, por puro instinto, minhas pernas entrelaçaram seu quadril. Ele soltou algo que parecia um rosnado em meu ouvido. Um som gutural tão intenso que fez o espaço entre minhas coxas latejar e eu então eu o senti, rígido contra mim. Pulsando, me desejando. Na mesma intensidade com a qual eu o desejava.

Em dois passos longos, ele pegou impulso e nos jogou na piscina fria.

De repente, estávamos embaixo da água e meu sangue congelou.

Emergi, em busca de ar, pronta para brigar com Thiago pelo choque térmico, mas, assim que nossos olhos se encontraram, as palavras morreram em minha boca.

Ele parecia ainda mais ofegante que antes, um brilho faminto nos seus olhos chispando na minha direção. Thiago passou a língua pelos lábios, como se não estivessem umedecidos o suficiente. Deu um passo à frente, um passo até mim.

Mas, antes que ele chegasse próximo o suficiente para me tocar, água respingou para todos os lados e protegemos o rosto com as mãos conforme todo mundo se jogava na piscina.

Pelo pouco que vi, os garotos foram carregando as garotas e as jogando com eles na água entre berros e corpos contorcidos. Os malditos haviam combinado tudo em uma pegadinha geral.

Entre as risadas e reclamações de todos, o momento entre mim e Thiago se dissipou.

E quando alguém sugeriu de jogarmos polo aquático, dei graças aos céus que ninguém percebeu quando Thiago colocou a mão dentro da bermuda e tentou esconder sua clara ereção.

Cansados, empanturrados e embriagados, uns mais do que outros, decidimos que era hora de relaxar. O sol começava a descer no horizonte e em algumas horas precisaríamos voltar para nossas respectivas casas.

Vi, naquele momento, uma oportunidade de adiantar meu banho antes que as filas para o banheiro começassem a surgir. Meu cabelo cheio de cloro da piscina pedia um bom condicionador, então me levantei da cadeira em que estava sentada e caminhei até a entrada lateral da casa, que me levaria até a sala onde minha mochila estava.

Somente quando cheguei na porta de entrada, percebi que tinha esquecido meu chinelo no jardim. Bufei ao constatar que teria que ir buscá-lo.

Porém, no momento em que girei meus tornozelos, meu corpo se chocou contra outro.

Um corpo grande, esguio e do qual eu reconhecia cada pedacinho.

Ofeguei sem querer e ergui meu olhar até encontrar os olhos verdes de Thiago. Encontrei ali aquele mesmo fogo que chispou em minha direção na piscina, um brilho de desejo tão profundo e intenso que fez minhas pernas amolecerem.

Seus olhos desceram para a minha boca e não tive tempo de dizer nada antes que seus lábios tomassem os meus com voracidade.

Gemi seu nome no momento em que sua língua pediu passagem e Thiago prendeu um rugido na garganta, quando eu permiti.

Sua boca tomava a minha com fervor e me derreti quando seus braços circularam meu tronco e levantaram meus pés do chão. Em poucos passos, sem tirar os lábios dos meus, Thiago nos levou para os fundos da casa.

Minhas costas bateram contra a parede e seu corpo se colou ao meu, centímetro por centímetro, provocando um incêndio completo dentro de mim.

Arfei e arqueei a coluna quando seus lábios desceram até o meu pescoço, deixando beijos molhados por todo o caminho até minha orelha.

— Sabe o quanto tive que me controlar pra não te agarrar naquela piscina? — Mordiscou minha orelha, provocando um frenesi dentro de mim. As mãos apertaram meu quadril como se quisessem provar o que dizia. — Tô ficando louco desde a última vez que te beijei, Letícia.

Eu estremeci, meu corpo se arqueando contra o dele, em um claro oferecimento. Tudo em mim queimava, tudo em mim pedia por ele, por mais.

Mais, mais, mais. Muito mais!

Passei minhas mãos por seus ombros, percorrendo as costas com os dedos fincados na pele quente, querendo senti-lo, tê-lo mais perto. Puxei-o um pouco mais, fazendo nossos sexos roçarem um no outro. Ele estava tão duro quanto na piscina, horas antes.

Thiago emitiu um rosnado baixo, torturante, em resposta.

Seus olhos encontraram os meus. Tão famintos, sérios e ardentes quanto os meus.

— Me beija — pedi, quase em um sussurro.

Senti os pulmões pesarem quando ele se afastou poucos centímetros e uma de suas mãos espalmou em minha barriga. Seu polegar fez um círculo em meu umbigo, descendo até o botão do meu *short jeans*.

— Fala de novo. — Não era um pedido.

Uma corrente elétrica percorreu minhas veias e senti que meu coração poderia explodir.

— Me beija, Thiago! — repeti, a voz falha.

Sua boca tomou a minha em seguida. Um beijo que me pedia tudo, que me *dava* tudo.

Com as mãos ágeis, ele desabotoou meu *short* e desceu o zíper antes que eu pudesse entender o que fazia. O que pretendia.

Sua mão desceu, encontrando a barra do biquíni. Meu corpo se contorceu em desejo, ansiedade e aprovação. A mente não raciocinava direito conforme seus dedos chegavam mais perto do centro da minha vontade, da minha excitação.

Eu o queria tanto que não lembrava mais onde estávamos, meu nome ou quem eu era. Em mim, existia apenas a urgência em senti-lo me tocar. E, quando sua mão enfim desceu até meu ponto sensível, ofeguei e soltei um baixo gemido conforme um dedo me penetrou. Rápido, firme, delicioso.

Thiago intensificou o beijo, como se pudesse sugar aquele prazer de mim, aquela sensação de estrelas explodindo em minha garganta, estômago e ventre.

— Tão molhada, Letícia — Thiago rosnou entre dentes, puxando meu lábio inferior.

Minha boca se entreabriu e respirar se tornou impossível quando ele aumentou o movimento dos dedos em meu sexo. A mão livre segurava minha cintura, me mantendo de pé. Tudo estourava e rompia dentro de mim, meu pulso acelerava na velocidade da luz e senti que me desmancharia a qualquer momento.

Nossos olhos se encontraram e o maxilar dele trincou. O olhar dele tinha um tom animalesco, selvagem, algo como nunca vi. Era lindo, sedutor, excitante.

Sua respiração quente, forte e também descompassada atingia meu rosto; nossas bocas, agora, apenas se tocavam em um leve roçar de lábios.

Meu corpo e alma se contraíram com os dedos dele ali, deslizando para dentro de mim, me levando à loucura.

Aquela queimação crescendo e crescendo, consumindo cada centímetro meu, cada pensamento, cada pedaço do que eu era, do que eu já fora e do que eu poderia ser.

Um gemido foi tudo o que consegui fazer.

Me desfiz, me desmanchei por completo em suas mãos, em seus dedos, com a boca colada na dele, chamando seu nome como em uma prece sussurrada.

Thiago grunhiu com satisfação e, assim que me tornei apenas um corpo cansado, em espasmos, seu polegar circulou de forma preguiçosa por aquele ponto tão sensível entre minhas pernas, fazendo com que a sensação de alívio e libertação se estendesse por mais alguns segundos.

Abri os olhos, e só então percebi que estiveram fechados.

Ele sorriu, quase diabólico, antes de separar os lábios de fato dos meus, aumentando minimamente o espaço entre nós e chupando seus dedos com tanto prazer que fez tudo em mim se contrair, pronta para uma segunda rodada.

Seus olhos eram profundos, escuros pelas pupilas dilatadas. Desejo e aprovação brilhando naquelas íris que me hipnotizavam.

— Deliciosa, Letícia — sussurrou, resvalando o nariz em meu pescoço e depositando um beijo molhado ali.

Escancarei a boca, procurando o que dizer, mas deixei escapar apenas um gemido. Eu nem sequer lembrava como se falava. Tudo estava à flor da pele, nublado pelo orgasmo que me atingira com força segundos antes.

De repente, passos me despertaram.

Alguém se aproximava.

Thiago olhou para o lado de onde o barulho vinha e se voltou para mim. Seus dedos levantaram meu queixo e sua boca se juntou à minha em um selinho rápido.

— Vai para o banho. Pode deixar que distraio eles. — E se foi.

Assim, do nada.

E eu precisei de alguns segundos para entender o que deveria fazer. Fechei meu *short* com os dedos trêmulos e corri para dentro da casa, puxando a mochila pela alça e indo às pressas para o banheiro.

Aquele foi, provavelmente, o banho mais demorado da minha vida.

Com a testa recostada no mármore frio, espasmos ainda tomavam meu corpo, apenas com a lembrança do que acabara de acontecer.

Tínhamos poucas horas até que a *van* retornasse para nos buscar. Quase todos já tinham tomado banho e trocado de roupa, e agora nos acomodávamos em toalhas, numa roda, pelo jardim.

Mauro tinha um violão nas mãos e uma música calma ressoava por entre nós, enquanto podíamos observar o céu estrelado no sítio, imaculado pela luz da cidade.

Estrelas dançando no céu, como cascatas de luz e esperança. Uma noite profunda nos rodeando por todos os lados, a brisa suave fazendo as folhas das árvores farfalharem, tocando nosso rosto como uma carícia.

Foi um dia perfeito, memorável, inesquecível.

Suspirei fundo, sentindo o ar puro, e voltei minha atenção à roda quando senti uma movimentação.

Thiago se levantava do lado do amigo e seu olhar estava cravado no meu. Ele sorriu, de uma maneira cafajeste que acendeu tudo em mim mais uma vez.

Precisei controlar a vontade de ofegar.

— Vou pegar algo pra beber — avisou ele, ainda me olhando. Aquilo era um convite? — Alguém quer alguma coisa?

Raissa e Flávia aceitaram e ele simplesmente se foi.

Mordi o canto da boca. Aquilo *parecia* um convite e eu queria aceitar. Mas seria bom esperar pelo menos um pouco, só para não dar brecha para que alguém suspeitasse de nós. Tudo o que estava acontecendo ainda era novo, como um segredo, e queria que continuasse assim. Era excitante fazer as coisas na encolha.

Aguardei uns três minutos antes de dizer:

— Vou pegar um copo de água.

Me levantei, dando graças aos céus que ninguém pareceu ligar ou suspeitar. Tentei não acelerar o passo até a entrada lateral, que ficava mais perto da cozinha, mas estava ansiosa para chegar até Thiago e beijá-lo por pelo menos mais uma dezena de vezes.

Porém, ele se adiantou e, no instante em que cruzei a porta da cozinha, suas mãos já puxavam minha cintura e colava sua boca faminta à minha.

— Achei que não tinha entendido meu convite, mas fico feliz em descobrir que estava errado.

Sorri contra sua boca, puxando com os dentes o lábio inferior.

Thiago praguejou, me apertando mais contra ele.

— Letícia.

Sua voz era tão rouca e baixa que fez os pelos de minha nuca se eriçarem.

— Sim?

— Mais tarde, na sua casa ou na minha?

CAPÍTULO 28

Entramos no meu apartamento aos tropeços desengonçados, entre beijos molhados e mãos afoitas arrancando as roupas que nos impediam de chegar onde queríamos.

Quando entramos no quarto, me embolei com meu *short* e Thiago perdeu o equilíbrio, fazendo com que nós dois caíssemos na cama. O silêncio da queda durou apenas um segundo, pois em seguida já estávamos rindo como idiotas.

O sorriso aberto ainda estava estampado no meu rosto quando senti o colchão se mover. Thiago se apoiou em um braço e tocou meu queixo com a mão livre, me obrigando a virar para ele. O quarto estava parcialmente escuro, mas, pelas luzes que vinham de fora, eu conseguia enxergar sua expressão tão bem quanto os sentimentos que ela denunciava.

Seu rosto se aproximou sem pressa do meu e engoli em seco um segundo antes de sua boca tocar a minha. O beijo, diferente das outras vezes, não era nem um pouco urgente ou desesperado. Pelo contrário. Sua mão se encaixou em minha nuca e nossas línguas se encontraram, misturando sabor e gentileza, em um beijo calmo e lento.

Usávamos somente as roupas de baixo naquele momento, mas o toque dos dedos de Thiago em meu corpo foi tão gentil que mal percebi quando ele abriu o fecho do meu sutiã. Tudo o que conseguia sentir era o toque de sua pele na minha, meus seios recostados em seu peito largo. Thiago sorriu em minha boca ao jogar a peça no chão e resvalou o nariz em minha bochecha antes de descer a linha de meu pescoço com beijos quentes e demorados, como se estivesse explorando o caminho pela primeira vez.

Estremeci quando seus lábios tocaram um ponto sensível e ele se afastou um pouco para me olhar. Quando nossos olhos se encontraram e me deparei com tantos sentimentos claros como água nos olhos de Thiago, perdi quaisquer resquícios de ar que havia em meus pulmões.

Uma de suas mãos se encaixou na lateral do meu rosto de forma suave, assim como o novo toque de seus lábios nos meus. Fechei os olhos, buscando aproveitar aquele contato tão íntimo e sutil. Acho que nunca havia sido beijada com tanto cuidado na vida, tanto carinho, como se eu fosse, de alguma forma, algo tão precioso para ele. Aquela constatação fez meu coração se aquecer, pois ele também se tornara precioso para mim.

— Letícia — sussurrou contra minha boca, e então abri as pálpebras, nosso olhar se encontrando mais uma vez. — Acho que você foi feita pra mim.

Não sei como começou ou de onde veio, mas, no segundo seguinte, seu polegar enxugava a lágrima que escorria por minha bochecha. Seu olhar se tornou hesitante e arrependido, como se achasse que tivesse dito as palavras erradas.

Mas, não. De jeito nenhum aquelas palavras tinham sido erradas. Nunca seriam.

Por isso, segurei seu rosto com minhas mãos e juntei nossos lábios mais uma vez.

— Então, me faça sua — pedi, sorrindo e o sentindo sorrir em minha boca, em resposta.

Sem pressa, Thiago trilhou beijos por todo o meu corpo, acariciando com a ponta dos dedos qualquer pedaço de pele que pudesse alcançar. Quando ele passou minha calcinha pelas minhas pernas, fez isso em um ritmo preguiçoso, beijando minhas coxas e tornozelos no processo.

Toquei seu abdômen firme conforme ele retirava a própria cueca e pescava uma camisinha na carteira jogada no chão. Em pouco tempo, ele já estava de volta em cima de mim, os braços flexionados nas laterais da minha cabeça e seu membro rígido tocando minha entrada. Trouxe-o para mais perto com as pernas envolvidas em seu tronco e ele se afundou em mim, me invadindo centímetro por centímetro, sem pressa alguma, sem desespero. Apenas fazendo o que lhe pedi, me tornando sua, se doando para mim.

Thiago se abaixou e nossas bocas se encontraram em um beijo terno, conforme ele investia contra mim uma, duas, três vezes. Saindo por completo e entrando devagar, como uma tortura.

Sua língua saboreava a minha e seu corpo se fundia com o meu. Um beijo cheio de carinho, descoberta, lentidão e provocações. Seu membro rígido me invadindo com a firmeza e o ritmo perfeito, me provando da mesma forma que eu o provava.

Ele chamou meu nome quando meu corpo começou a tremer embaixo de si. Eu gemi o nome dele quando os espasmos me tomaram e a sensação de alívio percorreu cada terminação nervosa em meus membros.

Quando Thiago também alcançou seu ápice e me beijou de maneira tão apaixonada, percebi o que havíamos feito.

Não era sexo.

Era muito mais.

CAPÍTULO 29

Acordei com minha cintura rodeada por um braço firme e um corpo masculino envolvendo o meu, em um casulo confortável.

Thiago.

Thiago estava ali comigo, na definição perfeita de conchinha.

Sorri imediatamente com a lembrança da noite anterior e provavelmente teria voltado a dormir se meu telefone não estivesse vibrando como um louco.

Quase me engasguei quando vi o nome do senhor Tanaka na tela. Já com os olhos bem abertos e me afastando de Thiago com cuidado para não acordá-lo, peguei o telefone e corri para a sala antes de atender a ligação.

— Alô?

— Letícia! — Sua voz parecia aflita. — Meu pai está muito mal, delirando, falando sobre meu avô e *você*. — Prendi o ar, sentindo minha cabeça girar para todos os lados. — Ele chamou seu nome várias vezes, diz que tem algo pra te falar. Por favor, venha pra cá. Estamos na clínica e... acho... acho que ele não tem muito tempo.

— Estou a caminho! — avisei, sem hesitar.

Aos tropeços, voltei ao quarto, onde Thiago ainda dormia profundamente. Na dúvida se deveria interromper seu sono ou não, achei melhor deixar uma mensagem avisando que precisei sair por conta de uma emergência.

Com certeza ele entenderia.

Coloquei uma roupa qualquer e peguei um táxi até o retiro, pedindo para que o motorista fosse o mais rápido possível.

O senhor Tanaka disse que Isao não tinha muito tempo. Então ele...

Não quis pensar no assunto ou na possibilidade. Muito menos em como Agnes estaria nesse instante. Eu sabia bem que a dor de perder alguém que amamos é, no mínimo, excruciante.

Cheguei rapidamente e Yoko me aguardava na recepção. Trocamos um olhar cúmplice, mas não dissemos nada sobre o motivo de eu estar ali e o que isso significava.

Como esposa do senhor Tanaka, ela já deveria saber sobre a estranha ligação que eu tinha com sua família, ainda que nem mesmo eu soubesse direito o porquê.

Assim que entramos no quarto de Isao, meus olhos lacrimejaram. A cena diante de mim não era bonita. Muito pelo contrário: era tão triste que fazia meu peito se contrair de dor.

O senhor Tanaka segurava a mão de Isao, elevando-a até sua testa como se estivesse em algum tipo de oração. Agnes chorava baixinho, beijando a outra palma de seu amado.

— Menina — Isao disse, com tanta dificuldade que as lágrimas começaram a cair em meu rosto. — Desculpe fazê-la vir até aqui, mas precisava agradecer por tudo o que fez por mim e por meu filho.

Yoko tocou meu ombro, um pedido mudo para que eu me aproximasse. Assim o fiz, ainda que minhas pernas parecessem chumbo.

— Eu não fiz nada, seu Isao — falei, a voz trêmula.

Então, ele sorriu. Apenas um breve e pequeno sorriso. Imaginei que não tivesse forças para fazer mais que aquilo.

— Meu pai me visitou esta noite e agora eu entendo. E também vejo o que você vê tão claramente — ele desviou o olhar para sua mão entrelaçada à de Agnes, onde o fio vermelho do destino parecia tremeluzir sob a luz pálida daquele quarto.

— Eu não... — tentei dizer, mas mentir para um homem à beira da morte foi demais para mim. Abaixei a cabeça e assenti, lentamente.

— Obrigado por nos dar a chance de viver o amor verdadeiro — sussurrou, sua respiração se tornando mais falha e difícil, conforme ele apertava a mão da companheira. — E obrigado por fazer meu filho não desistir do dele.

Mordi o lábio inferior e acenei com a cabeça. Não sabia o que dizer, como responder.

— Espero que você também se dê a mesma chance quando estiver pronta — falou, antes de seus olhos se fecharem por completo.

O choro de Agnes se intensificou enquanto ela chamava o nome de Isao. Era como se ele estivesse dormindo tranquilamente. Porém, naquele quarto, já sabíamos que ele não estava mais entre nós.

E eu não pude deixar de ver o fio entre ele e Agnes se desfazendo, bem diante dos meus olhos. Uma alma deixando a outra, uma metade partindo, até que a conexão entre os dois desaparecesse por completo. Como se a ligação entre os destinos de ambos os deixasse de vez.

Por fim, descobri da pior maneira que minha teoria estava certa.

Agnes ainda chorava baixinho conforme o médico assinava o atestado de óbito. Yoko e o senhor Tanaka ficaram para conversar com o doutor, os enfermeiros e a diretora da clínica.

Aproveitei para levar a senhora abatida para tomar um copo de água e, quem sabe, um pouco de ar fresco. Ela me acompanhou sem hesitar, como se tudo o que suas pernas quisessem fosse se afastar do quarto onde seu amado dera o último suspiro.

Nos sentamos em um dos bancos de madeira do jardim e, quando ela enfim enxugou as lágrimas restantes, eu disse:

— Sinto muito por sua perda. Sei que não é fácil.

— Já perdeu alguém, querida? — Sua pergunta me surpreendeu, mas assenti. — Você o amava? — Acenei com a cabeça mais uma vez. — Sinto muito também.

A mão enrugada segurou a minha, como se juntas pudéssemos nos apoiar uma na outra, compartilhar nossas dores até que elas se tornassem menos pesadas. Apertei seus dedos contra os meus, com carinho.

— Penso que a vida é frágil e a existência, breve demais para duas pessoas que se amam verdadeiramente. Ainda assim, agradeço todos os dias por ter tido a chance de encontrá-lo, mesmo que tenha sido no final de nossa jornada.

A boca fina se esticou em um sorriso sincero, nostálgico.

— Entendo o que a senhora quer dizer — sorri também.

Mesmo que só tenha tido alguns anos ao lado de Alexandre, eu agradecia por cada segundo que estivemos juntos e por cada momento que compartilhamos.

— Isso pode parecer um pouco depressivo — ela riu baixinho, atraindo minha atenção. — Mas sei que em breve vou vê-lo novamente. Do outro lado, sabe? — explicou, balançando a cabeça. — Sei que ele estará me esperando.

— Tenho certeza de que sim — respondi.

— Nessas últimas horas, Isao dizia coisas que, para mim, não faziam muito sentido. Tentei não pensar sobre isso, queria apenas estar com ele o máximo que pudesse, mas ele chamou por você, dizia que precisávamos agradecer-lhe pelo nosso tempo juntos, e eu concordo.

— Eu não fiz nada, dona Agnes. Vocês se encontrariam com ou sem minha ajuda, já estava escrito. Mas, se eu pude, de alguma forma, adiantar esse encontro, fico muito feliz.

Ela me ofereceu um sorriso agradecido e apertei ainda mais sua mão fina, em sinal de conforto.

— E você, menina? — perguntou.

Fiquei confusa.

— Eu?

— Você ainda é tão nova — observou, seus olhos me analisando com cautela, pena e carinho. — Torço para que encontre um novo amor que a complete da mesma forma que Isao fez comigo. Você merece ser feliz, Letícia.

Dona Agnes era mesmo uma pessoa boa, pensei comigo mesma. Em seu momento de dor e tristeza, ela desejava a minha felicidade e que eu tivesse experiência de viver o que ela e Isao tiveram.

Agradeci com um sorriso, mesmo sabendo que aquele caminho e aquela ligação já não me aguardavam. E tudo bem, pois não queria dizer que não havia *alguém* me esperando.

Thiago me esperava, em minha casa.

Ele podia não ser minha alma gêmea escolhida pelo destino, mas era especial.

— Te agradeço do fundo do meu coração por aquele dia, Letícia — dona Agnes disse, oferecendo um sorriso afável, ainda que seus olhos começassem a se inundar de lágrimas novamente.

Deixei que os pensamentos de antes se esvaíssem por enquanto, pois ela precisava de apoio e eu poderia deixar para entender meus sentimentos outra hora. Uma que não fosse destinada ao luto.

Por isso, coloquei meus braços ao redor dela e a deixei chorar pelo tempo que precisasse. Poucos minutos depois, uma mão tímida tocou meu ombro e me virei para encarar Yoko.

Com um aceno de cabeça, deixei que ela assumisse meu lugar ao consolar Agnes.

— Akira te espera na cafeteria, tem algo pra você — avisou Yoko, afagando os cabelos grisalhos da mulher que ainda extravasava sua dor.

Assenti, engolindo em seco, e fui até a cafeteria, encontrando-o com os ombros caídos e o rosto coberto pelas mãos. Puxei uma cadeira e me acomodei à sua frente. Ele se empertigou, mas não limpou o rastro das lágrimas em seu rosto.

Ele havia acabado de perder o pai e sua expressão era de pura tristeza.

— Sinto muito pelo seu pai — falei, sendo sincera.

Akira acenou em agradecimento.

Com uma mão, ele tirou de seu colo e empurrou em minha direção o que parecia um livro antigo com capa de couro marrom.

— Eu... — ele engoliu em seco. — Tudo o que sei sobre lendas orientais, aprendi com meu avô. Acho que já desconfiava que tinha algo de errado com você quando nos conhecemos e você fez aquelas perguntas estranhas. Não sei que tipo de elo nos conecta, Letícia, mas quero ajudá-la a desvendar esse mistério, de verdade.

— Obrigada — sussurrei, agradecida.

— O Akai Ito, o fio do destino. Você o vê, não é? Assim como meu avô o via.

Concordei com a cabeça:

— Vejo, mas não entendo o porquê.

Ele tocou com dois dedos o livro no meio da mesa e continuou:

— Eu e Yoko passamos uns dias na casa que minha família tem na serra. Te disse que era para reconstruirmos nosso casamento e isso não foi uma mentira, mas também queria procurar respostas nos pertences do meu avô, que levamos para lá depois da morte dele. Foi onde encontrei este diário.

— O que diz aqui? — perguntei, ansiosa.

— Meu avô sempre foi uma pessoa sensitiva e agora, quando olho pra trás, me lembro de vê-lo dando dicas para algumas pessoas ao acaso que nem você faz. Quando encontrei esse diário, me deparei com uma lista de... missões cumpridas, por assim dizer. Ele detalha todos os casais que ajudou ou tentou ajudar e, em algumas páginas, também descreve um pouco como se sentia em relação a tudo — explicou.

— Posso? — perguntei, fitando o diário.

Akira assentiu, empurrando-o para mim.

Comecei a folhear as páginas, lendo alguns trechos.

— *Não existem coincidências*. Ele escreveu isso em quase todas as páginas.

— Sim, também reparei.

— Tem algumas citações sobre você e Yoko, seu pai e Agnes e outros casais — comentei, ainda concentrada no que lia. — Ele parecia... frustrado por não conseguir fazer o que achava que deveria fazer.

Continuei passando as páginas, até chegar às últimas.

— Sim. Ele diz diversas vezes que não era bom o suficiente para cumprir sua missão. Em algumas partes, também fala sobre como se sentia solitário desde que perdera a esposa alguns meses antes. Nas últimas páginas ele... — Akira engoliu em seco, a voz se tornando fraca. — Ele diz que não tinha mais nenhum valor, que estava velho e era um inútil. Eu nunca percebi. Não consegui ver que ele estava deprimido a esse ponto. Fui um idiota cego! Foi minha culpa, devia ter prestado mais atenção, principalmente depois que minha avó se foi.

— O que quer que tenha acontecido, não foi sua culpa.

Tentei confortá-lo, mas ele estava claramente abalado, esfregando as mãos no rosto, exausto.

— Nunca entendi por que ele atravessou fora da faixa naquele dia — continuou. — Meu avô nunca tinha sido irresponsável a esse ponto, mas depois que minha avó faleceu, alguns meses antes, acho que ele não via mais sentido na vida. Tudo leva a acreditar que foi proposital... meu avô... ele realmente queria se... — Akira soltou um longo suspiro que misturava tristeza e decepção.

— Sinto muito.

Ele acenou em agradecimento.

— Me lembro que quando soube que aquele ônibus pegou ele e um outro cara, achei muito estranho que... Ei, você tá bem? É alguma visão?

A voz de Akira era preocupada, baixa e distante. Muito distante, enquanto meu cérebro absorvia o que ele havia acabado de dizer.

"Quando aquele ônibus pegou ele e um outro cara."

Não...

NÃO!

Meu corpo estava petrificado, completamente rígido e imóvel. A língua parecia pesada dentro da boca, o estômago se revirando como se fosse um mar em ressaca.

Precisei reunir todas as minhas forças para perguntar:

— Quando? Quando ele morreu?

— Há pouco mais de um ano, no dia 30 de maio.

30 de maio.

30 de maio, um acidente de ônibus, dois homens.

"Não existem coincidências", estava escrito nos diários. Muitas e muitas vezes.

Tudo girou, a consciência se tornava uma névoa densa em minha cabeça. Eu não tinha controle sobre nada e, quando vi, Akira estava abaixado ao meu lado, dando leves tapinhas em meu rosto.

— Letícia! Letícia! Você está pálida, o que houve?

Mas eu não conseguia responder, porque havia acabado de assimilar que o avô do senhor Tanaka, aquele espírito que me dera a missão e que me visitava em sonhos, era a mesma pessoa que morrera junto de Alexandre.

O responsável pela morte dele.

Então, a tontura veio com força e tudo escureceu.

CAPÍTULO 30

Eu estava mais uma vez em um lugar escuro, mal conseguia ver um palmo à frente. Desorientada, olhei para todos os lados, procurando por algo. Alguém.

Nada. Apenas um breu sufocante ao meu redor.

— Apareça! — gritei, apertando os punhos na lateral do corpo. — Apareça de uma vez e converse comigo, me conte o que aconteceu!

— Eu sinto muito — sussurrou aquela voz que eu reconhecia bem. A voz do velho.

— Apareça — pedi novamente, necessitando de respostas, e um clarão tomou meus olhos.

Precisei cobrir o rosto com as mãos, pois a sensação que tive era de que ficaria cega. Me permiti olhar ao redor mais uma vez quando um vento morno tomou meu rosto e meus braços.

— Eu sinto muito — ele repetiu.

Sua figura se materializou em minha frente, como poeira.

— Me conte a verdade. Toda ela.

Ele, então, chorou.

O pequeno senhor à minha frente derramou não uma ou duas, mas inúmeras lágrimas silenciosas. Seu quimono parecia gasto, velho e puído. Manchas escuras que pareciam graxa e marcas de pneus surgiram no tecido branco.

Minha respiração travou e engoli em seco, arregalando os olhos conforme as manchas e os rastros de sujeira continuavam tingindo seus trajes.

— Eu estava decidido — disse, finalmente me encarando. — Decidido a deixar este mundo de uma vez, encontrar a paz que perdi quando minha esposa se foi.

— Mas por que chegou a esse ponto? Quantas pessoas perdem pessoas queridas todos os dias, e quantas pessoas sofrem e continuam, dia após dia? Você não estava sozinho, tinha seu filho e seu neto que sempre se preocuparam com você. E ainda assim...

Mordi meu lábio inferior, meus olhos me traindo conforme lágrimas escorriam por minhas bochechas.

Eu também perdera um amor. Eu também sofrera aquilo. E lá estava eu, lutando todos os dias para me reerguer, para encontrar minha felicidade, para *viver*. Mas, ao mesmo tempo, como poderia julgar alguém por suas decisões sem estar no lugar dele? Quantas pessoas escondem sua dor até que não a suportem mais? É difícil, eu imagino, se sentir tão solitário e sem esperança a esse ponto...

Ainda assim, pensar que a decisão dele levou a pessoa que eu mais amava... aquilo deixava um gosto amargo em minha boca.

— Menina, eu sei o que está sentindo agora — ele sussurrou, triste. — Talvez me arrependa de algumas de minhas escolhas quando humano. E gostaria que minha decisão não tivesse cruzado o caminho daquele que era seu companheiro. Porém, o que aconteceu, aconteceu. Ele escolheu tentar me ajudar naquela hora. Era um homem bom. E esse foi o destino dele — falou, com tanta firmeza que ofeguei. — E eu sinto muito, muitíssimo. Quando vi que ele se aproximou para me ajudar, já era tarde demais. Nossos corpos já estavam no chão e eu, meu espírito — se corrigiu -, continuava ali, preso ao solo do asfalto.

— Alexandre... ele... você o viu? — Eu me referia ao seu espírito, em pânico ao pensar que ele poderia estar vagando pelas ruas, sozinho, invisível.

O homem negou com a cabeça.

— Ele se foi. Para o outro plano. Ele está bem — explicou, sua voz gentil em uma forma de me acalmar.

Prendi o lábio inferior ainda mais forte entre os dentes e suspirei fundo, atenta àquelas palavras. "Ele está bem." Alexandre está bem! Um alívio percorreu minha espinha e meu nervosismo começava a se dissipar. Aos poucos, tudo parecia fazer um pouco mais de sentido.

— Infelizmente, com muita dor, tirei a minha própria vida. Mas eu não estava sozinho. Eu tive alguém ao meu lado, que quis ajudar: aquele rapaz, uma pessoa que ficará marcada em mim para sempre. Assim como em você, aquela que mais sofreu pela morte dele.

— Por isso eu consigo te ver? Por isso você transmitiu o seu trabalho para mim? Porque estamos, de alguma forma bizarra, conectados pela minha alma gêmea que se foi tentando te salvar?

Ele me fitou de forma condescendente. Por alguma razão, odiei aquele olhar.

— Ele não era sua alma gêmea, Letícia — avisou.

Abri a boca e a fechei. Duas, três, quatro vezes.

Então...

— Não fui eu quem te deu o poder da visão dos predestinados — continuou, sério. — Foi o próprio destino. Tudo o que aconteceu estava escrito. Fazemos parte de um jogo muito maior, de coisas que jamais poderemos entender completamente, tudo com intuito de nos ajudar a encontrar o caminho que devemos seguir.

Um vinco se formou em minha testa. Dentro da minha cabeça, tudo era caos e questionamentos.

— Não existem coincidências, menina. Encontramos pessoas e vivemos situações por estarmos predestinados. Tudo o que nos rodeia era pra ser — ele suspirou, abatido. — Não pense que seu noivo se foi em vão. Todos nós temos nosso tempo e uma missão na Terra, ainda que não pareça justo, às vezes. Havia chegado a hora dele, então não havia nada que qualquer pessoa pudesse fazer.

Suas palavras atingiram o fundo do meu peito, uma dor dilacerante rasgando cada órgão meu.

— Não parece *nem um pouco* justo — sibilei. — Uma pessoa tão jovem não deveria simplesmente partir para o outro lado.

O homem negou com a cabeça, lentamente.

— Muitas coisas não são justas. Você, por exemplo, fechou seu coração por completo. Isso não foi justo consigo mesma.

Eu o encarei, confusa, atordoada. Era muita coisa de uma só vez e eu ainda tentava assimilar todas aquelas informações. Se Alexandre não estava destinado a mim e vice-versa, então...

— Sua alma estava partida — ele continuou, interrompendo meu raciocínio. — A chance de encontrar o seu escolhido seria perdida, pois você não o veria. E de nada adianta encontrar o amor de sua vida se você não está disposta a deixá-lo entrar.

— Mas eu o amava!

Eu amava Alexandre, não tinha dúvidas quanto a isso.

— A beleza do ser humano é poder se apaixonar por diversas pessoas. Nosso coração é grande demais para acolher um único amor. É da nossa natureza — explicou. — Mas avalie agora seus sentimentos por sua verdadeira alma gêmea, entenda a conexão entre vocês e perceberá que é diferente. Mais puro, único.

Foi inevitável ver o rosto de Thiago em meus pensamentos. Sua imagem veio até mim por instinto e soube, naquele exato momento, que o velho estava certo.

Eu amei Alexandre. Amei com todo o meu coração. Mas Thiago...

Eu amava Thiago com tudo de mim. Corpo, coração e alma.

A cada momento, sorriso e toque que compartilhamos, Thiago foi ganhando espaço dentro de mim, assumindo um lugar que estava reservado para ele, apenas aguardando a sua chegada para reivindicá-lo. Eu sabia disso. Podia sentir com cada fibra do meu ser.

— O destino nunca me permitiu ver a pessoa feita para mim. Provavelmente, porque isso influenciaria minhas escolhas. A Lei do

Livre-Arbítrio é suprema, mas, no instante em que vi minha esposa, soube que seria ela — o homem relembrou com nostalgia. — Só que, para isso, é necessário estar aberto ao amor, Letícia.

Meus lábios se entreabriram, enquanto meus neurônios faziam suas pontes e assimilavam tudo o que tentei ignorar por todo esse tempo. Em choque, surpresa e entendimento, tudo voltou a fazer sentido. O fato de não ver o fio em meu dedo e nem mesmo em Thiago. Ele nunca perdera sua cara-metade, pois *eu* era essa pessoa. Eu apenas não era capaz de ver quem estava do outro lado do meu destino, assim como o velho não conseguiu ver sua ligação com a esposa, apesar de toda a sua certeza de que ela era sua predestinada.

Quando vi Thiago pela primeira vez, não senti a tal conexão pelo simples fato de que não estava pronta para ela. Eu me escondia em luto, mágoa e tristeza, o que poderia ter me custado a felicidade.

Mas, pouco a pouco, Thiago se aproximou e quebrou cada pedacinho da muralha que ergui em meu coração. Com seu sorriso largo, suas brincadeiras, piadas e gentilezas, com seu carinho e companheirismo, tudo nele foi me conquistando e ocupando seu lugar por direito dentro de mim.

Era isso: eu o amava.

Eu o amava de uma forma inexplicável, incrível e incomparável.

Conseguia sentir claramente em meus ossos, meus poros, minhas veias. Era Thiago! A pessoa feita para mim, aquele que me faria provar a sensação do amor verdadeiro, nu e cru. Puro.

Então, me permiti sentir.

Todo aquele amor, aquela ligação percorrendo minhas veias, meus membros, meu espírito. Ligando-me a ele, me levando até Thiago como um ímã. É assustador e excitante. Tudo ao mesmo tempo.

Mas, acima de tudo, é tão, *tão* certo.

De repente, toda a confusão que borbulhava em meu sangue se transformou em descoberta e felicidade. Eu amava Thiago e seus sentimentos também eram meus. Queria gritar isso para o mundo, mas, especialmente, para ele. Queria dizer a ele a verdade, tudo o que pulava de meu peito agora.

— Sua missão — o velho começou, atraindo meu olhar mais uma vez. Suas roupas, agora, estavam limpas e completamente brancas. — Não era apenas ajudar os casais predestinados, mas também se reconectar consigo mesma, acreditar no amor e reconhecê-lo quando chegasse a hora. Você juntou pessoas com suas almas gêmeas, e elas serão eternamente gratas e jamais se esquecerão do que fez. Quando fazemos o bem, ele retorna a nós como um ciclo.

Lembrei subitamente das vezes em que os casais me retribuíram, de alguma forma. Aquilo aqueceu meu coração, uma sensação de orgulho e dever cumprido tomando meus sentidos. Eu havia feito coisas boas, ajudei aqueles que precisavam de mim e pude me sentir extremamente grata por isso.

— Porém, o mais importante — o homem continuou, a voz sábia. — Você se curou, se remendou e se encontrou.

Ele estava certo. Tudo dentro de mim era novo, eu me reinventara desde que Thiago cruzara meu caminho, desde que permiti me abrir para a vida mais uma vez. Para o amor, para os sentimentos que eu teimava em guardar em uma caixa dentro do peito. Todos livres e soltos agora, aquecendo meu corpo e minha alma, me trazendo a sensação de esperança, liberdade e expectativa.

A expectativa de um futuro, de uma família, de uma vida completa ao lado de Thiago.

— Obrigada — me ouvi dizer.

Ele balançou a cabeça.

— Eu é que devo agradecer, Letícia. Por cuidar bem de meus meninos e de tantos outros que não pude mais cuidar.

Ele me ofereceu um sorriso pequeno, mas quente e sincero.

— E agora? O que devo fazer? — perguntei.

— Agora, cumpra seu último trabalho e o destino seguirá seu rumo. Para nós dois.

E, como uma brisa morna que passou por nós, o velho se desfez em poeira. Uma luz branca e brilhante tomou minha visão, enquanto eu tentava entender o que seria exatamente meu último trabalho.

CAPÍTULO 31

— Letícia? — A voz do senhor Tanaka parecia mais clara agora, repetindo meu nome, enquanto tocava meu ombro. — Ela está acordando!

Senti minhas costas apoiadas em algo mais macio do que a cadeira da cafeteria onde estávamos, e me forcei a abrir os olhos devagar para poder me acostumar com a luz aos poucos.

— Tô bem — consegui dizer baixinho, sentindo a boca seca.

— Quer se sentar? — ele perguntou.

Concordei com a cabeça e senti uma mão tocar minhas costas e me ajudar a levantar. Quando consegui identificar melhor o cômodo, percebi que estava em uma pequena sala com mesas, cadeiras e sofás. Na porta branca, havia uma placa escrita "sala dos funcionários".

— Aqui, toma um pouco de água — ele ofereceu, e bebi um pequeno gole. — Acho que sua pressão caiu enquanto víamos o diário.

O diário!

O sonho!

Minha respiração se tornou pesada e errática quando tirei o copo de perto da boca e o coloquei no chão.

— Sonhei com seu avô — avisei.

Senhor Tanaka me olhou alarmado e prendeu a respiração, aguardando que eu contasse mais.

— Ele me explicou tudo. As coisas agora fazem sentido. O homem...

— engoli em seco. — O homem que foi atingido pelo ônibus com seu avô era o meu noivo.

As pálpebras dele se arregalaram e os lábios se separaram em surpresa.

Fiz um aceno com a cabeça e disse:

— Desculpa, mas tem algo que preciso fazer agora.

Ele assentiu, com um gesto curto e firme. E, por impulso, eu o abracei em uma mistura de pêsames, luto e agradecimento. Agora, graças a ele, eu sabia a verdade e precisava cumprir minha última missão.

Ele me apertou de volta e, no segundo seguinte, corri para fora da clínica.

Entrei no meu apartamento às pressas e, antes que pudesse dar dois passos para dentro, braços fortes me puxaram contra um corpo quente.

Thiago.

Ele me envolveu em seu abraço como se eu fosse o seu mundo inteiro. Assim como ele era o meu.

— Letícia, meu Deus, linda! — Beijou o topo da minha cabeça. — Fiquei preocupado! Você não pode deixar uma mensagem falando que precisou sair porque uma emergência aconteceu e não atender ao telefone. Eu não sabia onde você estava ou o que tinha acontecido. Tá tudo bem?

Thiago se afastou, segurando meu rosto com as mãos.

E, assim, sem mais nem menos, eu vi em câmera lenta quando o fio vermelho se materializou centímetro por centímetro em cor, formato e textura em seu dedo mindinho, percorrendo o caminho entre nós até chegar ao meu.

Nosso destino selado à minha frente. A prova de que fomos feitos um para o outro, de que somos metades de um todo.

Thiago é meu e eu sou dele.

— Tá tudo bem, agora. Mais do que bem, porque você tá aqui comigo — respondi, sem conter o sorriso que se alargou por todo o meu rosto.

— Eu não queria estar em nenhum outro lugar, Letícia.

Seus olhos encararam os meus e brilharam de alívio e... amor...

Um amor que eu também sentia, e sentia tão plenamente que me fez derramar algumas lágrimas, porque o amor faz isso com a gente, nos transforma em líquido, alma e sentimentos.

— Ei, o que houve? — ele perguntou com tanto carinho que chorei mais e sorri mais, pois esse era o efeito que Thiago tinha sobre mim.

Tudo com ele era mais. A vida era mais leve, as risadas mais divertidas, as emoções mais intensas.

Nada do que eu dissesse seria suficiente para explicar tudo o que crescia dentro de mim, então enlacei seu pescoço e colei nossos lábios em um beijo que tinha o objetivo de dizer o que palavras não eram capazes.

Quando sua língua tocou a minha, seu gosto preencheu minha boca junto do sal das minhas lágrimas e ali, naquele beijo, entreguei tudo o que eu era, tudo o que era dele. Seus braços fortes e firmes me rodearam e me trouxeram para mais perto. Tão quente, acolhedor e familiar, como a sensação de estar de volta ao lar.

Minha casa.

Era o que Thiago representava para mim.

E quando nossos pulmões pediram ar e fomos obrigados a nos separar, ofegantes e satisfeitos, ele beijou meu nariz, depois minha bochecha, meu queixo e orelha.

Rindo feliz, olhei para baixo conforme seus lábios faziam cócegas em meu pescoço e vi o fio vermelho se desfazendo em poeira brilhante sob meu olhar. Então entendi que minha missão estava enfim completa.

Eu não precisava apenas encontrar minha própria alma gêmea, mas também aceitá-la na minha vida.

E ali, enquanto Thiago continuava me beijando e me amando, eu o aceitei de braços abertos.

EPÍLOGO

O tempo estava morno e o céu aberto naquela manhã de primavera, cinco anos depois.

Mari e Frenchie estendiam a toalha quadriculada sobre a grama verde, enquanto Thiago mantinha as crianças distraídas.

Davi, nosso pequeno de cabelos escuros e olhos verdes, e Melissa, com seus cabelos ruivos e olhos azuis iguais aos da mãe, queriam brincar com os cachorros que corriam pelo parque. Ambos com três anos, tinham energia de sobra e meu marido parecia estar tendo dificuldade para controlar os dois pestinhas.

Ri quando as crianças se jogaram contra Thiago e o derrubaram no chão, recebendo um olhar de socorro dele em minha direção. Deixei a cesta de comida em cima da toalha já estendida e me aproximei.

— Se vocês machucarem o papai e o titio, quem é vai que levar vocês pra comer os biscoitos da vó Cida? — questionei com as mãos apoiadas no quadril.

Os pequenos sorriram amarelo, cheios de culpa, e abraçaram Thiago com os bracinhos rechonchudos como um pedido de desculpas. Na verdade, eles só não queriam ficar sem os biscoitos, mas poderíamos ignorar esse fato por ora.

Meu marido, ainda no chão, me encarou com puro alívio e diversão naqueles olhos verdes brilhantes, me fazendo rir baixinho e balançar a cabeça.

Dona Cida, mãe de Thiago, conseguira se recuperar completamente do câncer e hoje vivia uma vida tranquila, sempre ligando para saber quando levaríamos o neto até sua casa. Ela se mostrou uma avó bem babona. Mas quem poderia julgá-la? Davi era encantador, igualzinho ao pai, e estava na fase de só querer usar camisetas de super-heróis, o que, é claro, só deixava Thiago ainda mais orgulhoso do filho. Se é que isso era possível.

Mari e Frenchie esperavam o segundo bebê, enquanto Thiago tentava me convencer de que seria uma boa ideia montarmos um time de futebol.

Porém, como nova gerente da Up depois que Flávia decidira passar um tempo no exterior com o marido e agora sócio do Canal Radical, o tempo estava muito corrido para pensar em cuidar de mais uma criança. Principalmente com Raissa prestes a tirar a licença-maternidade.

De qualquer forma, era algo a se pensar. Talvez para o próximo ano, quem sabe?

— Ei, crianças, não corram! Vocês podem tropeçar! — Mari gritou quando Frenchie decidiu levar nossos filhos para verem os cachorros de perto. — Mais tarde vamos jantar com a Yoko e o Akira, certo?

Assenti.

— Eles estão lançando um novo cardápio no restaurante e vão fazer uma noite de degustação.

— Adoro degustação — minha amiga comentou, passando a língua nos lábios.

Eu e Thiago rimos baixinho em concordância e nos acomodamos na toalha quadriculada, sentindo o sol aquecer nosso rosto.

Thiago passou o braço por meus ombros e beijou meus cabelos, antes de se virar e observar o filho com a atenção de um pai coruja.

Fiz o mesmo, deixando um sorriso feliz escapar de meus lábios.

Porém, assim que olhei na direção dos pequenos que corriam e riam pelo parque, um raio de sol atingiu minha visão, quase me cegando com a claridade inesperada.

Coloquei a mão em concha na altura das sobrancelhas, tentando enxergar com os olhos semicerrados a direção que eles percorriam até os cachorros, com Frenchie logo atrás.

Ofeguei assim que vi, apenas de relance, um fio vermelho conectando Davi e Melissa. Amarrado em seus dedinhos gorduchos, ligando um ao outro naquele pequeno espaço que os separava.

Em um piscar de olhos, o fio, de repente, sumiu. Como poeira no ar.

E se foi apenas uma alucinação ou o destino me dando um alô, eu não soube dizer.

AGRADECIMENTOS

Domo arigato.

Significa "muito obrigado" em japonês, porque a primeira coisa que quero fazer é agradecê-los por chegarem até o final desse livro tão especial para mim. Não vou dizer que falo o idioma, mas preciso que entendam que passei a vida ouvindo a língua durante os animes que permearam meu crescimento e formaram parte de quem sou hoje.

Para quem não sabe, minha vida como escritora de histórias começou por causa da série japonesa *Naruto*. Tenho esse amor marcado em minha pele, alma e coração e, há muitos anos, tive esse desejo de contar minha própria versão moderna baseada no Akai Ito. E olha só... aqui estamos!

Contar a trajetória de Letícia foi uma baita aventura e desafio, mas também a realização de um sonho que guardo comigo desde que eu era a pequena Deborah, sentada no chão do meu quarto assistindo desenhos animados como *Inuyasha*, *Sakura Card Captors* e *Sailor Moon* no canal de TV *Cartoon Network*.

Tudo o que posso esperar é que tenham se emocionado e se apaixonado tanto por essa história quanto eu. Acredito de verdade que algumas pessoas surgem em nossas vidas por um motivo e que, apesar do nosso livre-arbítrio, também temos um destino a cumprir nesse mundo. Acho que descobri o meu após começar a escrever minhas fanfics Sasusaku, e sou extremamente grata por ter a chance de continuar escrevendo e tocando leitores com minhas palavras e sentimentos.

Essa oportunidade de fazer o que amo é graças a algumas pessoas. Entre elas, minha família e meu outro lado do fio, que acreditaram em mim e me deram o incentivo que eu precisava para iniciar essa jornada.

À minha querida amiga e irmã de alma, Angie Stanley, por ter me ajudado a moldar essa obra com tanto amor e dedicação. Essa conquista é nossa e não tenho dúvidas de que o cruzamento de nossos caminhos tem uma mãozinha do destino.

Mari Dal Chico, por ter me dado uma chance e ter adotado a mim e a esses personagens com tanto carinho. Esse livro é ainda mais importante porque me levou até você e à agência Increasy. Não há felicidade maior do que ver essa história ganhando vida e isso é o resultado de um lindo e esforçado trabalho de todas vocês: Mari, Grazi, Alba e Guta. Obrigada por nos trazerem até aqui!

À Thaise e Marco, por acreditarem em mim e no meu livrinho. O cuidado que vocês e toda a equipe da VR têm comigo e com essa obra só me prova que não há casa editorial melhor para *O fio que nos une*. Obrigada, do fundo do meu coração! Especialmente por me darem a chance de conhecer a Fernanda Nia e *Mensageira da sorte*, um livro incrível que me inspirou a criar minha própria fantasia urbana.

E o que dizer da querida Babi, que topou com tanto entusiasmo e carinho ler essa obra e fazer um *blurb* tão especial? Faltam palavras para dizer o quanto te admiro, como mulher e escritora. Estreitar laços com você foi um dos melhores presentes que esse mundo literário podia ter me trazido, e serei eternamente grata pelas suas palavras e histórias lindas.

Por fim, meu maior desejo é que todos nós possamos encontrar a pessoa do outro lado do nosso fio, pois não há nada mais forte nesse mundo do que o amor.

SUA OPINIÃO É MUITO IMPORTANTE

Mande um e-mail para **opiniao@vreditoras.com.br** com o título deste livro no campo "Assunto".

1ª edição, mar. 2022

FONTES Minion Pro 10,75/16,3pt
Delicato Pro 30/32pt

PAPEL Ivory Cold 65g

IMPRESSÃO Geográfica

LOTE GEO240122